Roger Smith

Kap der Finsternis

Roman

Tropen

Aus dem Amerikanischen
von Jürgen Bürger und Peter Torberg

Tropen
www.klett-cotta.de/tropen
Die Originalausgabe erschien 2009 unter dem Titel »Mixed Blood«
im Verlag Henry Holt and Company, LLC, New York.

Printed in Germany
Schutzumschlag: Klett-Cotta-Design
Unter Verwendung eines Fotos von Paul Bruins
Gesetzt aus der Janson von r&p digitale medien, Echterdingen
Auf säure- und holzfreiem Werkdruckpapier gedruckt
und gebunden von CPI – Clausen & Bosse, Leck
ISBN 978-3-608-50202-2

Dritte Auflage, 2010

Für Sumaya

KAPITEL 1

Jack Burn stand auf der Terrasse des Hauses hoch über Kapstadt und schaute zu, wie die Sonne sich im Meer ertränkte. Der Wind, dieser Südostwind, der Burn an die Santa Anas zuhause erinnerte, wehte wieder stärker. Ein Wind, der die Nacht in ein Treibhaus verwandelte, der die Menschen angespannt und gereizt werden ließ, der Cops und Notärzte in falsche Entscheidungen verwickelte.

Burn hörte das Röhren des Autos ohne Schalldämpfer, das langsam ausrollte und schließlich stehen blieb. Das Wummern von Bassboxen, die Gangsta-Rap hinauspulsten. Nicht gerade der übliche Soundtrack in diesem vornehmen weißen Viertel an den Hängen des Signal Hill. Der Wagen setzte in hohem Tempo zurück und hielt ganz in der Nähe wieder an. Der Motor wurde ausgemacht, der Rap verstummte mitten in einem *muthafuckah*. Burn schaute zur Straße hinunter, konnte von seiner Position den Wagen aber nicht sehen.

Susan beobachtete ihn aus dem Haus. Die Verandatüren standen offen.

»Komm essen.« Sie drehte sich um und verschwand im Halbdunkel.

Burn ging hinein und schaltete das Licht an. Das moderne Haus hatte klare, harte Linien. Ganz ähnlich dem reichen, jungen Deutschen, der es ihnen für sechs Monate vermietet hatte, während er nach Hause zurückkehrte, um in Stuttgart am Sterbebett seines Vaters zu sitzen.

Susan brachte das Filet aus der Küche, bewegte sich in diesem für Hochschwangere typischen, nach hinten gebeugten Watschelgang mit nach außen gestellten Füßen. Sie war wunderschön. Klein, blond, mit einem Gesicht, das sich hartnäckig weigerte zuzugeben, bereits achtundzwanzig zu sein. Abgesehen von dem riesigen Bauch sah sie immer noch exakt so aus wie vor sieben Jahren. Burn erinnerte sich noch genau an diesen Augenblick, als er sie das erste Mal gesehen hatte, an dieses Gefühl, wie ihm die Luft aus den Lungen gepresst wurde, wie ihm ganz schwindlig geworden war bei dem plötzlichen Wissen, dass er diese Frau heiraten würde. Und so kam es dann auch, keine sechs Monate später, und er tat ihren Altersunterschied mit einem Lachen ab.

Susan sah zwar immer noch genauso aus, war aber nicht mehr dieselbe. Ihre Leichtigkeit war verschwunden, ihr unbefangenes Lachen nur noch eine Erinnerung. In letzter Zeit schien sie in ständiger Zwiesprache mit ihrem ungeborenen Kind zu stehen. So sprach sie davon, von *ihrem* Kind. *Ihrer* Tochter. Als gehörten Burn und Matt einer anderen Spezies an, als stünden sie außerhalb dieses exklusiven Zweierklubs.

Burn schnitt das Filet mit einem Tranchiermesser auf, Blut sammelte sich auf dem Holzbrett. Perfekt. Englisch, so wie sie es alle am liebsten mochten. Matt lag auf dem Bauch vor dem Plasma-Fernseher und sah eine Sendung im Cartoon Network. Genau wie zuhause.

»Hey, komm rüber und iss mit uns«, sagte Burn.

Matt, nur mit ausgebeulten Shorts bekleidet, wollte schon protestieren, überlegte es sich dann jedoch anders und kam zum Tisch. Er war vier, blond wie seine Mutter, wobei allerdings die Statur seines Vaters bereits zu erahnen war.

Susan hatte sich schon hingesetzt und verteilte Salat auf ihren Tellern. Sie schaute Matt nicht an. »Geh die Hände waschen.«

»Die sind doch gar nicht schmutzig«, meinte er, während er auf einen Stuhl kletterte. Er streckte ihr die Hände zur Kontrolle hin. Sie beachtete ihn nicht. Das war keine bewusste Handlung, es war vielmehr, als sei sie nicht mehr auf seine Frequenz eingestellt. Als erinnerte ihr Sohn sie zu sehr an seinen Vater.

Burn versuchte, Susans Aufmerksamkeit zu gewinnen, sie irgendwie zu ihnen zurückzuholen. Doch sie starrte nur auf ihren Teller.

»Hör auf deine Mutter«, sagte er sanft, und Matt verschwand auf nackten Füßen schlitternd Richtung Bad.

Burn schnitt gerade das Fleisch, als die zwei braunhäutigen Männer von der Terrasse hereinkamen. Beide trugen Waffen, die sie wie in einem Actionfilm im rechten Winkel vor sich hielten. Aus ihrem Lachen schloss er, dass beide bis zum Anschlag voll mit Speed waren.

An dem Abend, als der Ärger begann, beobachtete Benny Mongrel sie, die amerikanische Familie, auf der Terrasse des Hauses nebenan. Der Mann trank Wein, immer wieder mal tauchte kurz die blonde Frau auf, der Junge rannte zwischen Haus und Terrasse hin und her, die Schiebetür stand offen an diesem heißen Sommerabend. Die Momentaufnahme einer Welt, die Benny Mongrel nie kennengelernt hatte.

Seit seinem vierzehnten Lebensjahr hatte er immer mal wieder im Gefängnis gesessen. Sicher war er nicht, schätzte aber, dass er demnächst vierzig wurde. So stand es jedenfalls in seinem Ausweis. Als er im Jahr zuvor nach einer sechzehnjährigen Haftstrafe auf Bewährung aus dem Pollsmoor Prison entlassen worden war, hatte er sich geschworen, nie wieder zurückzugehen. Unter gar keinen Umständen.

Und deshalb schob er jetzt Nachtschicht als Baustellenwächter. Die Bezahlung war ein Witz, aber mit seinem Gesicht und den primitiven in seinen ausgezehrten braunen Körper geschnittenen Knast-Tätowierungen konnte er froh sein, überhaupt einen Job gefunden zu haben. Sie drückten ihm einen Gummiknüppel in die Hand und steckten ihn in eine viel zu große schwarze Uniform. Und sie gaben ihm einen Hund. Bessie. Halb Rottweiler, halb Schäferhund, ein Mischling wie er selbst. Sie war schon alt, sie stank, ihre Hüfte war hinüber und sie schlief die meiste Zeit, aber sie war das Einzige, was Benny Mongrel je geliebt hatte.

Benny Mongrel und Bessie befanden sich auf der obersten Etage des Neubaus, das Dach noch offen zu den Sternen, als er das Auto hörte. Es war auf laut frisiert, so wie es draußen auf den Cape Flats gern gemacht wurde. Mongrel ging an den Rand des Balkons und schaute nach unten. Ein roter 3er BMW kam viel zu schnell die Straße herunter auf ihn zugerast. Der Fahrer trat genau unterhalb der Stelle auf die Bremse, an der Benny Mongrel stand. Die fetten, breiten Reifen gerieten auf Baustellensand, und das Heck des Wagens brach seitlich aus, bevor er zum Stehen kam. Der BMW setzte zurück, bis er sich auf einer Höhe mit der Baustellenzufahrt befand. Der Fahrer machte den Motor aus, und der Hiphop erstarb.

Alles wurde völlig still. Benny Mongrel hörte das keuchende Atmen der schlafenden Bessie. Er hörte das leise Knacken des abkühlenden Motors. Er war angespannt. Er war sich dieses alten Gefühls bewusst, das er nur zu gut kannte.

Unsichtbar stand Benny Mongrel da und schaute zu, wie die beiden Männer aus dem Wagen stiegen. Im Licht der Straßenbeleuchtung sah er genug, Baseballmützen mit nach hinten gedrehtem Schirm, weite, ausgebeulte Klamotten, die Stars and Stripes hinten auf der Jacke des großen Mannes, um sie als Mitglieder der Americans zu identifizieren, der größten Gang auf den Cape Flats.

Seine natürlichen Feinde.

Er war bereit für sie. Er legte den Gummiknüppel zur Seite und zog das wartende Messer aus der Tasche. Behutsam öffnete er die Klinge. Falls sie hier heraufkamen, würden sie ihren Müttern begegnen.

Aber sie gingen zum Haus nebenan. Benny Mongrel beobachtete, wie der Größere seinen Kumpel hochwuchtete und der Kleine sich wie ein Affe auf die Terrasse hinaufzog. Von dort beugte er sich vor und streckte dem anderen Burschen die Hand hin. Von seinem momentanen Standort aus konnte Benny Mongrel die amerikanische Familie nicht sehen, aber er wusste, dass sie jetzt bei geöffneter Schiebetür beim Abendessen am Tisch saßen.

Er klappte das Messer zu und ließ es zurück in die Tasche gleiten.

Willkommen in Kapstadt.

Susan saß mit dem Rücken zu den Männern. Sie sah den Ausdruck auf Burns Gesicht und drehte sich um. Sie hatte nicht die Zeit zu schreien. Der ihr am nächsten war, der Kleinere, legte ihr eine Hand über den Mund und hielt ihr eine Kanone an den Kopf.

»Ach, Scheiße, Schlampe, halt's Maul, oder ich knall dich ab.« Ein harter, kehliger Akzent. Die mageren Arme des Mannes waren mit Gang-Tätowierungen überzogen.

Der große Mann war um den Tisch getreten und wedelte mit seiner Kanone vor Burns Nase.

Burn legte das Tranchiermesser hin und hob deutlich sichtbar die Hände vom Tisch. Er versuchte, eine ruhige Stimme zu behalten. »Okay, wir wollen keinen Ärger. Wir geben euch, was ihr wollt.«

»Genau, Mann. Wo kommt ihr her?«, fragte der Typ, der auf Burn zukam. Er war schlaksig wie ein Basketballspieler.

»Wir sind Amerikaner«, antwortete Burn.

Der Kleinere lachte. »Hey, wir auch.«

»Jepp, wir sind hier alle Amerikaner. *Americans*, Mann. Wie eine große verdammt glückliche Familie, hey.« Der große Mann stupste Burn mit der Mündung seiner Kanone, postierte sich rechts von Burn hinter seinem Stuhl.

Der Kleinere zog Susan auf die Füße. »Oh, wir haben hier eine Mama.«

Burn sah, wie der Mann seine Hand unter Susans Rock schob, ihr zwischen die Beine packte und zudrückte. Er sah, wie sie die Augen schloss.

Es war reiner Zufall.

Irgendwer hatte Faried Adams erzählt, dass seine Freundin Bonita in Sea Point ihren Arsch verkaufte, wo sie doch angeblich ihre Mama im Krankenhaus besuchen sollte. Faried hatte kein Problem damit, dass sie wieder anschaffen ging, aber es machte ihn sauer, dass sie ihm nichts von der Kohle ablieferte. Er wollte die Schlampe bei der Arbeit erwischen.

Also zog der schlaksige Faried los und hämmerte an die Tür von seinem zu klein geratenen Kumpel Ricardo Fortune. Rikki wohnte in einem dieser Ghettoblocks in Paradise Park, wo die Wäsche an über die Fußwege gespannten Leinen hing und die Treppenhäuser nach Pisse stanken. Rikki hatte ein Auto. Aber er hatte auch eine Frau, Carmen, die permanent wegen allem meckerte und maulte. Weswegen Rikki ihr ständig was aufs Maul gab. Was Faried im Übrigen ganz genauso machen würde; Bonita, das Dreckstück, würde heute Abend ebenfalls ein blaues Auge bekommen. Wenn sie Glück hatte.

Faried und Rikki fuhren mit dem BMW raus nach Sea Point, nachdem Faried Rikki ein paar Scheine in die Hand gedrückt hatte. Sie cruisten den Straßenstrich rauf und runter und zogen sich dabei Tupac rein. Auf der Straße arbeiteten ein paar braune Mädchen, alle mit fett aufgetragenem Make-up und Röcken, die gerade mal ihre Pussys bedeckten, aber weit und breit keine Spur von Bonita.

»Ey, ich hab jetzt keinen scheiß Bock mehr, Mann«, meinte Rikki. »Verpissen wir uns.«

»Okay, ich sag dir was. Wir fahren rüber nach Bo-Kaap. Mein Cousin Achmat ist da. Wir können ja später noch mal herkommen, und vielleicht erwisch ich Bonnie dann, wie sie einem Weißbrot den Schwanz lutscht.«

Rikki schüttelte den Kopf. »Ich hab aber keinen Bock auf Bo-Kaap, Mann. Ich will lieber nach Hause.«

»Wir können uns 'nen Globe reinziehen. Und dann kommen wir später noch mal zurück.«

»Wie? Achmat hat 'n Globe für uns?«

»Nee, den hab ich dabei.«

»Ey, und warum erzählst du Arsch das erst jetzt?« Rikki riss das Steuer herum, wendete und ignorierte dabei das Minibus-Taxi, dessen Fahrer voll in die Eisen gehen musste.

Rikki raste die Glengariff Road hinauf, wollte links nach High Level abbiegen, den schnellsten Weg nach Bo-Kaap. Aber dann plärrten aus seinem Mobiltelefon, einem winzigen Nokia, das er kürzlich einem Touristen an der Waterfront abgenommen hatte, die ersten Takte von Tupacs »Me against the World«. Rikki fischte das Ding aus seiner Cargo-Hose, sah, wer ihn sprechen wollte, und drückte den Anruf weg. Der scheiß Gatsby. Der fette Bulle wollte Kohle. Kohle, die Rikki nicht mehr hatte.

So abgelenkt verpasste er die Abzweigung und landete stattdessen am Signal Hill.

»Du hast die High Level verpasst«, sagte Faried.

»Weiß ich selbst. Ich fahr 'ne Abkürzung.«

Rikki jagte den Wagen eine schmale Straße hinunter. Schicke Häuser schmiegten sich an den Bergrücken. Dann trat er voll auf die Bremse, und das Auto kam schlingernd zum Stehen.

»Hey, du Arsch, was soll der Scheiß?«, schimpfte der lange Faried, der sich den Kopf am Dach gestoßen hatte.

Inzwischen hatte Rikki den Rückwärtsgang eingelegt und fuhr zurück dic Straße hinauf. »Hast du deine Kanone dabei?«

»Hat deine Mami 'n Schlüpfer an?« Faried tätschelte den Colt, der unter seinem Hosenbund herausragte. »Warum?«

Rikki hielt an und schaltete die Musik aus. »Wir steigen in das Haus da vorne ein.« Er deutete auf ein Haus, dessen Terrasse über die Garage hinausragte.

Faried starrte ihn an. »Bist du jetzt scheiß durchgeknallt, Bruder, oder was?«

»Schnell rein und raus. Diese Hütten sind voll mit Krempel und Zeugs. Vielleicht geht was.« Rikki grinste breit und zeigte dabei seine faulen Zähne. »Komm, wir ziehen jetzt den Globe rein und dann los.«

Faried dachte kurz nach, dann zuckte er die Achseln. »Hey, scheiß drauf, warum nicht?«

Er kramte die Tüte mit Tik Meth und eine von der Elektrik befreite Glühlampe aus seiner Jackentasche. Mit geübtem Geschick füllte er das Tik in die Glasbirne, den *Globe*, und streckte dann die Hand aus. Rikki hielt sein Feuerzeug darunter, und

Sekunden später saugte Faried gierig eine große Lunge voll Meth ein. Aus der Glaskugel war ein tick-tickendes Geräusch zu hören, der Klang, der der Droge auf den Cape Flats zu ihrem Spitznamen verholfen hatte: *Tik*. Er hielt den Rauch des Tik in seiner Lunge und reichte die Glaskugel an Rikki weiter, der sofort daran saugte. Rikki stieß eine dicke Rauchwolke aus.

Es gibt nichts Besseres als Hitlers Lieblingsdroge, wenn man in Partylaune kommen will. Der kleine Mann, der mit der Hand unter Susans Rock, schlängelte sich obszön, rieb seine Hüften an ihr. Seine Lippen öffneten sich leicht, und Burn sah die schwarzen Vorderzähne. Susan öffnete die Augen und sah Burn direkt an.

Der Kerl hinter Burn lachte. »Hey, wir kriegen noch mächtig Spaß heute Abend.«

Und genau in diesem Moment kam Matt zurück ins Zimmer gelaufen. Die Blicke der beiden Männer wurden wie magnetisch von dem Jungen angezogen, der schlitternd stehen blieb und sie mit großen Augen anstarrte.

Das gab Burn den Sekundenbruchteil, den er brauchte. Während er sich blitzschnell auf seinem Stuhl umdrehte, schnappte er sich das Tranchiermesser vom Tisch und vergrub es bis zum Heft in der Brust des größeren Mannes. In einer Fontäne schoss das Blut aus dessen perforiertem Herzen. Burn sprang auf, packte ihn, bevor er zu Boden ging, und benutzte den Körper als Schild. Er spürte, wie der schlaksige Mann die Kugel abbekam, die der kleinere Typ jetzt abfeuerte. Dann stieß Burn ihn beiseite, machte einen Satz nach vorn und packte den Schussarm des kleinen Kerls. Durch die Wucht des Aufpralls holte er ihn von den Füßen. Gemeinsam stürzten sie zu Boden. Burn riss den Arm des Mannes nach hinten und hörte den Knochen brechen. Die Kanone flog scheppernd über die Fliesen.

Susan wich zurück. Burn rammte dem kleinen Burschen ein Knie in die Eier, der sich daraufhin wie ein Wurm krümmte. Er warf einen kurzen Blick über seine Schulter. Der große Kerl war tot. Das sich schnell auf dem Boden ausbreitende Blut hatte bereits fast Matts nackte Zehen erreicht. Mit weit aufgerissenen Augen stand sein Sohn da.

Burn griff hinter sich nach einem Steakmesser auf dem Tisch.

»Bring Matt hier raus«, befahl er Susan.

»Jack …«

»Schaff ihn raus!«

Susan lief über den gefliesten Boden, schnappte sich den Jungen und verschwand den Flur hinunter zu den Schlafzimmern.

Mit dem Steakmesser in der Hand kniete Burn über dem kleinen Mann, der ihn jetzt anstarrte. »Mister, wir wollten doch gar nichts tun …«

Burn zögerte nur einen winzigen Moment, dann senkte er die Hand und schnitt dem kleinen Mann die Kehle durch.

KAPITEL 2

Carmen Fortune fütterte ihren vierjährigen Sohn Sheldon. Er lag in einem kleinen Kinderbettchen, seine verkümmerten Gliedmaßen zuckten und seine blicklosen Augen bewegten sich in ihren Höhlen. Das Essen tropfte ihm aus dem Mund.

Er war drei Monate zu früh auf die Welt gekommen, blind und missgestaltet, mit einem schweren Gehirnschaden. Kein Mensch wusste, wie oder warum er überlebt hatte. Bis auf Carmen. Sie wusste, dass Gott sie gestraft hatte. Dafür sorgte, dass, wann immer sie ihren Sohn anschaute, sie an all das Tik erinnert wurde, das sie geraucht hatte, als sie mit ihm schwanger gewesen war. Er war eine ständige Mahnung an die Hölle, die sie eines Tages erwartete.

Wäre da nicht die Unterstützung, die der Staat jeden Monat für Sheldon zahlte, würde sie ihm ein Kissen aufs Gesicht drücken, und kein Mensch könnte ihr einen Vorwurf machen. Aber Rikki, ihr nichtsnutziger Bastard von einem Ehemann, verqualmte alles Geld, das er zusammenschwindelte oder stahl.

Scheiß drauf, sie war ohnehin schon in der Hölle. Konnte es, mal ganz ehrlich, überhaupt noch schlimmer kommen?

Carmen war zwanzig, sah aber aus wie dreißig. Von der letzten Tracht Prügel war ihr Gesicht noch völlig verquollen und blau. Rikki schlug sie, weil sie ihm kein normales Kind schenkte, eines, das er seinen Kumpeln vorführen konnte als Beweis, dass er nicht nur Mutanten zeugen konnte. So nannte er Sheldon nämlich: einen scheiß Mutanten.

Die Ärzte hatten ihr gesagt, dass ihre Gebärmutter hinüber war, sie konnte keine Babys mehr kriegen. Was sie Rikki allerdings nicht mitteilte. Er hätte sie umgebracht. Lieber die Prügel über sich ergehen lassen.

Als sie hörte, wie jemand an die Wohnungstür hämmerte, wusste sie, dass es nur einen einzigen fetten weißen Bastard gab, der das sein konnte.

»Onkel Fatty!« Sie brüllte zu der Stelle hinüber, wo ein uralter, spindeldürrer Mann, der lediglich eine schmutzige Unterhose trug, zusammengesunken vor dem Fernseher hockte. Er trank Wein aus einem Beutel, sein zahnloser Mund nuckelte daran wie an einer Titte. »Onkel Fatty, mach endlich die scheiß Tür auf!« Er nuschelte irgendwas, blieb aber sitzen.

Das Gehämmer ging weiter. Carmen zog ihr Nachthemd zurecht, ging zur Tür und machte auf. Der fette, stinkende Gatsby füllte den Türrahmen komplett aus.

»Er ist nicht hier«, murrte Carmen.

Der weiße Zivilbulle schob sie einfach aus dem Weg und kam herein. Wortlos durchquerte er das kleine Wohnzimmer, steckte den Kopf in die Küche und ging dann weiter in das einzige Schlafzimmer. Sie hörte, wie Schranktüren zugeschlagen wurden, Glas zersplitterte. Keuchend wie eine billige Ziehharmonika kam er wieder raus.

Carmen hatte die Hände in die Hüften gestemmt. »Ich hab's doch gesagt.«

»Wo ist er?« Gatsby baute sich nur wenige Zentimeter vor ihr auf, und sie spürte seinen widerlichen Atem auf ihrem Gesicht. In seinem Schnurrbart klebten Essensreste.

»Scheiße, woher soll ich das wissen? Er ist mit Faried unterwegs. Mit dem Auto.«

»Wo sind sie hin?«

»Keine Ahnung.«

Gatsby hatte sie gegen eine Wand zurückgedrängt. Herr im Himmel, was stank dieser Kerl. »Mach's Maul auf.«

»Sie haben irgendwas davon gesagt, dass Farieds Mädchen unten in Sea Point anschaffen geht.«

»Ist das alles?«

»Ja, das ist alles. Und was soll das hier sein? Das scheiß schwächste Glied in der Kette?«

Gatsby funkelte sie von oben herab an. »Kein Wunder, dass er dich dauernd verdrischt. Dein Maul ist so dreckig wie das letzte Scheißhaus.«

»Und du stinkst wie eines.«

Gatsbys Faust schnellte hoch. Sie zuckte mit keiner Wimper. »Schlag mich doch, Bastard. Ich bin's gewohnt.«

Er keuchte und ließ die Hand sinken. »Sag Rikki, diesem verfluchten Bastard, dass ich mein Geld sehen will. Noch heute Abend.«

Sie schüttelte den Kopf. »Viel Glück.«

Gatsby schlug die Tür hinter sich zu, und sie sperrte ab. Onkel Fatty war in einer schnell größer werdenden Urinpfütze ohnmächtig geworden. Carmen ging ins Schlafzimmer und sah sofort, dass der fette Bure ihren Spiegel zerbrochen hatte.

»Männer«, schimpfte sie leise vor sich hin und setzte sich auf ihr Bett. »Die sollen doch alle einfach abkratzen.«

Burn wusch sich in der Küchenspüle das Blut von den Händen. Während er die Hände abtrocknete, lauschte er konzentriert in die Nacht. Nichts. Kein Gebrüll, keine Sirenen, kein besorgter

Nachbar, der Sturm klingelte. Er ging an den Leichen vorbei, schloss hinter sich die Tür zum Flur. Burn fand Susan und Matt im Elternschlafzimmer, wo sie auf dem Bett kauerten. Susan hatte ihren Sohn auf dem Arm.

Matt sah ihn über Susans Schulter hinweg an. »Daddy …«

»Daddy ist da, Matty.« Burn setzte sich zu ihnen aufs Bett. »Alles ist gut.« Er streckte eine Hand aus und streichelte Matt über den Kopf. Er wusste, dass er es nicht länger vermeiden konnte, seiner Frau direkt in die Augen zu sehen. »Alles okay mit dir?«

Susan starrte ihn an. »Rate mal!«

Burn hob eine Hand, wollte ihr Gesicht berühren. Sie wich zurück. »Lass das.«

Er ließ die Hand sinken. Sie sah gequält aus. »Und was passiert jetzt?«

»Ich mache sauber. Beseitige … die.«

»Einfach so? Und was dann? Vergessen wir einfach so, dass das alles passiert ist? Fahren wir morgen früh schön zum Schwimmen runter an den Strand?« Ihr Blick nagelte ihn fest.

»Ich habe getan, was ich tun musste«, sagte er.

»Das ist dein Mantra, stimmt's, Jack? Und du hältst dich dran, komme, was wolle.« Sie starrte ihn immer noch an, feindselig.

Er stand auf. »Tut mir leid.«

»Was tut dir leid? Dass wir nicht zuhause sind? Dass du uns an einen Ort gebracht hast, an dem Tiere wie die …« Sie unterbrach sich, schüttelte den Kopf, bohrte ihre Augen in ihn. »Oder tut es dir leid, dass du einer von denen geworden bist?«

Er zwang sich, den Blick abzuwenden, wusste nicht, was er darauf antworten sollte. Er musste aufräumen. Als er die Tür erreichte, sprach sie wieder.

»Jack.« Ihre Stimme hatte etwas sehr Eindringliches. Es war eine andere Art der Angst.

Er drehte sich zu ihr um. Sie zeigte auf eine Blutlache, die zwischen ihren Beinen begann und sich auf der weißen Steppdecke ausbreitete. »Mein Gott, Jack, ich verliere sie …«

Benny Mongrel kauerte in Hockstellung, zog Rizla-Blättchen und einen Beutel Dinglers Cherry-Tabak aus der Uniformtasche und drehte sich eine Zigarette.

Seit die beiden Männer die Terrasse überquert hatten und im Haus der Amerikaner verschwunden waren, hatte er es nicht mehr aus den Augen gelassen. Gesehen hatte er allerdings nichts mehr. Und alles, was er gehört hatte, war dieser eine Schuss.

Bessie hatte sich bei dem Schuss aufgerichtet und angefangen, leise zu winseln. Benny Mongrel hatte ihr beruhigend eine Hand auf den Kopf gelegt. »Pst, Bessie. Ruhig.«

Der alte Hund hatte noch einmal kurz gewinselt und war dann mit einem Seufzer wieder auf den Betonboden gesunken, wo er nun mit einem geöffneten Auge lag.

Benny Mongrel hatte dort gesessen, beobachtet und gewartet. Darauf gewartet, die Gangster wieder aus dem Haus kommen und mit dem roten BMW in die Nacht davonfahren zu sehen. Doch von den Männern nicht die geringste Spur. Ebenso wenig von dem Amerikaner und seiner Familie.

Der Bursche, der ihn mit *Sir* angesprochen hatte.

Benny Mongrel war schon vieles genannt worden. Bastard, Buschmann, Abschaum und viele Jahre lang Häftling 1989657. Weiße Männer in Anzügen hatten ihn eine Gefahr für die Allgemeinheit genannt. Braune Männer, die durch sein Messer bluteten, hatten ihn Bruder genannt, während sie um Gnade flehten. Er konnte kein Erbarmen für sie aufbringen. Sämtliche Schimpfworte aus der Gosse der Cape Flats waren ihm schon an den Kopf geworfen worden, seit er aus dem Schoß einer Frau gerissen worden war, die er nie kennengelernt hatte. Aber noch niemals war er von jemandem *Sir* genannt worden.

Bis auf diesen Amerikaner.

Eines Abends patrouillierten Benny Mongrel und Bessie an der Vorderseite des Baugrundstücks, der alte Hund hatte Mühe mit seinen Hinterläufen, und da war der kleine weiße Junge zu ihnen gelaufen gekommen. Er hatte nur Augen für Bessie gehabt und eine Hand ausgestreckt, um sie zu streicheln. Benny Mongrel war sich nicht sicher, wie Bessie darauf reagieren würde, deshalb zog er sie an der Kette zurück, doch sie wedelte mit dem Schwanz und stand friedlich da, während der Junge ihr verfilztes Fell streichelte.

Dann kam der weiße Mann herüber. Er hatte die Tür zur Straße des Nachbarhauses aufgesperrt, einer Festung mit hohen Mauern wie alle anderen in dieser Straße, als der Junge herübergeflitzt kam.

»Hey, Matt. Immer locker bleiben.«

Der Kerl redete wie die Typen in einer dieser Fernsehsendungen, die sich die anderen Häftlinge im Pollsmoor Prison immer angeschaut hatten. Amerikanisch. Er sah auch ein bisschen so aus wie jemand aus diesen Sendungen, war ziemlich groß, hatte ein sauberes Gesicht und etwas Grau in den dunklen Haaren.

Obwohl es bereits fast sieben Uhr abends war, stand die Sonne noch hoch am Himmel, weswegen er sein Gesicht klar und deutlich sehen konnte, als der Junge zu Benny Mongrel aufschaute. Und genau in diesem Moment ließ der Kleine Bessie los und machte einen Satz rückwärts, als hätte er so ziemlich das Schlimmste gesehen, was man sich überhaupt vorstellen konnte. Er stand da und starrte zu Benny Mongrel hinauf und konnte den

Blick nicht abwenden. Er öffnete den Mund zu einem Schrei, brachte aber nur ein klägliches Wimmern heraus.

Der kräftige Kerl nahm den Kleinen auf den Arm und drückte ihm das Gesicht an die Schulter. Dann sah er Benny Mongrel direkt in das gesunde Auge. »Tut mir leid, Sir. Ich entschuldige mich für meinen Sohn.«

Benny Mongrel antwortete nichts. Stand einfach nur da und sah diesen weißen Kerl an, der keinerlei Reaktion zeigte, nicht mal mit der Wimper zuckte, als er das Grauen seiner linken Gesichtshälfte betrachtete. Benny Mongrel lebte bereits über zwanzig Jahre mit diesem Schlamassel aus deformierten Knochen und Narbengewebe. Es machte ihm nichts aus. Dieses Gesicht hatte ihm gute Dienste geleistet. In dem Leben, das er geführt hatte, war es ein Aktivposten gewesen.

Die meisten Menschen reagierten wie der kleine Junge, wenn sie sein Gesicht sahen. Dieser amerikanische Kerl jedoch hatte ihm die Hand hingehalten. »Ich heiße Jack. Ich wohne nebenan.«

Benny Mongrel hatte noch niemals einem weißen Mann die Hand geschüttelt, und er dachte auch nicht daran, jetzt damit anzufangen. Er zog an Bessies Kette, pfiff einmal scharf, damit sie ihren Hintern in Bewegung setzte, und kehrte zurück auf die Baustelle.

Aber etwas an dem Amerikaner hatte sein Interesse geweckt. Er würde sie von der obersten Etage des Rohbaus im Auge behalten, den großen Typen und seine kleine blonde Frau und den Jungen. In ihrem Haus oder wenn sie mit ihrem schicken Jeep wegfuhren.

Benny Mongrel hatte sich erneut eine Zigarette gedreht. Er gab sich Feuer, wodurch sein verwüstetes Gesicht kurz im Schein des aufflackernden Streichholzes zu erkennen war. Er sog den warmen Rauch tief in die Lungen, und als er ausatmete, hörte er die Sirene.

Der Krankenwagen raste bis zu dem Haus, zwei Sanitäter stiegen aus. Die Tür in der Gartenmauer wurde aus dem Haus aufgedrückt, und Benny Mongrel beobachtete, wie sie ins Haus liefen. Kurze Zeit später trugen die Sanitäter die weiße Frau auf einer Bahre heraus. Sie wurde ins Heck des Krankenwagens geschoben, dann fuhren sie fort. Das Blaulicht war eingeschaltet, die Sirene jedoch blieb stumm.

Benny Mongrel wartete. Verwirrt. Wo waren die Gangster? Und wo waren die Cops?

Dann wurde das Garagentor geöffnet, und der kräftige Kerl setzte den Jeep rückwärts heraus. Das Garagentor schloss sich automatisch wieder. Als der Jeep unter ihm vorbeifuhr, konnte Benny sehen, dass das Kind angeschnallt auf der Rückbank saß.

Benny erhob sich aus der Hockstellung und trat an den Rand des Balkons. Er schaute auf den roten BMW hinunter, dann wanderte sein Blick wieder zu dem Haus nebenan. Bessie tauchte neben ihm auf und leckte seine Hand.

Er tätschelte ihren Kopf und flüsterte: »Ich glaube, die sind vor ihre toten Mütter getreten, Bessie.«

Inspector Rudi Barnard, auf den Flats bekannt unter dem Spitznamen Gatsby, durchquerte mit seinem weißen Toyota die Welthauptstadt von Vergewaltigung und Mord, die dunkle Kehrseite der bunten Ansichtskarte des Touristen-Kapstadt. Die Nacht war erfüllt von der üblichen Musik der Cape Flats: Sirenen, Fetzen von Schreien und Gelächter, Schüsse und wummernder Hiphop. Die Flats waren der Ort, wohin in den Zeiten der Apartheid jeder, der keine weiße Hautfarbe hatte, entsorgt worden war, weit weg von den reichen Vororten, die sich wie Edelsteine an den

Tafelberg schmiegten. Die Flats waren ein trostloser, öder Landstrich, heimgesucht von Wind und Staub.

Obwohl es gar nicht mal so heiß war, schwitzte Barnard, und an diesem Januarabend tropfte es von seinen Wangen; das Hemd klebte an seinem Bauch, der einem Sumoringer alle Ehre gemacht hätte. Die Fenster des Toyotas waren offen, während er fuhr, doch die Luft lag drückend und schwer wie eine tote Hure über den Cape Flats.

Rudi Barnard liebte drei Dinge: Jesus Christus, Gatsbys und Leute umzulegen. Und hier draußen auf den Flats spürte er diese Liebe am intensivsten.

Die schlichte Stoßstangenaufkleber-Welt wiedergeborener Christen passte gut zu Barnard. Er stand jeden Morgen auf und betete. Anschließend spreizte er seine airbaggroßen Arschbacken und schmierte Preparation-H auf seine Hämorrhoiden, zog Jeans und ein kariertes Hemd an, das er aus dem Big 'n' Tall hatte, einem Laden für Übergrößen, schnallte seine Z88 9-mm-Dienstpistole um und machte sich auf den Weg, um im Namen des Herrn Jesus Christus im Grenzland dem Recht Geltung zu verschaffen.

Ungebeten kam ihm das Bild von Carmen Fortunes Körper in den Sinn, ihre Brüste und Schenkel kaum bedeckt von dem kurzen Nachthemd. Er schob es beiseite. Barnard konnte sich nicht mehr erinnern, wann er das letzte Mal mit einer Frau Sex gehabt hatte. Irgendwann bevor diese Schlampe von seiner Frau ihn schließlich verlassen hatte. Er vermisste weder sie noch die Vögelei. Er hatte diesen Akt schon immer ekelhaft gefunden. Wenn der Drang zu stark wurde, um durch Gebete gebändigt zu werden, verbrachte er einige von Schuldgefühlen gepeinigte Augenblicke in Zwiesprache mit seiner Hand und einer Ausgabe des *Hustler*.

Um sich von dem Bild der braunen Schenkel der Mischlingsbraut abzulenken, schnappte er sich das Mikro seines Funkgeräts und bellte eine Fahndungsanforderung nach Rikki Fortunes rotem BMW in das Gerät. Gab durch, der Wagen könne sich in der Gegend um Sea Point befinden. Er war nicht direkt auf die fünf Riesen angewiesen, die Rikki ihm schuldete. Sein Netzwerk aus Laster und Korruption stellte eine konstante Einnahmequelle dar, die für seine bescheidenen Bedürfnisse völlig ausreichte. Aber einem kleinen Arsch wie Rikki konnte er nicht alles durchgehen lassen.

Furcht war die Basis seiner direkt von Gott gegebenen Macht. Bei dem geringsten Anzeichen von Schwäche würde man Gatsbys Leiche eher früher als später irgendwo draußen auf einem offenen Stück Veld finden.

Das Gesetz des Dschungels.

Im Wartezimmer einer Privatklinik in einem grünen Vorort von Kapstadt schritt Burn unruhig auf und ab, während sein Sohn auf einem Stuhl schlief, seine junge Frau und ihre gelöste Plazenta sich irgendwo hinter einer Schwingtür befanden und zwei Leichen in seinem Wohnzimmer kalt wurden.

Als sie vor drei Monaten die Vereinigten Staaten fluchtartig verlassen hatten, war nur wenig Zeit gewesen, sich für ein Ziel zu entscheiden. Asien kam nicht in Frage, denn dort wären sie zu sehr aufgefallen, und außerdem hatte er für seine schwangere Frau eine gute medizinische Versorgung sicherstellen wollen. Nicht Europa, das war zu sehr amerikanische Kolonie. Dort wäre es schwieriger gewesen, einfach unterzutauchen. Also blieben am Ende Sydney oder Kapstadt. Australien hatte, trotz seiner enormen Landmasse, nur eine winzige Bevölkerung, und schon bei dem Gedanken daran hatte Burn Platzangst bekommen. Südafrika klang gut, es gab eine Infrastruktur mit westlichen Standards, sofern man sich die leisten konnte, war aber andererseits auch wieder chaotisch genug, um unerkannt leben zu können.

Dieses Chaos hatte nun eine Hand ausgestreckt und sein Leben an der Kehle gepackt.

»Sir?« Eine hellhäutige junge Krankenschwester in einer frischen weißen Uniform tauchte vor ihm auf. »Sie können jetzt zu Ihrer Frau.«

Burn stand auf und beugte sich vor, um Matt hochzuheben. Die Schwester schüttelte den Kopf. »Tut mir sehr leid, aber der kleine Junge darf nicht mit hinein.« Sie lächelte. »Keine Angst, ich setze mich zu ihm.«

Burn brachte ein Lächeln zustande. »Danke.«

Susan lag in einem Privatzimmer, das an ein Hotelzimmer erinnerte. Sie lag im Bett, bleich und wunderschön. Sie schlug die Augen auf, als Burn eintrat.

Er zögerte. Dann nahm er ihre Hand. Sie ließ ihn gewähren. »Wie fühlst du dich?«

»Alles okay, Jack. Meinem Baby geht's gut.«

Er nickte. »Ich weiß.«

»Ich muss einfach nur ein paar Tage hierbleiben.«

»Gut. Lass dich hier gut versorgen.«

Sie zog ihre Hand zurück. »Geh jetzt.«

»Mit dir alles okay?«

»Ich will einfach nur schlafen.«

»Wir sehen uns morgen.«

Sie nickte, schloss die Augen und entzog sich ihm bereits, als er ging.

KAPITEL 3

Es war kurz nach zehn Uhr abends, als Burn den Jeep Cherokee vor seinem Haus abbremste. Er war angespannt, rechnete schon mit Polizeifahrzeugen und Streifenwagen des Sicherheitsdienstes. Tatsächlich parkten an beiden Straßenseiten mehr Autos als gewöhnlich. Aber es waren die Luxusautos, die auf diesen Straßen normal waren: Cabrios und SUVs.

Nachdem der Wind sich inzwischen gelegt hatte, war der Abend still und heiß, und der scharfe Geruch von tierischem Fett, das auf Holzfeuern briet, zog ihm in die Nase. Er musste gegen eine plötzliche Übelkeit ankämpfen, als er daran dachte, was in seinem Esszimmer auf ihn wartete.

Er betätigte die Fernbedienung der Garage; während das Tor sich öffnete, hörte er Fetzen einer zu stark orchestrierten Version eines Beatles-Songs, auf den er nicht gleich kam, und das Trällern von geziertem Lachen wehte von der Party in einem benachbarten Haus zu ihm herüber. Langsam fuhr er den Wagen in die Garage, ließ dann das Tor wieder herunter. Er saß noch einen Moment da, lauschte seinem auf dem Rücksitz schlafenden Sohn, bevor er die Wagentür öffnete.

Burn trug Matt ins Wohnzimmer und legte ihn aufs Sofa. Die Schiebetür ins Esszimmer war geschlossen. Er hatte sie zugeschoben, damit die Sanitäter, die wegen Susan gekommen waren, nicht das Blutbad dahinter sahen.

Burn ging in die Küche und holte reissfeste schwarze Müllsäcke aus der Schublade neben der Spüle. Er fand eine Rolle Isolierband und ein Teppichmesser, streifte dann Küchenhandschuhe aus Kunststoff über.

Er vergewisserte sich, dass Matt noch schlief, und zog leise die Schiebetüren auf. Burn hatte im Irak Männer getötet, aber das war nichts verglichen mit dem, was an diesem Abend in seinem Haus passiert war.

Der Kampfeinsatz während der Operation Desert Storm hatte sich so surreal angefühlt wie ein Playstation-Spiel; die Hightechwaffen hatten den Tod auf Distanz gehalten.

Das hier war etwas anderes.

Der große Mann lag auf dem Rücken, das Tranchiermesser steckte immer noch tief in seiner Brust. Die Kugel, die er aus der Waffe des kleinen Mannes abbekommen hatte, war unterhalb der Rippen in seinen Unterleib eingedrungen. Er war völlig ausgeblutet. Burn konnte sich auf gewisse Weise mit dem Wissen trösten, dass es ein Reflex gewesen war, den Mann zu erstechen, ein primitiver Impuls, um seine Familie zu schützen.

Einen vergleichbaren Trost gab es jedoch nicht, was den Tod des kleinen Mannes betraf, der in seinem eigenen Blut lag, die milchig-trüben Augen zur Decke gerichtet, die klaffende Wunde am Hals wie ein anklagender Mund. Ihn Mann zu nennen war eine Übertreibung, er sah aus wie höchstens zwanzig, und seine kleine Statur ließ Burns Tat noch brutaler erscheinen. Burn hatte ihn entwaffnet, hatte ihn gewissermaßen entschärft. In einer normalen Welt hätte Burn die Bullen gerufen und es den Ordnungsbehörden überlassen zu tun, wozu sie da waren.

Doch Jack Burn lebte nicht mehr in einer normalen Welt, und die Polizei zu rufen war keine Option gewesen. Also hatte er den dürren Mann ermordet. Und es wurde auch nicht einfacher, wenn er sich sagte, dass er gar keine andere Wahl gehabt hatte.

Benny Mongrel beobachtete das Haus nebenan.

Er hörte das Zuschlagen von Autotüren und das Lachen eines Mannes. Die Party ein Stück weiter die Straße hinauf war immer noch in vollem Gang. Bessie war den ganzen Abend über nervös gewesen, nach diesem Schuss und der lauten Musik und den weißen Leuten, die wie Pferde lachten. Hauptsächlich aber wegen des Essens, denn der Geruch des über offenem Feuer bratenden Fleischs hatte sie fast wahnsinnig gemacht. Sie saß neben ihm, rutschte immer wieder auf ihren schmerzenden Hüften, die Schnauze immer noch in der Luft, nach dem Geruch von Lamm am Spieß schnuppernd.

Er streichelte ihr filziges Fell. »Keine Angst, altes Mädchen«, flüsterte er. »Morgen wird's für uns was in den Mülltonnen geben.«

Auch Benny Mongrel war nervös. Wieder und wieder dachte er über die Bedeutung der Tatsache nach, dass die Gangster in diesem Haus verschwunden waren.

Die Americans.

Als Benny Mongrel achtzehn war, hatte ein Mitglied der Americans, ein gewisser Bowtie April, mit einer Axt auf ihn eingeschlagen, wodurch er sein linkes Auge verloren hatte und sein Gesicht von der Stirn bis zum Kinn eingedrückt wurde. Mongrel hatte Bowtie getötet, hatte ihm mit bloßen Händen die Kehle herausgerissen, bevor er sich von den Bullen ins Krankenhaus abführen ließ. Die Ärzte hatten sich einen Scheißdreck interessiert für einen kleinen kriminellen Wichser wie ihn. Auf den Cape Flats war plastische Chirurgie nicht im Angebot. Sie hatten ihn auf die Schnelle zusammengenäht und anschließend ins Gefängnis gesteckt.

Er war ein Mitglied der Mongrels. Sein Name und die Tattoos, die seinen Körper überzogen, bezeugten das. Als er zum ersten Mal ins Gefängnis kam, wusste er genau, welcher der Zahlen-Gangs er sich anschließen musste. Die Zahlen-Gangs des Gefängnisses: die 26er, die 27er und die 28er. Die beherrschten den Knast. Wer dumm genug war, sich dem Gesetz der Zahlen zu widersetzen, war früher oder später tot.

Oder Schlimmeres.

Die Americans sind immer die 26er. Die Mongrels sind immer 28er. Kein Mensch fragt, warum. Es ist einfach so. Und sie hassen sich. Daher hatten die Männer, die heute Abend vor ihre toten Mütter getreten waren, auch kein Mitleid von Benny Mongrel zu erwarten.

Er schaute zu, wie das Garagentor sich erneut öffnete. Fast Mitternacht. Der Jeep setzte rückwärts raus, das Tor schloss sich wieder. Wieder kamen der Kerl und sein Sohn unter ihm vorbei, als sie fortfuhren.

»Na ja, die haben ja auch 'ne Schweinerei aufzuräumen, Bessie.«

Barnard, der sich zum letzten Mal in dieser Nacht ums Geschäft kümmern wollte, aß immer noch sein Gatsby, als er durch Paradise Park fuhr. Ein Mischling, ein Tik-User, der an Barnard Schutzgeld zahlte, dealte mit Schulkindern aus den reichen Vororten. Die Schulkinder interessierten Barnard einen Furz, aber die Sache an sich sorgte für Aufregung. Andere Dealer wurden sauer. Lokalpolitiker stellten Fragen nach den Lieferanten des Tik. Und nach dem Schutz, den sie genossen.

Nach seinem Besuch bei Carmen Fortune hatte er seinen fetten Arsch ins Golden Spoon gewuchtet, Heimat des besten Gatsby in Kapstadt. Was bedeutete, der ganzen scheiß Welt.

Kaum hatte die Muslimin hinter der Theke ihn erspäht, brüllte sie auch schon nach hinten: »Einmal Masala Steak mit allem für den Inspector.« Ohne zu fragen, reichte sie ihm ein Pine Nut Double O aus dem Kühlschrank, hielt sich dabei so weit wie möglich von seinem Gestank fern.

Er grunzte, setzte die Flasche an und gluckerte den größten Teil des künstlichen Ananasgebräus in einem Schluck weg. Dann steckte er sich unter dem *Rauchen-verboten*-Schild eine Zigarette an. Sollte das Miststück doch was sagen.

Ohne ein Wort stellte die Frau sein Gatsby auf die Theke.

Der Gatsby ist für Kapstadt, was der Hotdog für New York ist, und der Gatsby mit allem war Barnards bevorzugter Festschmaus: ein Baguette so groß wie ein Football, gefüllt mit Steakfleisch, Ei, geschmolzenem Käse und Fritten, das Ganze mit einer dicken Schicht Mayonnaise und scharfer Chilisoße übergossen.

Barnard schob sich den halben Gatsby in den Mund, Soße tropfte von seinen Wangen. Er sprach beim Kauen. »Gib mir noch ein Pine Nut für unterwegs.«

Die Frau hatte ihm eine weitere Flasche gegeben, und er war gegangen, ohne ein weiteres Wort zu verlieren oder zu bezahlen.

Barnard kaute immer noch, als er sich der Wohnung des Tik-Users näherte. Er sah, dass ein Streifenwagen davorstand. Blaulicht flackerte über die Fassade des gedrungenen Gebäudes.

Scheiße, was jetzt?

Als Barnard seine massige Gestalt aus dem Toyota hievte, gab die Federung des Wagens ein Ächzen von sich, fast als wäre sie erleichtert, ihn los zu sein. Zwei Uniformierte standen in der Nähe eines Knäuels von Leuten, die sich um eine dunkle Gestalt drängten, die auf der Straße lag. Die Bullen erstarrten, als er näher kam. Sie hatten Angst vor ihm. Das gefiel ihm.

»Was ist hier los?«, fragte er mit vollem Mund, den letzten Bissen kauend.

»Ein Drive-by, Inspector.«

Ein Mischlingsmädchen, nicht älter als zehn, lag sterbend auf der Straße. Eine Frau kniete heulend neben dem Kind, Leute versuchten, sie fortzuziehen.

Barnard starrte teilnahmslos hin. »Auf wen hatten sie es abgesehen?«

Der andere Bulle zeigte auf das Haus. »Da drinnen ist ein Gangster. Die haben ihn erwischt, als er reingelaufen ist. Das Mädchen überquerte gerade die Straße.«

»Der Typ, ist er tot?«

»Nein. Verwundet.«

Schade. Barnard ging ins Haus. Im vorderen Zimmer lag zusammengesunken ein etwa zwanzigjähriger dürrer Mischling auf dem Boden, blutete auf den abgewetzten Teppichboden und zitterte vor Angst. Er trug kein Hemd, sein Körper war voller Gang-Tattoos. Er hatte eine Kugel ins Bein abbekommen. Barnard wusste, dass es nicht lebensbedrohlich war. Er würde diese Sache klären müssen, bevor der Wichser ins Krankenhaus abtransportiert wurde und zu reden begann.

Der Junge schaute zu Barnard auf. Wenn er bislang Angst gehabt hatte, dann bekam er es jetzt mit der Panik zu tun.

Eine heulende, etwa fünfzigjährige Frau wischte dem Jungen den Schweiß von der Stirn. Sie sagte immer wieder und wieder: »Bleib wach! Du musst wach bleiben!«

»Geh raus«, befahl Barnard und schickte sie mit einer herrischen Bewegung seiner rosa Pranke hinaus. Sie zögerte, bemerkte den Ausdruck auf seinem Gesicht und beschloss, dass es besser war, ihm zu gehorchen. »Mach die Tür zu.«

Barnard packte den Jungen am Kinn und riss sein Gesicht

hoch. »Sieh mich an, Bastard.« Der Junge sah ihn an. »Jerome, verdammt, warum hörst du eigentlich nicht auf mich? Ich hab dir doch gesagt, du sollst nicht an dieser Schule dealen.«

»Hab ich nicht. Die lügen.«

Barnard hob eine Hand. »Schnauze, okay? Was meinst du, warum die auf dich schießen? Weil du alle stinksauer machst.«

»Inspector, ich werd aufhören. Ich schwör's beim Leben meiner Mama.«

Gatsby schüttelte seinen riesigen Kopf. »Zu spät, Jerome.«

Er zog seine Z88 aus dem Holster und schoss dem Jungen aus kürzester Entfernung ins rechte Auge. Er hatte noch genug Zeit, die Kanone, eine stupsnasige .32er, aus seinem Hosenbund zu ziehen und die Finger des Jungen darumzuwickeln, bevor die Tür aufflog und die Uniformierten hereinkamen.

»Er hat die Waffe auf mich gerichtet«, sagte Barnard und steckte seine Z88 wieder ins Holster.

Die Uniformierten sahen ihn an, unausgesprochene Fragen überdeutlich in ihren Blicken. Die Mutter des Mischlings drängte sich an ihnen vorbei und nahm den blutenden Kopf ihres Sohns in die Hände. Sie weinte.

Etwas Feuchtes aus dem Gesicht des Jungen war auf Barnards Schusshand gelandet. Er wischte sie an der Rückseite eines Sofas ab, das durchhing wie ein Hund mit Hohlkreuz.

Auf dem Weg nach draußen zu seinem Wagen zündete er eine Zigarette an, mühte sich ab, ein winziges Mobiltelefon aus seiner Jeanstasche zu ziehen, und tippte mit dem Daumen eine Nummer ein. Kein Netz verfügbar. Er würde noch warten müssen, um diesen kleinen Bastard Rikki anzurufen und ihm noch ein bisschen mehr Druck zu machen.

Barnard hörte die Sirene des Krankenwagens irgendwo in der Ferne. Sie verschwendeten nur ihre Zeit.

Das Mischlingsmädchen auf der Straße war ebenfalls tot, wie er erkannte.

Burn fuhr auf der High Level Road, und sein Blick wanderte immer wieder in den Rückspiegel. Die beiden toten Männer lagen in Müllsäcke verpackt unter einer Plane hinten im Jeep. Es war kein Problem gewesen, den kleinen Burschen in den Sack zu bekommen und zum Wagen hinunterzuschaffen, der große Mann hatte Burn jedoch eine Menge Schweiß und Mühe gekostet. Zum guten Schluss hatte er ihn noch auf Bauchhöhe abknicken müssen, um ihn überhaupt in den Jeep zu kriegen. Der letzte Körper, den er nach unten getragen hatte, war der seines schlafenden Sohnes gewesen. Burn betete zu Gott, dass Matt nicht aufwachte; der Junge hatte in dieser Nacht ohnehin schon viel zu viel gesehen.

Am liebsten wäre Burn wieder weggelaufen. Hätte seine Sachen zusammengepackt und wäre verschwunden, so wie sie es bereits vor drei Monaten getan hatten. Aber das ging nicht. Noch nicht. Erst wenn sich Susans Zustand wieder stabilisiert hatte.

Auf dem Weg zur Autobahn bog er auf die Sea Point Main Road ein. Ehe er seine Route ändern konnte, fand er sich in einer Straßensperre wieder, orangefarbene Kegel verengten die Straße auf eine Spur, uniformierte Bullen mit Taschenlampen hielten Fahrzeuge an. Eine Straßensperre, um gestohlene Autos, Fahrer ohne Führerschein und Betrunkene herauszufischen.

Hinter ihm bremste ein Auto. Keine Chance zum Zurücksetzen. Er saß in der Falle.

Vor ihm befanden sich zwei Wagen. Die Bullen redeten mit den Fahrern, leuchteten mit ihren Taschenlampen in die Wagen. Einen Mann hatten sie rechts rausgewinkt und überprüften nun das Innere seines Autos sowie den Kofferraum.

Burn begann zu schwitzen.

Schließlich winkte ihn eine Taschenlampe weiter. Ein schwarzer Bulle leuchtete ihm ins Gesicht, als Burn die Scheibe auf der Fahrerseite runterließ. »Guten Abend, Sir. Bitte stellen Sie den Motor ab.«

»Guten Abend.« Burn stellte den Motor ab.

Der Akzent erregte sofort die Aufmerksamkeit des Polizisten. »Sind Sie auf Urlaub hier, Sir?«

»Ich bin eine Weile hier zu Besuch, ja.«

Der Bulle richtete den Strahl der Taschenlampe auf den Rücksitz, wo er den schlafenden Matt bemerkte. »Ihren Ausweis und Führerschein, bitte.«

Burn reichte beides hinaus. Der Polizist verglich das Foto im Ausweis mit Burns Gesicht. Wie immer in solchen Momenten während der letzten paar Monate betete Burn, dass alles der genaueren Prüfung standhielt. Dann warf der Cop einen Blick auf den internationalen Führerschein, gab ihm schließlich beide Dokumente zurück.

»Vielen Dank, Mr. Hill.«

Er schien Burn schon weiterwinken zu wollen, als ein Mobiltelefon zu klingeln begann, ganz hinten im Wagen. Scheiße, dachte Burn, es muss in der Hose des kleinen Kerls stecken. Der Cargo-Hose mit den vielen Taschen. Der Klingelton waren die lauten, durchdringenden ersten Takte eines Hiphop-Songs. Völlig unpassend in diesem Jeep.

Der Bulle hörte das, sah Burn fragend an und ging dann mit hoch über dem Kopf gehaltener Taschenlampe zum Heck des Wagens.

Burn wartete.

KAPITEL 4

Es schien, als würde das Mobiltelefon nie mehr aufhören zu klingeln. Dann endlich Stille. Burn verfolgte im Seitenspiegel, wie der Cop zum Heck des Jeeps ging. Burn wusste, wenn er handeln wollte, dann musste es jetzt sein. Der Wagen vor ihm wurde durchgewinkt, die Straße war frei. Entweder riskierte er, dass der Cop die Leichen fand, oder er ließ es drauf ankommen und raste los. Das Gaspedal bis zum Boden durchtreten und zusehen, dass er hier wegkam, hoffen, dass er genug Vorsprung vor seinen Verfolgern hätte.

Und dann? Den Wagen verschwinden lassen. Zum Haus zurück, alles beseitigen, was irgendwie belastend sein könnte, den Safe öffnen und die anderen falschen Pässe rausholen, die er für genau so einen Notfall dort aufbewahrte. Er wusste, was zu tun war. Er und Susan hatten es bereits einmal gemacht. Er hatte die Papiere. Er hatte das Bargeld.

Er beobachtete den Cop, der jetzt jeden Moment die Taschenlampe in das Heck des Jeeps richten würde. Burns Hand ging reflexhaft zum Zündschlüssel.

Jetzt oder nie.

»Leck mich doch, du schwarzer Drecksack!« Die Stimme war laut, wütend und betrunken.

Burn fuhr herum. Ein großer Mercedes, brandneu, stand direkt hinter ihm. Der Fahrer, ein fleischiger Weißer um die fünfzig, stand neben seinem Wagen. Er hatte gerade einen uniformierten Polizisten zurückgestoßen. »Bleib mir mit deinen scheiß Flossen vom Leib!«

Cops drängten sich zu dem Betrunkenen, um ihn außer Gefecht zu setzen.

Der Cop, der Burn angehalten hatte, wedelte mit der Hand, gab Burn zu verstehen, er solle weiterfahren, bevor er loslief, um seinen Kollegen zu Hilfe zu eilen.

Burns Hände zitterten, als er den Motor anließ. Langsam fuhr er davon. Als Letztes sah er noch, wie der Betrunkene zu Boden geworfen wurde und ihm drei Polizisten mit Mühe Handschellen anlegten.

»Ich schulde dir einen Drink, Kumpel«, sagte Burn leise, als er weiter zur Autobahn fuhr.

Burn fuhr auf der N2 zum Flughafen. Obwohl es weit nach Mitternacht war, herrschte viel Verkehr. Die Rücklichter flogen wie Leuchtkäfer durch die Nacht. Er hielt sich penibel an die Geschwindigkeitsbegrenzung, während Kamikaze-Taxifahrer aus den Flats mit ihren überfüllten, zerbeulten Kleinbussen an ihm vorbeiknatterten.

Im Rückspiegel warf Burn einen Blick auf Matt. Sein Sohn schlief angeschnallt auf dem Rücksitz, das blonde Haar schimmerte im Scheinwerferlicht vorbeifahrender Autos wie ein Heiligenschein.

Armselige Häuser und Hütten erstreckten sich auf beiden Seiten der Autobahn, als Burn den Tafelberg hinter sich ließ. Die Cape Flats. Wo jeden Tag mehr Menschen eines gewaltsamen Todes starben als in einem Kriegsgebiet. Wo Kinder spurlos verschwanden und ihre geschändeten Körper irgendwann in Kisten unter den Betten von Nachbarn gefunden wurden. Wo die Besitzlosen ihre hungrigen Augen auf den Spielplatz des reichen Mannes an den Hängen des Bergs richteten.

Burn wusste genug über Kapstadt, um zu kapieren, dass die toten Farbigen im Heck des Jeeps von hier draußen von den Flats kamen.

Bei seiner Ankunft in Kapstadt war Burn wie die meisten Ausländer davon ausgegangen, dass es in Südafrika nur Schwarz und Weiß gab. Aber natürlich waren die Verhältnisse in dem Land, das die Apartheid erfunden hatte, erheblich komplexer. Er hatte gelernt, dass über die Hälfte der Bevölkerung der Stadt aus Farbigen bestand, die fast alle draußen auf den Flats wohnten. Und in Südafrika bedeutete farbig nicht dasselbe wie in den Staaten. Farbige waren hier braunhäutige Menschen verschiedener Rassen, eine Mischung aus Afrikanern, europäischen Siedlern und ihren Sklaven aus Asien.

Also hatte er zwei Farbige getötet. Die Tattoos auf ihren Körpern wiesen sie als Gang-Mitglieder aus. Er wusste, dass draußen auf den Flats Leichen zum Alltag gehörten und es selten zu Zeitungsmeldungen brachten. Er würde am Flughafen vorbeifahren, sie irgendwo draußen auf dem Veld abladen und dann hoffen, dass man sie für Opfer eines Gang-Kriegs halten würde, falls sie denn gefunden werden sollten.

Eine typische Nacht in Kapstadt.

Burn nahm die Flughafenausfahrt, bog direkt auf eine kleine Landstraße ab und ließ den Verkehr hinter sich. Wenige Minuten später fuhr er auf einer dunklen, leeren Straße neben den äußeren Startbahnen, nur etwas offenes Gelände zwischen ihm und einer Reihe kleiner Häuser.

Er schaute in die Spiegel. Keine Autos. Er lenkte den Jeep von der Straße und fuhr durch Schlaglöcher, bis er einen Flecken mit windzerzaustem Gestrüpp erreichte, wo er weder von der Straße noch von den Häusern aus zu sehen war. Das müsste genügen.

Burn löschte die Scheinwerfer und stieg aus, in der Hand eine Taschenlampe.

Das Veld war verlassen, übersät mit Abfall, den der Wind hergeweht hatte, aber weit und breit keine Menschenseele in Sicht. Burn vergewisserte sich, dass Matt noch schlief, bevor er die Heckklappe des Jeeps öffnete.

Er hob die Plane an, packte den größeren der beiden Körper und ließ ihn zu Boden fallen wie eine in schwarze Müllsäcke gewickelte Mumie. Er schleifte den Körper so weit, bis er zumindest teilweise von einem Gebüsch verborgen wurde. Er kehrte für die zweite Leiche zurück und ließ den kleinen Mann ein Stück entfernt von seinem toten Freund liegen.

Burn vergewisserte sich, dass der einzige Hinweis auf seine Anwesenheit die Reifenspuren waren, die der Jeep im Staub hinterlassen hatte. Der Südostwind frischte auf und würde den Sand bereits glattgefegt haben, wenn er die Straße wieder erreichte.

Matt wachte auf, als Burn in den Wagen stieg. »Daddy?«

Burn beugte sich zwischen den Vordersitzen nach hinten und ergriff die kleine Hand seines Sohnes. »Ich bin hier, Matty.«

»Wann fahren wir nach Hause?«

»Jetzt.«

»Nach Hause zu Barney?«

Barney war der Labrador, den sie zurückgelassen hatten, als sie ihr Zuhause in Los Angeles fluchtartig verließen. Matt hatte den Hund geliebt.

»Nein, nicht zu Barney«, sagte Burn. »Wir werden einen anderen Hund für dich finden, versprochen.«

»Ich will aber Barney.« Jetzt weinte Matt.

Nach allem, was in dieser Nacht bereits passiert war, brachten Burn die Tränen seines Sohnes an den Rand dessen, was er noch ertragen konnte. Er musste sich schwer zusammenreißen, den Wagen anzulassen und zur Straße zurückzufahren.

Unterwegs weinte Matt sich in den Schlaf.

Meistens döste Benny Mongrel nachts auf der obersten Etage des Hauses, saß dort neben Bessie unter den Sternen. In dieser Nacht konnte er das nicht. Wieder und wieder ging er im Kopf die Szene durch, wie die Gang-Mitglieder der Americans in dieses Haus da hinaufkletterten wie zwei Affen. Und nicht mehr herauskamen.

Zum ersten Mal freute er sich darauf, bei Tagesanbruch abgeholt zu werden.

Als um kurz vor sechs morgens der Truck von Sniper Security angerattert kam, wartete Benny Mongrel bereits mit Bessie unten. Er half ihr auf die Ladefläche und setzte sich auf die Bank, Bessie neben sich. Der Truck holperte den Berg hinunter und fuhr einen Bogen um die Innenstadt von Kapstadt. Es war noch zu früh für die Rushhour, also fuhr der Fahrer mit hoher Geschwindigkeit durch die Straßen der Stadt, fort vom Tafelberg und seiner flauschigen Wolkendecke. Schon bald erreichten sie eine Gegend aus heruntergekommenen Fabriken und beengten Häusern, die dicht an den Eisenbahngleisen standen.

In dem Truck saßen vier weitere Nachtwächter. Benny Mongrel beachtete sie nicht. Er hatte keine Freunde gefunden bei Sniper Security. Das Leben hatte ihn gelehrt, dass man vergisst, für sich selbst zu sorgen, wenn man sich um andere Leute Gedanken macht.

Benny Mongrel hatte sich durchs Leben geschlagen, seit er eine Stunde alt war, achtlos auf eine Müllkippe geworfen, wo er hätte sterben sollen, sein winziger, nackter Körper noch mit Blut und Schleim beschmiert. Er hatte aus Überlebensinstinkt in die Nacht hinausgeschrien und bis in den grauen, nieseligen Tagesanbruch hinein, als ein zerlumpter Trupp Obdachloser die endlose Fläche Müll nach etwas abgraste, das man noch gebrauchen konnte.

Er schrie, bis eine Obdachlose nach ihm griff und ihn unter einem Haufen verfaulender Knochen und Fischabfälle hervorzog und ihn an ihre Brust hob. Und dann schrie er nie wieder. Nie wieder.

So begann Benny Mongrels Prozession durch Waisen- und Armenhäuser. Irgendein kleiner Beamter hatte ihm den Namen Benjamin Niemand gegeben.

Mit elf Jahren lebte Benny Niemand auf der Straße. Er war zwölf, als er zu einer Gruppe Mongrels trat, die vor einer Kaschemme in Lotus River herumhingen und eine Gruppe Americans beobachteten, die auf der anderen Straßenseite Mädels anquatschten. Benny Niemand ging schnurstracks zu Chippies, dem Anführer der Mongrels, und sagte, dass er sich ihrer Gang anschließen wolle.

Sie lachten ihn aus, und Chippies gab ihm, halb im Spaß, ein Messer mit einer langen Klinge und zeigte zu der Gruppe Americans hinüber. »Siehst du den da mit dem Hut?«

Benny Niemand sah einen gedrungenen Mann von etwa dreißig Jahren, stark tätowiert, der sich an ein Gebäude lehnte, während er ein junges Mädchen zu sich zog. Benny nickte.

»Zeig ihm seine Mutter, dann kannst du ein Mongrel werden.« Chippies lachte und entblößte dabei seine fehlenden Vorderzähne. Er ging davon aus, dass der Junge das Messer zurückgab.

Stattdessen überquerte Benny Niemand die Straße, hielt das Messer dicht am Bein. Der tätowierte American hatte sich mit dem Mädchen in einen Hauseingang zurückgezogen, und seine

Hand bewegte sich zwischen ihren Beinen. Benny Niemand klopfte ihm auf den Rücken.

Der American wirbelte zu ihm herum. »Was willst du?«

»Dir deine Mutter zeigen«, sagte Benny und schob dem American das Messer zwischen die Rippen. Er zog es wieder heraus, schaute zu, wie der sterbende Mann auf die Knie sank, hörte die Schreie des Mädchens und ging seelenruhig zu den Mongrels zurück. Das Messer gab er dem Anführer.

Seitdem war er Benny Mongrel. Er schlug sich mit seinem Köpfchen durchs Leben, und er entwickelte einen nahezu unfehlbaren sechsten Sinn. Er wusste immer, wann Ärger anstand.

Er und sein Messer waren allzeit bereit.

Der Truck kam mit einem heftigen Ruck zum Stehen, auf dem Hof von Sniper Security in Salt River. Bessie verlor den Halt und rutschte auf der Ladefläche weg, versuchte hektisch, sich auf dem glatten Metall festzukrallen. Einer der anderen Nachtwächter lachte, verstummte aber schnell, als er Benny Mongrels scharfen Blick bemerkte. Er half Bessie herunter. Ihre Hüften waren morgens immer schlimmer, und sie humpelte, als er sie zum Zwinger führte.

»Hey, Niemand.« Ishmael Isaacs, der Vorarbeiter der Schicht, stand auf der anderen Hofseite. Er wartete, dass Benny Mongrel zu ihm kam. Die Schulterklappen an seiner sauberen Uniform waren ein Zeichen seiner höheren Position.

Isaacs, ein Farbiger wie Benny Mongrel, hatte im Gefängnis gesessen, wie die verblassenden Tätowierungen auf seinen Armen bewiesen. Er war bereits seit vielen Jahren draußen und hatte etwas aus seinem Leben gemacht. Benny Mongrel wusste, dass der Vorarbeiter von Anfang an etwas gegen ihn gehabt hatte, vielleicht weil er ein Ex-Knacki war, eine ständige unbequeme Erinnerung an die eigene Vergangenheit.

»Was ist mit dem Hund los?« Isaacs verfolgte Bessies schmerzhaften Gang, als sie sich ihm näherten.

»Nichts, Mr. Isaacs.«

»Geht sie immer so?«

»Nein, sie ist nur ein bisschen steif. Von der Fahrt auf dem Truck.«

Isaacs grunzte. Er musterte Benny Mongrel. »Wann hast du dich das letzte Mal gewaschen?«

»Gestern. Vor der Arbeit.«

»Dein Arsch stinkt.« Isaacs streckte einen Arm aus und schnippte mit einem Finger abschätzig gegen Benny Mongrels Ärmel. »Und haben sie dir in Pollsmoor nicht das Bügeln beigebracht?«

Benny Mongrel sagte nichts und verzog keine Miene. Dieses Arschloch tat wie ein Gefängniswärter.

»Morgen meldest du dich eine Stunde vor Beginn der Schicht bei mir zur Inspektion.«

»Jawohl, Mr. Isaacs.«

»Und sorg dafür, dass du einen sauberen Arsch hast und deine Sachen ordentlich aussehen. Sonst kürze ich dir den Lohn. Verstanden?«

»Ja.«

Isaacs drehte sich um und ging. Am liebsten hätte Benny Mongrel dem Bastard die auf seine Schultern tätowierten Epauletten gezeigt, den wirklichen Rang, den er sich auf die harte Tour verdient hatte. Und dann hätte er ihm sein Messer gezeigt.

Er pfiff leise und brachte Bessie zu den Zwingern.

Burn erwachte, ein feuchter Körper an seinem. Einen verrückten, albtraumhaften Augenblick lang war er überzeugt, die toten Männer lägen bei ihm im Bett. Das genügte, um ihn hochfahren zu lassen und die Bettlaken zur Seite zu schleudern. Neben ihm schlief Matt, und der hatte ins Bett gemacht. Zum ersten Mal seit fast zwei Jahren.

Burn legte sich wieder hin, nahm seinen schlafenden Sohn in die Arme und streichelte ihm den Kopf. Dann kam ihm ein Bild in den Sinn. Ein roter BMW parkte nebenan, vor der Baustelle. Er hatte ihn aus den Augenwinkeln heraus bemerkt, als er dem Krankenwagen zur Klinik folgte, und sich gefragt, ob die toten Männer wohl damit gekommen waren.

Bei seiner Rückkehr, nachdem er die Leichen beseitigt hatte, war die Party nebenan immer noch in vollem Gang gewesen und der BMW unter all den anderen Autos nicht weiter aufgefallen. Er hatte den roten Wagen vergessen. Er hatte sich nur noch den Gestank des Todes von den Händen und vom Körper waschen wollen.

Er warf einen Blick auf die Uhr neben dem Bett. Es war nach sieben.

Burn zog sich Jeans und T-Shirt über und ließ seinen Sohn auf dem feuchten Doppelbett weiterschlafen. Er schloss die Haustür auf und ging durch den kleinen Vorgarten zu der in die hohe Mauer eingelassenen Tür. Er öffnete sie und warf einen vorsichtigen Blick auf die Straße.

Der BMW stand immer noch da, aber die Bauarbeiter waren ebenfalls zugange. Er würde den Wagen nicht unbemerkt bewegen können. Burn fluchte über sich selbst. Das hätte nicht passieren dürfen. Aber die Entscheidung wurde ihm aufgezwungen: Er würde den Wagen bis zum Abend stehen lassen müssen, bis auf der Baustelle Feierabend gemacht würde.

Burn schloss die Tür.

KAPITEL 5

Benny Mongrel stieg aus dem Kleinbus-Taxi, das ihn in Lavender Hill abgesetzt hatte. Er warf sich den kleinen Seesack über die Schulter und machte sich auf den Weg, ging so, als drückte er sich an die Wand eines unsichtbaren Gefängniskorridors.

Die gesichtslosen Bürokraten der Apartheid hatten einen makabren Sinn für Humor an den Tag gelegt, als sie am Reißbrett Tausende von Menschen in die Ghettos auf den Cape Flats verbannten, die so niedliche Namen trugen wie Surrey Estates, Blue Downs und Ravensmead. Dies war nirgends offensichtlicher als in Lavender Hill, wo es keinen Lavendel gab und weit und breit kein Berg zu sehen war, nur eine endlose Fläche beengter Häuser, erbaut auf Buschland, über das ständig der Wind fegte.

Benny Mongrel begegnete vereinzelten Fußgängern und wich Straßenhändlern aus, die Obst, Gemüse, Zigaretten und billige Süßigkeiten verkauften, die nach Pisse schmeckten. Obwohl er eine Mütze trug, ließ das harte Morgenlicht seine purpurrote Narbe deutlich hervortreten. Sein verwüstetes Gesicht war wie ein Eisbrecher am Bug eines Schiffes, es teilte die Menschen in seinem Kielwasser. Sie tuschelten hinter seinem Rücken, und nur die halb nackten Kinder mit rotzverkrusteten Gesichtern starrten ihn an. Es war ihm egal, was die Leute redeten, solange sie ihn in Ruhe ließen.

Benny Mongrel lebte in einer Hütte hinter einem schmalen Haus. Er öffnete das Vorhängeschloss an der provisorischen Tür und trat ein; seine Augen gewöhnten sich langsam an das schummrige Dunkel des fensterlosen Raumes. Eine fleckige Matratze, eine mit Brandflecken übersäte Decke, ein dreibeiniger Stuhl, ein Primuskocher und ein rostiger Bottich für die Wäsche. Der Wellblechraum war kaum groß genug, um die Arme darin auszustrecken, und aufrecht stehen konnte er auch nicht, ohne mit dem Kopf die Decke zu berühren.

Einmal am Tag durfte er das Bad im Haupthaus benutzen, um seinen Abwassereimer zu entleeren. Ein abgenutztes Verlängerungskabel schlängelte sich vom Haus herüber, lieferte den Strom für die nackte Glühbirne, die an einem Haken im Dach seiner Hütte hing.

Im Sommer war es das reinste Treibhaus, und während der Winterregen stand es unter Wasser, aber Benny Mongrel machte das nichts aus. Nachdem er Jahrzehnte in Gefängniszellen, die für zehn Männer gebaut worden waren, mit fünfzig anderen verbracht hatte, kam ihm die Hütte geradezu luxuriös vor.

Als er aus dem Gefängnis entlassen wurde, hatte er den Entschluss gefasst, nicht nach Lotus River zurückzukehren, wo er seine kurze Jugend verbracht hatte. Er hatte keine Familie und niemanden, den er Freund nannte, aber er hätte sich den älteren Mongrels anschließen können, die in Kneipen saßen, tranken, Marihuana und Tik rauchten, in Erinnerungen schwelgten und das Ding planten, das sie wieder ins Gefängnis zurückbringen würde.

Er wollte nie mehr zurück. Irgendwie wusste er, dass ein anderes Leben außerhalb des Gefängnisses möglich war, auch wenn er sich nicht ganz sicher war, was das sein könnte. Der einzige Hinweis war Bessie. Er vermisste den alten Hund während der leeren, endlosen Tage. Er konnte es kaum erwarten, sie abends wiederzusehen, das beruhigende, rauhe Kratzen ihrer Zunge auf seiner Hand.

Benny Mongrel lag in einer Hose auf der Matratze. Auf seinem nackten Oberkörper die groben Tätowierungen aus dem Gefängnis: Epauletten auf seinen Schultern, die seinen hohen Rang symbolisierten, die Worte *Ich hab mein Grab geschaufelt* und *Das Böse* quer über der Brust. Dollarzeichen, Messer und Pistolen. Ein Zulu-Schild, das Emblem der 28er.

Es war zu heiß zum Schlafen, und der erbarmungslose Südostwind sandstrahlte Lavender Hill.

Er dachte daran, was vergangene Nacht passiert war. Dachte an diese Männer, die in das Haus gingen und nie mehr herauskamen. Die Americans. Die 26er.

Benny Mongrel hatte so viele Americans getötet, er konnte sich nicht mehr erinnern, wie viele, im Gefängnis und draußen. Die Mongrels und die Americans wurden in Pollsmoor voneinander getrennt. Sie beäugten einander misstrauisch auf den Korridoren und dem Trainingshof. Von Zeit zu Zeit kam ein neuer Häftling, und einer der älteren Gangster befahl ihm, als Initiationsritus einen der Feinde zu töten. Wenn er zurückschreckte, wurde er von allen vergewaltigt und zur Braut gemacht.

Benny Mongrel hatte nicht gezögert und seine Initiation mühelos bestanden.

Der letzte Mann, den er umgebracht hatte, war ein American gewesen, ein 26er, ein Jahr bevor er auf Bewährung entlassen wurde. Da war ein leises Wort gefallen, eine geraunte Beleidigung, als er vorbeiging. Im Gefängnis konnte das nicht unerwidert bleiben. Benny Mongrel hätte einem unter ihm stehenden Mann befehlen können zu tun, was getan werden musste. Er zog es vor, sich selbst um die Sache zu kümmern.

Unter der Dusche schob er das Knastmesser zwischen die tätowierten Rippen des American. Er hielt den Mann dicht bei sich, während der starb, und als das Licht in seinen Augen erlosch, flüsterte er, was er immer flüsterte: »Benny Mongrel wünscht eine gute Nacht.«

Zum Einschluss befand er sich wieder in seiner Zelle.

Am nächsten Tag waren die Americans und die übrigen 26er sehr still auf dem Innenhof. Wärter kamen und sprachen mit Benny Mongrel. Er schüttelte den Kopf, zuckte die Achseln. Er wusste nichts. Sie hatten versucht, anderen Informationen zu entlocken, aber die Männer hatten Angst und wussten, dass es besser war zu schweigen, denn andernfalls würden auch sie ein geflüstertes »Gute Nacht« zu hören bekommen.

Doch was letzte Nacht geschehen war, war nicht einfach so abgehakt. Nein. Benny spürte unsichtbare Linien, die sich von den Flats hinausstreckten und die mit diesem Haus am Berg verbunden waren. Und mit ihm, einem Mongrel, einem 28er, der das benachbarte Haus bewachte und nur versuchte, ein friedliches Leben zu führen.

Scheiße.

Er setzte sich auf und nahm das Messer aus der Tasche. Er öffnete die Klinge und untersuchte sie gründlich. Dann griff er unter die Matratze, fand einen kleinen Holzblock, um den ein Stück Schleifpapier gewickelt war. Mit geduldiger Präzision schliff er die Klinge auf dem Sandpapier.

Nach einigen Minuten ließ er einen Zeigefinger ganz vorsichtig über die Klinge gleiten. Winzige Blutstropfen durchbrachen die Oberfläche seiner Haut. Er wischte die Klinge ab, klappte das Messer zu und schob es zurück in die Tasche.

Benny Mongrel legte sich auf die Matratze und starrte zu dem Blechdach hinauf, lauschte auf das Heulen des Windes. Staub und Schmutz drangen durch Ritzen ein, und das Wellblech rasselte wie Gruppen aneinandergeketteter Häftlinge, die durch Pollsmoor marschierten.

Nach einer letzten heftigen Bö legte sich der Südostwind, dann war alles still. Die durch den Wind, *Cape Doctor* genannt, von Smog und Dreck gesäuberte Stadt nahm eine halluzinogene Schönheit an. Ein Cappuccino-Schaumhäubchen weißer Wolken schwebte auf dem Tafelberg, und Autos mit gebräunten Körpern und Surfbrettern strömten zu den Stränden hinunter.

Burn und Matt fuhren am Meer entlang und passierten das Touristenmekka Camps Bay, bis sie zu einem kleinen Strand kamen, den nur Einheimische kannten. Burn, Susan und Matt waren bei einer Wanderung zufällig darauf gestoßen, und es war ihr Lieblingsort geworden, wenn sie schwimmen wollten.

Man erreichte den Strand über einen steilen Pfad von der oberhalb liegenden Straße, zu steil für den Geschmack der meisten Leute. Burn und Matt gingen Hand in Hand hinunter, wobei Burn den Jungen immer wieder auf den Arm nahm, wenn der Weg zu steil wurde. Burn hatte eine Kühltasche und einen Strandschirm dabei. Durch Gebüsch erreichten sie einen kleinen, von Felsblöcken eingefassten Strand, an dem das azurblaue Meer auf den Sand traf. Sie waren allein.

Burn rammte den Schirm in den Sand, spannte ihn auf und breitete Handtücher in seinem Schatten aus. Er zog sich bis auf die Badehose aus. »Hast du Lust zu schwimmen?«, fragte er Matt.

Der Junge spielte gedankenverloren mit einem Spielzeuglaster im Sand. Er schüttelte den Kopf.

Burn nahm einen Plastikbeutel aus der Kühltasche und ging damit zum Wasser. Er watete hinein und spürte die beißende

Kälte des Atlantiks. Wie warm es draußen auch sein mochte, das Wasser in Kapstadt war stets eisig. Burn, der an den viel wärmeren Pazifik gewohnt war, war zuerst nicht tiefer als bis zu den Knien hineingegangen. Mit der Zeit hatte er sich an das eisige Stechen gewöhnt und freute sich auf das Aufwärmen in der Sonne.

Burn schwamm los und hielt auf eine Felsgruppe zu und zog dabei die Plastiktüte hinter sich her. Er öffnete den Knoten der Tüte und nahm die Messer heraus, mit denen er die beiden Männer getötet hatte. Eines nach dem anderen ließ er die Messer zwischen den Felsen ins tiefe Wasser sinken. Er paddelte noch ein Stück weiter und ließ dann die Waffe ins Wasser gleiten, die er dem kleinen Mann abgenommen hatte, schaute zu, wie sie langsam kreisend versank.

Die Waffe des großen Mannes, einen stupsnasigen Colt, hatte er behalten. Er wusste, es war ein Risiko, die Waffe zu behalten, sie im Schlafzimmerschrank zu verstecken, aber irgendwie fühlte er sich dabei sicherer. Als wäre er so in der Lage, sich zu wehren.

Gegen was auch immer.

Die Kälte wurde deutlicher spürbar, unangenehm an Kopf und Hoden, aber er zwang sich, noch eine Weile länger im Wasser zu bleiben, zu tauchen, bis er den sich sacht wiegenden Seetang auf dem Grund berührte, dann ließ er sich wieder an die Oberfläche auftreiben und schwamm an den Strand zurück. Er watete hinaus, keuchte vor Kälte, spürte die Sonne auf seinem Körper. Matt lag unter dem Schirm und spielte.

Burn trocknete sich ab. Er nahm eine Plastikflasche aus der Außentasche der Kühlbox und begann, seinen Sohn mit einer Sonnencreme mit hohem Sonnenschutzfaktor einzureiben.

»Matt?«

»Ja.« Der Junge spielte immer noch mit seinem Laster, schaute Burn nicht an.

»Sieh mich an.«

Matt löste den Blick vom Spielzeug und sah seinen Vater an.

»Gestern Abend, diese Männer ...« Es fiel Burn genauso schwer, wie er es erwartet hatte. »Die wollten Mami weh tun.«

Matt starrte ihn an. »Warum?«

»Das waren böse Männer. Und ich musste tun, was ich getan habe, damit sie Mami nicht weh tun und auch nicht dir oder mir, verstehst du das?« Burn sah seinem Sohn fest in die Augen, in diese klaren blauen Augen, die ihn so sehr an Susans erinnerten. Allerdings ohne den Schatten des Misstrauens, der in ihre getreten war.

»Ja. Ich hatte Angst.«

»Ich auch.«

Matt zögerte. »Diese Männer ... die kommen doch nicht mehr zurück?«

Burn schüttelte den Kopf. »Nein. Die kommen nicht mehr zurück.«

Matt nickte. »Sind sie tot?«

Burn starrte seinen Sohn an. »Ja«, antwortete er. »Sie sind tot.«

Der Junge nickte. »Okay.«

Burn verteilte Sonnenschutzmittel auf Matts Gesicht. Matt zappelte, wollte loskommen. »Matt, es ist in Ordnung, wenn du Angst hast. Wenn du mit mir oder Mami reden willst.«

»Nein, ich werde keine Angst mehr haben. Nicht, wenn sie nicht mehr wiederkommen.«

»Matty, sieh mich an.« Der Junge schielte zu ihm hinauf. »Du weißt, dass du mit niemandem außer Mami und mir darüber reden kannst, was gestern Abend passiert ist. Verstehst du das?«

Matt nickte. »Ja, Daddy.«

Burn fühlte sich beschissen dabei, seinen Sohn zu einem Komplizen zu machen. Er massierte den Rest Sonnencreme ein und nahm dann die Hände vom Körper seines Sohnes. Ein plötzlicher Energieschub überkam Matt, er rannte zum Wasser, lief, bis er kalte Füße hatte, und stürmte dann lachend wieder hinaus.

Burn lag auf dem Rücken, auf die Ellbogen gestützt, schaute zu, wie sein Sohn an diesem malerischen Strand spielte. Er kämpfte damit, den gewalttätigen Umweg zu verarbeiten, den sein Leben eingeschlagen hatte.

Ein Umweg, der vor zwei Jahren begann, als Tommy Ryan an seine Tür klopfte.

Er und Susan hatten gerade erst ein neues Haus im Valley bezogen, als Tommy vor ihrer Tür stand, mit einem Seesack in der Hand und einem blendenden Lächeln auf dem Gesicht, das von einem harten Leben und mangelnder zahnärztlicher Fürsorge nur leicht getrübt war. Es war über zehn Jahre her gewesen, seit Burn ihn das letzte Mal gesehen hatte.

Nach Desert Storm hatte Burn seinen Abschied genommen und war nach L. A. gezogen, wo er Arbeit in der boomenden Security-Branche gefunden hatte. Tommy blieb noch einige Jahre bei den Marines, nahm danach eine ganze Reihe von Jobs an, von denen er keinen lange machte, zumindest nach den in größeren Abständen eintrudelnden Karten zu urteilen, die immer unterschiedliche Poststempel trugen.

Susan hatte Tommy Ryan auf Anhieb nicht gemocht. Burn spürte, wenn Susan Tommy ansah, dann sah sie das verzerrte Spiegelbild ihres Mannes. Den Jack Burn, zu dem er vielleicht geworden wäre, wenn es schlecht gelaufen wäre. Aber sie hatte sich größte Mühe gegeben, ihre Gefühle zu verbergen, hatte Tommy im Gästezimmer das Bett bereitet, ohne zu fragen, wie lange er bleiben werde. Sie lachte über Tommys Witze und tat, als würde sie seine Kriegsgeschichten mögen. Doch Burn bemerkte, dass Susan einen Bogen um Tommy schlug und ihre Zeit stattdessen weitgehend mit Matt verbrachte, der sich gerade kopfüber in die Trotzphase stürzte.

Tommy besaß ein Talent. Er prahlte damit, dass er zuverlässiger als jeder Lügendetektor sofort entlarven könne, wenn jemand ihm Bullshit erzählte. Eines Abends bei ein paar Bieren fragte er Burn, ob er glücklich sei, und kaufte ihm die Antwort nicht ab. Nach ein paar weiteren Bieren erzählte Burn ihm die Wahrheit: Er sei pleite. Sein Security-Unternehmen war schon ein Jahr alt und warf noch keinen Gewinn ab. Die Renovierungsmaßnahmen am Haus hatten mehr gekostet als geplant, und Susan arbeitete nicht mehr, seit sie geheiratet hatten.

Sein alter Kumpel lächelte dieses berühmte Lächeln und bot eine typische Tommy-Lösung an. Warum fuhren sie nicht runter nach Gardena und pokerten ein bisschen? Tommy erinnerte Burn an den Spitznamen, den er damals während ihrer gemeinsamen Zeit bei den Marines gehabt hatte: Lucky. Und das verdientermaßen, denn er hatte bei jeder Partie Poker abgeräumt, die er gespielt hatte.

»Mein Gott, Tommy«, sagte Burn. »Wir haben um Bier und Kippen gespielt.«

»Die Karten sind aber immer noch dieselben, Bruder. Mit dem Unterschied, dass du den Pennern jetzt ihre Dollars abnimmst.«

Und das machte er. Mit zweihundert Dollar hatte er das Casino betreten, und als sie Schluss machten, hatte er zweitausend mehr.

Auf der Fahrt zurück lachte Tommy, das Morgengrauen hing bereits über den San Gabriel Mountains. »Na, was hab ich dir gesagt? Du hast nichts von deinem Händchen verloren, Mann.«

Susan hatte einen Tag später Geburtstag, und Burn konnte ihr die italienischen Schuhe kaufen, von denen er wusste, dass sie sie insgeheim haben wollte, und sie zum Essen in ein schickes Restaurant ausführen. Sie tranken Wein und lachten, fast wie damals, als sie sich gerade kennengelernt hatten. Dann verstummte sie kurz, machte plötzlich ein ganz ernstes Gesicht im Kerzenschein und fragte, ob er sich das alles überhaupt leisten könne. Susan war die Tochter eines spielsüchtigen Alkoholikers, der verschwunden war, als sie gerade zehn war, und Burn wusste nur zu gut, wie sie reagieren würde, wenn er ihr erzählte, woher er das Geld hatte. Also sah er ihr in die Augen und log sie zum ersten Mal an. Er sagte, das Geschäft laufe gut.

Was hätte er sonst tun können?

Er und Tommy fuhren noch einige weitere Male runter nach Gardena. Natürlich hatte Tommy Burn den anderen Zockern als *Lucky* vorgestellt, und der Name blieb kleben. Jedes Mal, wenn er spielte, machte er seinem Spitznamen alle Ehre. Manchmal gewann er viel, und andere Male waren seine Gewinne eher bescheiden, aber immer ging er mit Bargeld in der Tasche nach Hause.

Bargeld, das das Leben zuhause ein klein wenig leichter machte.

Nach ungefähr zwei Wochen begann Tommy, unruhig zu werden, also packte er seinen Seesack und machte sich wieder auf den Weg, hinterließ eine Spur von Ansichtskarten aus San Diego, Baja California, Fort Lauderdale und schließlich Chicago, wo er Angehörige hatte.

Während der nächsten zwei Jahre machte Burn weiter diese geheimen Ausflüge nach Gardena. Wo er Lucky war.

Bis sein Glück ihn verließ.

Carmen Fortune wachte allein in ihrem Bett auf. Wie immer hielt sie die Augen geschlossen, so als würde sie noch schlafen, und lauschte auf ein Geräusch, das ihr Mann machte. Die Art und Weise, wie Ricardo Fortune den Tag begann, war ein klarer Indikator für die Behandlung, die sie zu erwarten hatte. Falls er noch weggetreten war, wenn sie aufwachte, sein Körper nach Alk, Tik und den Säften anderer Frauen stank, dann wusste sie, dass sie ausreichend Zeit hatte, genug Abstand zwischen sich und ihn zu bringen. Er würde erst nach Mittag seinen Körper aus dem Bett schleifen und Essen verlangen. Falls er kein Tik hatte, würde er gereizt sein und seine Fäuste sprechen lassen.

Die seltenen Gelegenheiten, an denen er vor ihr auf war, bedeuteten, dass er einen Job zu erledigen hatte. Etwas, das mit der Gang oder Drogen zu tun hatte, was wiederum bedeutete, dass er zu sehr beschäftigt war, um sich mit ihr abzugeben. Er würde sich waschen, anziehen und die Pistole laden, dann die Tür zuschlagen und die Wohnung verlassen.

Doch es war kein Laut zu hören, als sie aufwachte. Sie vernahm lediglich das Keuchen von Onkel Fatty, der auf dem Sofa schnarchte. Carmen stieg aus dem Bett und schob die ausgefranste Gardine vor dem Schlafzimmerfenster zur Seite. Die Scheibe war zerbrochen, eingeworfen mit einem Stein, den einer von Rikkis vielen Feinden geworfen hatte, deshalb war eine Hälfte des Fensters mit einem Bierkarton zugeklebt. Sie schaute auf die Straße hinaus zu der Stelle, wo er normalerweise seinen roten BMW abstellte. Weit und breit keine Spur davon. Carmen entspannte sich.

Sie ging ins Wohnzimmer und verpasste Onkel Fatty mit dem nackten Fuß einen Tritt in die Rippen. Er grunzte, drehte sich, die dürre Gestalt umhüllt von einer schmutzigen Decke. Fatty, dessen richtiger Name Errol lautete, war der Bruder von Rikkis

Mutter. Er hatte jahrelang für die Kommune gearbeitet, bis er mit Lungenbeschwerden vorzeitig in Rente geschickt worden war. Er war schon immer ein Trinker gewesen, doch mit dem Vorruhestand wurde aus einem talentierten Amateur ein Profi. Bereitwillig trat er seine Rente an Carmen ab, er wollte dafür lediglich einen konstanten Nachschub an billigem Wein und ein Dach über dem Kopf.

Carmen schaute nach Sheldon. Er lag in seinem Bettchen neben dem Fernseher, die blinden Augen geöffnet, die Händchen bewegten sich. Er hatte eine weitere Nacht überlebt. Sie roch, dass seine Windel gewechselt werden musste. Sie würde sich später darum kümmern.

Carmen hatte drei Abtreibungen hinter sich, bevor Sheldon auf die Welt kam. Zwei waren Babys von ihrem eigenen Vater. Er hatte angefangen, in das Zimmer zu kommen, das sie mit ihren beiden kleinen Brüdern teilte, als sie sieben war. Unmöglich, dass ihre Mutter in diesem winzigen Haus davon nichts mitbekommen hätte. Mit elf war Carmen das erste Mal schwanger geworden.

Ihre Mutter hatte sie geschlagen, hatte sie eine Hure genannt und war mit ihr zur Klinik gegangen. Ihre Mutter hatte nie auch nur ein einziges Wort zu ihrem Vater gesagt, hatte Carmen einfach nur still gehasst. Als Carmen ein Jahr später wieder schwanger wurde, warf ihre Mutter sie aus dem Haus, und Carmen ging allein zur Klinik.

Mit fünfzehn trug sie das Kind von Bobby Herold, einem Burschen aus dem Viertel. An dem Tag, als sie zum dritten Abbruch in die Klinik ging, traten die Mongrels Bobby vor ihren Augen zu Tode.

Dann traf sie Ricardo Fortune, und es passierte wieder.

Erstaunlicherweise hatte er sie geheiratet. Der magere kleine Dreckskerl stolzierte herum wie ein König, Carmen und ihr praller Bauch wie eine Trophäe an seiner Seite. Dann war Sheldon auf die Welt gekommen, und kurz darauf begann das Prügeln.

Carmen machte Frühstück. Onkel Fatty schleppte sich vom Sofa, lief in seiner fleckigen Unterhose durch die Wohnung. Sie knallte ihm einen Teller mit gebackenen Bohnen und Ei vor die Nase.

»Du solltest dich heute mal waschen. Dein Arsch stinkt.«

Er sagte nichts, stocherte nur im Essen. Sein giftdurchtränkter Körper kam erst mit dem Drink nach dem Frühstück richtig in Gang.

Carmen fütterte Sheldon. Sie brachte es im Moment nicht fertig, ihm die Windeln zu wechseln. Er würde den Unterschied sowieso nicht bemerken. Der Nachteil von Rikkis Abwesenheit bestand darin, dass es kein Tik gab, mit dessen Hilfe der Tag etwas erträglicher wurde. Sie würde losziehen und sich einen Freier suchen müssen.

Sie wusch sich und zog ihre beste Jeans und Bluse an. Sie versuchte, die widerspenstigen Haare mit einer verstopften Bürste zu bändigen, und verfluchte Gatsby dafür, dass er ihren Spiegel zerbrochen hatte. Fetter scheiß Bure.

Als sie das Klopfen an der Tür hörte, nahm sie an, es wäre einer von Rikkis nichtsnutzigen Kumpeln. Sie riss die Tür auf und war drauf und dran, eine Tirade loszulassen, als sie Belinda Titus erkannte, die Sozialarbeiterin, die mit Sheldons Fall betraut war. Normalerweise trafen sie sich auf dem Sozialamt, wenn Carmen einmal monatlich hinging, um die Unterstützung für Sheldon abzuholen.

»Ich bin hier, weil ich nach Ihrem Sohn sehen möchte, Mrs. Fortune.«

»Sie haben nicht angerufen oder so.« Carmen versperrte die Tür.

»Das soll ja auch so sein bei einer außerplanmäßigen Überprüfung, Mrs. Fortune. Bitte, lassen Sie mich rein.«

Carmen trat einen Schritt zurück.

Belinda Titus war nur ein paar Jahre älter als Carmen, stammte ebenfalls von den Flats, gab sich aber so, als sei sie etwas Besseres.

»Die Alte glaubt, sie scheißt Eiscreme«, hatte Carmen sie bei einer ihrer seltenen Unterhaltungen mit Rikki beschrieben. Die Sozialarbeiterin vermittelte Carmen durch ihr Auftreten und die Blicke, mit denen sie sie taxierte, das Gefühl, nur Abfall zu sein.

Belinda Titus schaute sich mit einem verkniffenen Gesichtsausdruck in der schäbigen Wohnung um. In dem Moment kam Onkel Fatty aus dem Bad, er trug immer noch nichts anderes als seine schmutzige Unterhose. Er sah die beiden Frauen an, setzte sich aufs Sofa und starrte ins Leere.

Die Sozialarbeiterin trat an das Kinderbettchen, in dem Sheldon lag. Sie schob die Decke beiseite und verzog das Gesicht. Sie schaute zu Carmen auf.

»Mrs. Fortune, dieses Kind befindet sich in einem entsetzlichen Zustand.«

»Ich wollte ihm gerade die Windeln wechseln.«

»Das ist ja noch das Wenigste. Ohne ihn näher zu untersuchen, sehe ich, dass er sich wund gelegen hat. Und sehen Sie sich das Bettzeug an, das ist ja furchtbar.«

Carmen spürte, wie sie errötete, spürte den Zorn in sich aufsteigen. Sie kämpfte darum, nicht die Fassung zu verlieren. »Ich hab's doch gerade gesagt. Ich war gerade dabei, ihn sauber zu machen und seine Windeln zu wechseln.«

»Ich kann dieses Kind unmöglich in diesen entsetzlichen Verhältnissen lassen.« Belinda Titus griff nach ihrem Telefon.

»Was sagen Sie da?«, fragte Carmen.

»Ich sage, dass Kollegen von mir kommen und ihn abholen und an einen sicheren Ort bringen werden. Wo man sich angemessen um ihn kümmern wird.«

»Das können Sie nicht machen!«

»Und ob ich das kann, Mrs. Fortune. Und falls Sie versuchen, uns daran zu hindern, werde ich die Polizei rufen.«

»Sie können mir nicht einfach so mein Kind wegnehmen!«

Belinda Titus beachtete sie nicht weiter, sie sprach in ihr Telefon und gab die Adresse der Wohnung durch. Dann ließ sie das schicke kleine Handy in ihre Tasche gleiten und richtete einen verächtlichen Blick auf Carmen. »Ich muss tun, was für das Kind das Beste ist.«

Die Sozialarbeiterin begann, ein Formular auszufüllen, das sie aus ihrem Aktenkoffer genommen hatte.

Carmen nahm Platz. Ihr war kotzelend. Wenn Sheldon fort war, dann war auch die Unterstützung für ihn weg. Und damit das Geld, das sie für ihr Tik brauchte.

Der Mischling drehte sich auf dem Kopf wie ein Kreisel, dann sprang er in eine Art Handstand, wobei die Muskeln an seinem nackten Torso deutlich hervorstanden. Er landete in einem Spagat und schien sich selbst mit der Hand, die seine Eier umklammerte, hochzuziehen, bis er wieder stand. Er stieß einem Teenager seine Hüften vor und zurück ins Gesicht; das Mädchen lachte wie eine läufige Hündin. Es war eine ganze Gruppe, die wie Affen tanzte.

Nur vom Zusehen wurde Rudi Barnard schon müde. Er hatte Kopfschmerzen, und die Drecksmusik, die aus dem Ghettoblaster dröhnte, schlug auf ihn ein wie ein Presslufthammer. Er parkte in einer der schmalen Seitenstraßen von Paradise Park. Die Sonne verwandelte seinen Wagen in einen Backofen, obwohl sämtliche Fenster offen waren. Der Schweiß lief Barnard in Strömen herunter, brannte ihm in den Augen und verursachte Ausschlag zwischen seinen Beinen.

Seit er den Tik-Dealer abgeknallt hatte, fühlte er sich gereizter als normal. Er hatte seine Waffe im Präsidium Bellwood South abliefern, hatte das übliche Gedöns über sich ergehen lassen, Formulare ausfüllen und Aussagen machen müssen. Sinnloser Mist, bei dem nichts herauskommen würde. Dennoch lenkte das eine gewisse Aufmerksamkeit auf seine Person, und das gefiel ihm gar nicht.

Der scheiß Lärm machte ihn wahnsinnig. Er wollte gerade aussteigen, auf den Hof gehen und den rumzappelnden Promenadenmischungen mit dem Ghettoblaster eine reinhauen, als ein brandneuer Pajero an ihm vorbeirollte. Das Premiummodell mit glänzenden Chromfelgen und dunkler als zulässig getönten Scheiben. Es hielt vor einem Haus, das in deutlichem Kontrast zu den gedrungenen Nachbarhäusern stand. Ein neues, zweigeschossiges Gebäude, umgeben von einer hohen Mauer, auf der Stacheldraht gespannt war. Das Tor ging auf, und der Pajero rollte auf den Hof. Barnard ließ den Toyota an und folgte. Hinter ihm schloss sich das Tor.

Drei Männer stiegen aus dem Pajero. Zwei von ihnen waren Muskelmänner von den Cape Flats, reichlich Haargel und Tattoos. Der dritte war älter, vielleicht Mitte dreißig, weder groß noch besonders kräftig, aber mit der Ausstrahlung eines Mannes, der nicht sonderlich zimperlich war. Manson. Chef der Paradise Park Americans.

Barnard, verschwitzt und keuchend, hievte sich aus dem Wagen. »Du bist scheiß spät dran.«

Manson zuckte nur mit den Achseln. »Geschäfte. Was hast du?«

Barnard ging zum Heck seines Wagens, öffnete den Kofferraum und deutete auf einen Seesack. Einer von Mansons Jungs öffnete den Sack, brachte einen Schwung Handfeuerwaffen zum Vorschein.

»Wie viele?«, fragte Manson.

»Siebenundzwanzig.« Barnard steckte sich eine Zigarette an, schützte das Streichholz mit der hohlen Hand gegen den Wind. Er schaute zu, während Manson die Ware begutachtete. Von uniformierten Polizisten auf den Flats beschlagnahmte Waffen. Sie brachten sie zu Barnard, und er zahlte ihnen dafür eine lächerliche Summe oder war einverstanden, bei ihren außerdienstlichen Aktivitäten ein Auge zuzudrücken. Solange sie seine eigenen nicht gefährdeten.

Manson spannte eine 9 mm, kniff ein Auge zusammen, schaute den Lauf entlang, zielte in den Himmel. »Wie viel?«

»Gib mir drei Riesen.«

»Du bist verrückt, Mann.« Manson drückte den Abzug der nicht geladenen Waffe, und der fallende Hammer machte *klick*. Jeder andere, der so mit Barnard geredet hätte, hätte sofort eine reinbekommen, doch ihm ließ er eine gewisse Freiheit. Der American verfügte über ein Netzwerk, das Barnard nützte, und er zahlte stets pünktlich.

»Okay, sagen wir zwei fünfzig.«

»Zwei.«

Barnard hustete und spuckte. »Scheiße, Mann, es ist viel zu heiß, um zu streiten. Zwei zwei. Das ist mein letztes Wort.«

Manson nickte und gab seinem Mann zu verstehen, die Tasche aus dem Kofferraum zu holen. Manson zog ein dickes Geldbündel aus seiner Designerjeans und zählte die Scheine für Barnard ab.

Der fette Bulle schob die Scheine einfach in seine klamme Tasche. »Hast du Rikki Fortune gesehen?«

Manson schüttelte den Kopf. »Ich such ihn selber. Schuldet er dir was?«

»Ja, aber ich finde seinen kleinen Arsch nirgends.«

»Er hat sich ein paar Freiheiten rausgenommen. Vielleicht hat er einfach den Kopf eingezogen.«

»Tu mir einen Gefallen: Wenn du ihn findest, lass mich mit ihm reden, bevor du dich um ihn kümmerst. Okay?«

Manson nickte. Barnard zwängte sich in den Wagen und schloss die Tür. Manson beugte sich durch das offene Fenster auf der Fahrerseite. »Hast du schon was über diese neue Sondereinheit gegen Korruption gehört?«

»Nein. Null. Was gibt's?«

»Hab nur das ein oder andere aufgeschnappt. Es wird eine Säuberungsaktion geben. Cops werden ins Visier genommen.«

Barnard lachte. »Stehen anscheinend mal wieder Wahlen an.« Er drehte den Zündschlüssel.

Manson trat zurück. »Halt auf jeden Fall die Augen auf.«

»Ich bin mit offenen Augen auf die Welt gekommen.« Das Tor glitt zurück, und Barnard fuhr hinaus. Seine Kopfschmerzen waren schlimmer geworden. Er brauchte einen Gatsby.

Susan Burn war eine Gefangene ihrer Angst.

Sie lag in ihrem sonnigen Privatzimmer und empfand die Angst wie ein Gift, das in ihren Körper geraten war. Sie hatte natürlich immer gewusst, dass die Vergeltung zwangsläufig kommen würde, nach dem, was Jack zuhause in den Staaten getan hatte. Aber sie war mit seinem Plan einverstanden gewesen. Hatte sich, wie immer, von ihm überzeugen lassen.

Es war, als hätte sie geradezu darauf gewartet, dass diese Männer in ihr Leben traten, mit ihren Kanonen und Vergewaltiger-Augen. Als sie aufgetaucht waren, da hatte sie sie erkannt, ohne sie je zuvor gesehen zu haben. Sie hatte gewusst, wer sie waren und warum sie dort waren. Sie waren geschickt worden, um eine Rechnung zu begleichen, um eine karmische Schuld zu tilgen.

Und damit würde es noch nicht zu Ende sein. Das wusste sie mit absoluter Gewissheit.

Als also ihr Mann mit einem Strauß Zimmercalla – ihrer Lieblingsblume – das Zimmer betrat, musste sie der Versuchung widerstehen, zu tun, was sie immer tat: ihm verzeihen. An ihn glauben. Diesem gutaussehenden lächelnden Mann glauben. Dem Mann, den sie liebte.

Sie zwang sich, ihn über diesen mageren braunen Gangster gebeugt zu sehen, im Begriff, ihm die Kehle durchzuschneiden. Sie musste dieses Bild lebendig halten, um ihre Entschlossenheit zu schüren.

»Hi, Baby.«

Als er sich herabbeugte, um sie zu küssen, drehte sie den Kopf weg, spürte, wie seine Lippen ihre Wange streiften. Er trat zurück und wirkte einen Moment lang befangen, als er die Blumen auf den Nachttisch neben ihrem Bett legte. Ihm stand der Stress ins Gesicht geschrieben, ein gelblicher Ton unter seiner Bräune.

»Wie fühlst du dich?« Er zog einen Stuhl neben das Bett.

»Mir geht's gut.« Sie sah ihn an, sah immer noch den Mann mit dem Messer. »Wo ist Matt?«

»Er sitzt draußen.«

»Wie geht's ihm?«

»Er ist okay. Wir waren heute am Strand.«

Sie sah ihn scharf an und erkannte deutlich, dass ihm das unangenehm war. Er versuchte, ein Lächeln zusammenzubekommen. Es war nicht überzeugend.

»Was?«, fragte er.

»Du warst am Strand?«

»Ja. Es ist ein wunderbarer Tag. Und ich dachte auch, es würde ihn, na ja, du weißt schon, auf andere Gedanken bringen.«

»Dann wird von Sonne und Meer alles wieder gut, ja?« Sie spürte deutlich, wie ihr die Zornesröte ins Gesicht stieg.

»Baby, hey, ganz ruhig.« Er griff nach ihrer Hand, zuversichtlich, dass er sie besänftigen könnte. Sie zog die Hand fort.

»Jack, es wird nicht alles gut werden. Dieses Mal nicht.«

»Das alles wird vorübergehen.«

Sie schüttelte den Kopf. »Nein, Jack. Nein. Du wirst mich diesmal nicht mit Streicheln und Besänftigungen gefügig machen, dieses Mal nicht.« Sie sah, wie sein Blick misstrauisch wurde. »Hier zu liegen, nach allem, was passiert ist, da musste ich einigen Dingen nüchtern ins Auge sehen.«

»Zum Beispiel?«

»Zum Beispiel, als ich dich kennengelernt habe, da war ich einundzwanzig. Zu jung. Du warst fast vierzig. Ich hatte großen Respekt vor dir. Ich habe dir erlaubt, über mein Leben zu bestimmen.«

»Susan …«

Sie hob eine Hand. »Bitte, lass mich ausreden, Jack. Als du getan hast, was du getan hast, zuhause, war ich schockiert. Besser gesagt fassungslos. Total aufgeschmissen. Ich hätte mir Matt schnappen und so schnell wie möglich verschwinden sollen. Mit meinem Baby.«

Er starrte sie an. Er hatte sie auch früher schon wütend erlebt, aber noch nie so überzeugt. So entschlossen.

»Ich bedaure, das nicht getan zu haben. Ich bedaure, dir zugehört, dir die Versprechungen vom besseren Leben abgekauft zu haben. Ich will raus, Jack.«

Sie sah, wie sich sein Gesichtsausdruck veränderte, als würde er mit einem Mal noch unsicherer werden. »Was meinst du damit?«

»Ich will nach Hause. Ich will, dass meine Kinder normal aufwachsen und ein normales Leben führen.«

»Du weißt, was das bedeutet?«

Sie nickte, sie hielt seinem Blick stand. »Es kann bedeuten, dass ich einige Zeit im Gefängnis verbringen werde. Ich bin bereit. Einer von uns beiden muss endlich aufhören, egoistisch zu sein, und stattdessen an unsere Kinder denken, Jack. Und ganz offensichtlich wirst du es nicht sein.«

»Du weißt, dass eine Rückkehr für mich keine Lösung darstellt, ja?«

»Ja, das weiß ich. Für dich steht erheblich mehr auf dem Spiel.«

»Mein Gott, Susan, ich würde lebenslänglich hinter Gitter wandern.«

»Das ist mir klar.« Fast hätte sie die Hand ausgestreckt und seine Hand ergriffen. Aber sie zwang sich, das nicht zu tun. »Aber verstehst du, dass du uns eingesperrt hast? Was gestern Nacht passiert ist, zeigt nur, wie weit du schon gegangen bist. Der Mann mit dem Messer in der Hand, Jack, das war nicht der Mann, den ich geheiratet habe.«

Sie sah, wie er die Schultern hängen ließ, als wäre alle Kraft aus seinem Körper gewichen. »Und was genau willst du mir damit sagen?«

»Wenn ich hier rauskomme, werde ich mich mit dem amerikanischen Konsulat in Verbindung setzen. Ich werde alles tun, was nötig ist, damit Matt und ich und mein Baby zurück in die Staaten können. Falls ich ins Gefängnis muss, wird sich meine Schwester um die Kinder kümmern.«

Er starrte sie an. »Du hast mit ihr gesprochen?«

Sie schüttelte den Kopf. »Natürlich nicht. Ich muss nicht mit ihr sprechen.«

»Und was soll ich jetzt machen?«

»Ich weiß es nicht, Jack, das musst du selbst entscheiden.«

KAPITEL 6

Als der Truck von Sniper Security vor der Baustelle hielt, brachen die Bauarbeiter gerade auf, sie unterhielten sich laut auf Xhosa und lachten, während sie die Straße hinunter zu den Taxis gingen. Benny Mongrel sprang von der Ladefläche und half Bessie zu Boden. Der Truck fuhr wieder an, und Bessie hockte sich an einen Haufen Bausand. Ihre Hinterläufe zitterten beim Pinkeln. Benny Mongrel wandte den Blick ab, ließ ihr Zeit, damit sie in Ruhe ihr Geschäft machen konnte.

Er war etwa eine Stunde vor seinem gewohnten Arbeitsbeginn um fünf Uhr nachmittags bei Sniper Security eingetroffen. Er hatte sich nach Ishmael Isaacs umgesehen, dem Vorarbeiter der Schicht, bereit zur Inspektion. Bevor er mit dem Taxi in die Stadt gefahren war, hatte Benny Mongrel sich in die Blechwanne in seiner Hütte gestellt und mit Sunlight-Seife abgeschrubbt. Dann musste er das fette Miststück von nebenan bitten, ob er ihr Bügeleisen benutzen dürfe. Obwohl sie sich fast einschiss, als sie sein Gesicht sah, war sie immer noch gierig genug, Geld dafür zu verlangen. Früher hätte er ihr was auf die Ohren gegeben und wäre mit dem Bügeleisen gegangen. Aber er zahlte, bügelte seine Uniform und brachte ihr das Eisen anschließend zurück. Sie riss es ihm aus der Hand und knallte ihm dann ohne ein Wort die Tür vor der Nase zu.

Und nun stand er da, duftete nach Seife, hatte Bügelfalten scharf wie Messerklingen in der Uniform.

Doch ein anderer Sicherheitsmann hatte Benny Mongrel gesagt, dass Isaacs bereits Feierabend gemacht habe. Er würde heute nicht mehr wiederkommen. Scheiß Arschloch.

Während Bessie pinkelte, ließ Benny Mongrel von hoch oben am Hang seinen Blick wandern. Nichts rührte sich. Honigfarbenes Sonnenlicht umspülte Tafelberg, Lion's Head und Signal Hill. Weit unten auf dem ruhigen Meer fuhren Yachten in der Brise.

Er sah, dass der rote BMW immer noch über dem gelben Randstreifen parkte. Ein rosa Strafzettel steckte im Fenster der Fahrerseite und flatterte im Wind.

Bessie tauchte an Mongrels Seite auf und leckte ihm die Hand. Er packte ihre Kette, und dann gingen sie zusammen in das unfertige Haus.

Burn fühlte sich, als hätte ihm jemand einen heftigen Schlag verpasst. Er war erleichtert, dass Matt, völlig erschöpft nach der Zeit am Strand, im Auto einschlief, als sie nach Hause fuhren.

Burn wusste, dass Susan es ernst meinte, und er wusste, dass sie recht hatte. Trotzdem fühlte er sich elend und zerschlagen. Ohne seine Frau und seinen Sohn zu sein konnte er sich nicht vorstellen. Nicht da zu sein, um seiner Tochter ein Vater zu sein, war zu schmerzhaft, um es sich auch nur in Gedanken auszumalen.

Er wusste, dass er sich das alles selbst zuzuschreiben hatte.

Während er über The Neck und hinunter Richtung Sea Point fuhr, nahm er nichts von dem Panorama aus Berg und Meer wahr. Was er vor Augen hatte, war die Leichtigkeit, mit der sie ihn in den Staaten hereingelegt hatten, und wie bereitwillig er seinen Kopf in die Schlinge gelegt hatte.

Nachdem Tommy Ryan ging, war Burn Stammgast in Gardena geworden, hatte mit irgendwelchen Typen an Pokertischen zusammengesessen, die bereit waren, erheblich mehr einzusetzen, als sie sich leisten konnten. Weder Sympathie noch Mitgefühl hinderten Burn daran, ihnen ihr Geld abzuknöpfen. Geld, das ihm half, sein Geschäft auszubauen und Susan und Matt das Leben angenehmer zu machen.

Und Burn konnte es nicht leugnen: Er hatte den Kick genossen, den das Zocken ihm gab.

Ziemlich bald fing er mit Sportwetten an. Ein Kerl, den er beim Pokern kennengelernt hatte, machte ihn mit einem Buchmacher namens Pepe Vargas bekannt, der einen alten Eldorado fuhr und am kleinen Finger Ringe trug. Vargas mit seinen völlig unmodernen Klamotten und seinem ungezwungenen Humor amüsierte Burn. Er war ein Original, und allein seine Gesellschaft gab Burn das Gefühl, ein interessantes Leben zu führen. Vargas schien Burn zu mögen und erhöhte seine Kreditlinie. Er reagierte nie verärgert, wenn Burn bei der Rückzahlung in Verzug geriet.

Dann begann der Abstieg. Pferde gerieten auf den Zielgeraden ins Stolpern, Quarterbacks warfen miese Pässe und Eishockeypucks folgten Wegen, die jeder Logik Hohn sprachen. Und mit einem Mal stand Burn mit fast zwanzig Riesen in der Kreide, und Vargas fing an, bei ihm zuhause anzurufen, er wolle Geld sehen.

Diese Anrufe und Burns häufige Abwesenheit machten Susan misstrauisch. Nach einer besonders heftigen Auseinandersetzung, als sie ihn beschuldigte, fremdzugehen, beichtete er ihr seine Zockerei. Sie reagierte schockiert und wütend. Ob er es genauso machen wolle wie ihr Vater. Die Familie belügen und mit üblen Schulden sitzen lassen.

Burn gelobte ihr hoch und heilig, dass er aufhören würde. Er würde Vargas auszahlen, und damit wäre es erledigt.

Er hielt sein Wort. Bis sein größter Auftrag den Bach hinunterging.

Burn hatte ein Sicherheitssystem in einem neuen Einkaufszentrum installiert. Hochmoderne Technik, Überwachungskameras, durch Bewegungsmelder ausgelöste Alarmanlagen, Rauchdetektoren, alles verbunden mit einer Leitstelle, die aussah wie die Raumflugüberwachung in Houston. Er musste mehr Personal einstellen und teure Geräte vorfinanzieren, um den Vertrag erfüllen zu können. Die Projektentwickler des Einkaufszentrums hatten lediglich eine erste Anzahlung geleistet, ein Viertel des endgültigen Rechnungsbetrages – das längst wieder ausgegeben war –, als ihnen das Geld ausging. Das Einkaufszentrum, praktisch unmittelbar vor der Fertigstellung, wurde wieder demontiert, während harte juristische Kämpfe ausgefochten wurden.

Burns Name war nur einer auf einer langen Liste von Subunternehmern, die froh sein konnten, wenn sie für jeden eingesetzten Dollar zehn Cent Schadensersatz erhielten.

Unterdessen mussten Burns Angestellte bezahlt werden, und seine Lieferanten schrien nach Geld. Geld, das er nicht hatte. Er drohte das Haus zu verlieren, das er belastet hatte, um die Liquidität seiner Firma zu gewährleisten.

Und da begann er dann, sein Leben endgültig in die Scheiße zu reiten.

Und das Leben seiner Familie.

Burn rief Pepe Vargas an und bat ihn, eine Telefonwette anzunehmen, achtzig Riesen auf Leroy Coombs, einen toughen Mittelgewichtler aus Jersey City, einen ehemaligen Champion, der gerade sein Comeback gegen eine absolute Null hatte, das Ganze im Rahmen eines Vorkampfes zu einem großen Titelkampf in Vegas.

Der Buchmacher am anderen Ende der Leitung schwieg,

wahrscheinlich dachte er über das Geld nach, das Burn ihm noch schuldete. Aber Vargas nahm die Wette an.

Burn ging ein irrwitziges Risiko ein, mit Geld zu wetten, das er gar nicht hatte. Aber es war eine todsichere Sache. Der Gegner war ein besserer Sparringspartner; es war vollkommen ausgeschlossen, dass Coombs den Kampf verlor.

Burn saß zuhause und verfolgte den Kampf auf dem Sportkanal. In den ersten zehn der insgesamt zwölf angesetzten Runden verlief alles ganz nach Plan. Coombs spielte mit seinem Gegner, und auch wenn er ihn nicht k.o. schlagen konnte, sah der am Ende der zehnten Runde völlig kaputt aus. Burn fühlte sich langsam richtig gut, war fest davon überzeugt, dass die Pechsträhne der letzten Zeit damit vorüber war.

Und dann wurde Coombs in der elften Runde überheblich, fing an herumzualbern und musste einen Schlag einstecken, der niemals hätte landen dürfen. Ein irrer rechter Haken, der ihn am Kinn erwischte und ihn auf die Matte schickte. Er kam nicht mehr hoch, bevor der Ringrichter die Arme über seinem auf dem Bauch liegenden Körper hin- und herbewegte.

Der Kampf war vorbei.

Benommen schaute Burn zu, wie Coombs zu seinem Hocker geholfen wurde. Er wusste, wenn er jetzt versuchte aufzustehen, würde er sich ganz genauso fühlen.

Das Handy klingelte. Es war Vargas, der wissen wollte, wann er nach Gardena kam, um den Schaden gutzumachen. Burn brummte eine Zusage in den Hörer und legte auf.

Nach diesem Verlust und mit den unbezahlten Wettschulden, die außerdem noch offenstanden, schuldete Burn Pepe Vargas fast hunderttausend Dollar. Einen Betrag, den er unmöglich beschaffen konnte.

Der Buchmacher rief am folgenden Tag wieder an, und da

war seine umgänglich-angenehme Art verschwunden. Er sagte Burn, er wolle ihn am selben Nachmittag auf dem Parkplatz des Casinos sehen.

Vargas' Eldorado hielt neben Burn. Auf dem Beifahrersitz ein Mann, den Burn noch nie zuvor gesehen hatte. Burn stieg hinten ein, und Pepe fuhr los. Er hielt in der Nähe eines Diners, und mit einem kurzen, beinahe entschuldigenden Blick in den Innenspiegel stieg er aus.

Der Mann auf dem Beifahrersitz drehte sich zu Burn um. Er wirkte ruhig und distanziert und strahlte etwas Bedrohliches aus. »Du kannst mich Nolan nennen.«

»Warum sollte ich Sie überhaupt irgendwie nennen wollen?« Burn griff nach der Tür.

»Nicht aussteigen, Jack.« Die Art und Weise, wie der Mann seinen Namen benutzte, störte Burn.

»Warum nicht?«

»Weil du nicht möchtest, dass ich zu dir nach Hause komme. Glaub mir.«

Burn starrte Nolan an. »Was wollen Sie?«

»Ich werde dir einen Gefallen tun. Die hundert Riesen, die du Pepe schuldest, werden gestrichen.«

»Wie das denn?«

»Du wirst einen Job für mich erledigen.«

»Das glaube ich nicht.« Burn öffnete die Wagentür.

»Wenn du jetzt dieses Auto verlässt, solltest du dir bitte darüber im Klaren sein, dass ich deine Frau und deinen Sohn umbringe.«

Burn starrte ihn an, war bereits halb ausgestiegen. »Was haben Sie da gerade gesagt?«

»Du hast mich genau verstanden. Jetzt mach die Tür wieder zu und hör mir sehr aufmerksam zu.«

Burn hatte die Tür geschlossen. Und damit hatte es angefangen. Aufgehört hatte es mit einem Cop, der in Milwaukee tot im Schnee lag, und mit Burn und seiner Familie auf der Flucht.

Burn hatte sie nach Kapstadt gebracht und das Haus am Hang des Signal Hill gefunden. Sie hatten mehr Geld, als sie je benötigen würden. Sie brauchten lediglich ein neues Leben. Sie waren gerade dabei, sich eines zu erfinden, jeden Tag, als die braunen Männer mit den Kanonen zur Terrassentür hereinspazierten und alles zunichtemachten.

Und jetzt wollte Susan ihn verlassen.

Während er vor dem Haus abbremste, öffnete Burn per Fernbedienung die Garage. Er fuhr den Jeep langsam hinein, als er einen Polizeiwagen direkt hinter dem roten BMW bemerkte. Ein uniformierter Beamter ging um das Fahrzeug und sprach in sein Funkgerät.

Das Garagentor senkte sich wie ein langsames Fallbeil.

Es war immer noch hell, als Rudi Barnard hinter dem roten BMW hielt. Weit und breit nichts von dem Bullen zu sehen, der den Wagen gefunden hatte. Ließ sich wahrscheinlich gerade in irgendeinem Puff in Sea Point volllaufen. Sollte Barnard nur recht sein.

Er blieb einen Moment im Wagen sitzen und betrachtete die Szene. Dies war nicht sein Revier, dieser reiche Vorort, der sich an die Seite des Signal Hill schmiegte, mit einem weiten Blick auf Kapstadt und die Waterfront. Und todsicher war es auch nicht Ricardo Fortunes Revier. Nein, irgendwas stimmte hier nicht.

An diesem Morgen war Barnard mit einem unguten Gefühl aufgewacht. Er konnte sich des Eindrucks nicht erwehren, dass ihm Ärger ins Haus stand. Auf gebeugten Knien hatte Barnard also seinen Herrgott um Beruhigung gebeten. Um Schutz. Um ein Zeichen.

Und wie Moses hatte Gott Rudi Barnard den Berg hinaufgeschickt.

Barnard wuchtete sich aus dem Wagen und ging zu dem BMW hinüber. Er warf einen Blick hinein, sah aber nichts Ungewöhnliches. Er probierte es an den Türen. Verriegelt. Dann schlenderte er zum Kofferraum und versuchte dort sein Glück. Ebenfalls zu.

Er zündete sich eine Zigarette an, musterte die Umgebung, luxuriöse Häuser, verborgen hinter hohen Mauern und Toren. Die Straße war ruhig. Nicht mal ein Fußgänger in Sicht. So ganz anders als die Flats, in denen es nur so von Menschen wimmelte, die an Straßenecken lungerten, Gangster, die ihre Deals machten, Kinder, die auf der Straße Fußball spielten, Nachbarn, die sich beschimpften. Nicht hier, nicht in diesem Refugium der Privilegierten.

Barnard kehrte zu seinem Wagen zurück und holte ein Brecheisen, dann nahm er den Kofferraum des BMW in Angriff. Unter dem vielen Fett steckte eine Menge Kraft, und innerhalb weniger Sekunden hatte er die Kofferraumklappe geöffnet. Keine Leichen. Nichts außer ein paar leeren Bierflaschen und einem Haufen alter Lappen.

Er schlug die Seitenscheibe des Autos ein, schob einen fleischigen Arm hinein und entriegelte die Tür. Keuchend und mit hochrotem Kopf beugte er sich ins Wageninnere und schaute hinter den Sitzen und im Handschuhfach nach. Er fand nichts von Interesse, bloß ein benutztes Kondom, ein paar ausgedrückte Joints und eine halb leere Flasche Wodka.

Als er sich wieder hochmühte und gegen den Wagen lehnte, um zu Luft zu kommen, bemerkte er aus den Augenwinkeln einen Mischling mit Hund, der von einem unfertigen Gebäude zu ihm herunterschaute.

Als Benny Mongrel sah, dass der fette Mann zu ihm heraufschaute, sagte ihm sein Instinkt, sofort außer Sichtweite zu verschwinden. Obwohl der Mann nicht in einem Polizeiauto unterwegs war und Zivilkleidung trug, wusste Benny Mongrel sofort, dass er ein Bulle war. Genau wie er sofort gewusst hatte, dass die anderen Männer Gangster waren. Diese Art Radar gehörte standardmäßig dazu, wenn man ein Leben führte wie er.

»Hey!« Er hörte den Bullen unten auf der Straße brüllen. Er ignorierte ihn. Bessie stieß ein leises Knurren aus. Er brachte sie mit einem Tätscheln zum Schweigen. »Hey, du da oben! Scheiße, Mann, ich rede mit dir!«

Benny Mongrel wusste, dass es besser war, sich zu zeigen. Er trat einen Schritt vor. Der fette Bulle stand dort, die Hände in die Hüften gestemmt, und schaute zu ihm herauf.

»Komm sofort da runter. Ich will mit dir reden.«

Benny starrte den Bullen an, reagierte nicht. Der Bulle wurde ungeduldig. »Was? Hast du keine scheiß Ohren, oder was? Ich hab gesagt, schaff deinen scheiß Arsch hier runter! Sofort!«

Benny Mongrel ließ Bessies Kette los, nahm das Messer aus der Tasche und schob es unter einen Zementsack. Besser, wenn er es nicht am Körper hatte, falls der Bure ihn filzte. Sein Bauch sagte ihm, dass es außerdem besser war, den alten Hund nicht mit nach unten zu nehmen.

»Bleib hier, Bessie«, befahl er dem Hund leise. Sie winselte, als er die Treppe hinunter verschwand, gehorchte aber.

Benny Mongrel trat aus dem Rohbau und näherte sich dem fetten Bullen. Instinktiv krümmte er leicht den Rücken beim Gehen, wie ein Reifen, aus dem die Luft abgelassen wurde, und er setzte einen unterwürfigen Blick auf. Ganz bewusst sah er dem Bullen nicht direkt in die Augen.

»'n Abend, Boss.«

»Das Auto da, wann hast du das zum ersten Mal gesehen?« Der Bulle zeigte auf den roten BMW.

»Heute Morgen, Boss.«

»Du hast die Typen damit nicht ankommen sehen?«

»Nein, Boss.«

»Scheiße, lügst du mich an?«

»Nein, Boss.«

Der fette Bulle musterte Benny Mongrel fachmännisch, registrierte das vernarbte Gesicht und die Tätowierungen. »Wann bist du rausgekommen?«

»Letztes Jahr.«

»Pollsmoor?«

»Ja, Boss.«

»Bist du ein scheiß 28er?«

»Nicht mehr, Boss.«

»Verarsch mich nicht.«

»Ich bin sauber, Boss.«

»Mein Arsch ist sauber. Hast du letzte Nacht irgendwas gesehen? Dieses Auto hier?«

»Nein, Boss.«

»Scheiße, lügst du mich an?«

»Nein, Boss.«

Der Bulle schlug ihm mit der offenen Hand mitten ins Gesicht. Es war, wie von einem beschleunigenden Taxi angefahren zu werden. Benny Mongrel musste sich mit einer Hand an der Wand des Hauses abstützen, um nicht zu stürzen.

Der Bulle hob erneut die Hand. »Ich rate dir, mich gottverdammt besser nicht anzulügen!«

In dem Moment schleppte sich Bessie aus dem Haus, eigentlich eine friedliche Kreatur. Sie fletschte die Zähne und knurrte den fetten Bullen an.

Der Bulle trug schwere Stiefel, und nun zog er sein stämmiges Bein zurück und trat dem Hund voll in die Rippen. Benny Mongrel hörte, wie die Luft explosionsartig aus ihren Lungen wich, als sie durch die Luft flog, wie ihre Zähne aufeinanderschlugen, als sie auf dem Boden landete. Keuchend blieb Bessie liegen. Der Bulle hatte seine Pistole in der Hand und zielte jetzt genau auf Bessie. Bessie hob den Kopf und zeigte ihm die Zähne.

Benny Mongrel schnappte schnell ihre Kette, zog sie zu sich. »Bitte, Boss, nicht, nein. Bitte.«

Der Bulle schnaufte schwer, hielt die Kanone aber weiter auf Bessie. Er schaute zu Benny Mongrel auf. »Und jetzt sagst du mir die scheiß Wahrheit. Hast du die Typen gesehen, die mit dem Auto da gekommen sind?«

»Nein, Boss. Ich hab geschlafen.«

Der Bulle starrte Benny Mongrel an, dann senkte er die Waffe und steckte sie wieder ein. »Scheiß nutzloses Stück Scheiße.«

Er warf ihm einen letzten verächtlichen Blick zu und drehte sich dann zur Straße.

Benny Mongrel kniete sich neben Bessie. Sie schnappte nach Luft, versuchte hochzukommen, wobei ihre Pfoten auf dem Zement scharrten, ihre ruinierten Hüften unter ihrem Gewicht immer wieder nachgaben.

Er streichelte sie und flüsterte. »Ruhig, Bessie. Ganz ruhig, altes Mädchen. Ganz ruhig.«

Burn holte ein Bier aus dem Kühlschrank. Mrs. Dollie, die Hausangestellte, plauderte in der Küche mit Matt. Mrs. Dollie war mittleren Alters und gehörte zum Inventar. Zuerst hatte Burn sie loswerden wollen, aber die Frau hatte Susan leid getan, daher entschieden sie, sie zu behalten.

Sie war klein und dünn, hatte olivfarbene Haut und graues Haar, das in großen Locken unter dem Kopftuch herausragte, das sie als Muslimin trug. Sie wirkte zart, war es aber nicht. Burn hatte gesehen, wie sie beim Staubsaugen mühelos schwere Möbel verrückt hatte. Sie sprach gehetztes Englisch mit dem hiesigen Akzent, und Jack und Susan mussten sie ständig bitten, sich zu wiederholen. Dann redete sie übertrieben langsam mit den Ausländern.

Matt liebte sie und schien überhaupt keine Schwierigkeiten zu haben, sie zu verstehen. Er schaute zu, wie sie die Blätter der Topfpflanzen in der Küche abstaubte.

»Jetzt pass mal gut auf, Matty, wenn ihr im Haus seid und ich bin mal nicht da, dann musst du dich immer gut um die Pflanzen kümmern, okay?«

Matt nickte ernst. »Ich werd sie gießen.«

»Ja. Gut. Egal, was die über sparsamen Wasserverbrauch sagen. Eine Pflanze muss ihr Wasser haben.«

Mrs. Dollie schnappte sich einen Eimer und einen Mopp und ging ins geflieste Esszimmer, Matt im Schlepptau. Burn schaute zu, wie sie sich energisch an die Reinigung der Fliesen machte, wie sich ihre Arme rhythmisch bewegten, als sie die Stelle wischte, wo die Leichen gelegen hatten. Kurz überkam ihn Panik. Hatte er das Blut auch richtig weggewischt? Klebte vielleicht noch etwas in den Fugen zwischen den Fliesen? Doch Mrs. Dollie bemerkte nichts. Während sie putzte, hörte sie keine Sekunde auf, mit dem Jungen zu reden, und er hörte Matt lachen.

Burn ging hinaus auf die Terrasse und trank einen Schluck Bier. Sein Sohn schien okay zu sein, aber wie war das möglich? Seine Welt war auf den Kopf gestellt worden, er war um den halben

Planeten gezerrt worden und war gestern Abend Augenzeuge von etwas geworden, das er im Fernsehen nicht hätte sehen dürfen.

Burn stand da, trank sein Bier und beobachtete, wie die Sonne sich zum Ozean senkte. Unglaublich, dass es noch keine vierundzwanzig Stunden her war, seit diese Männer gekommen waren.

Die Türklingel ertönte, Burn erschrak. Er zögerte, wollte es instinktiv ignorieren. Dann wieder. Wer immer dort unten war, hielt den Klingelknopf gedrückt.

Burn ging zu der Gegensprechanlage mit Bildschirm. Ein großer Mann, der sich in den Hauseingang zwängte. Burn nahm den Hörer ab.

»Ja, was kann ich für Sie tun?«

Der Mann hielt einen Ausweis vor die Kamera. »Polizei, könnte ich bitte kurz mit Ihnen sprechen?« Er hatte einen kehligen Akzent, der über die Sprechanlage kaum zu verstehen war.

Burn zögerte. »Okay. Ich bin sofort unten.«

Er spürte eine leichte Übelkeit aufkommen.

Er ging zu Mrs. Dollie und Matt hinüber, zerzauste die Haare seines Sohnes. »Ich muss draußen mit jemandem sprechen. Du bleibst hier bei Mrs. Dollie, okay?« Matt nickte.

Burn schloss die Haustür ab, damit Matt ihm nicht folgen konnte, und ging dann den Fußweg hinunter.

War's das jetzt? War das der Punkt, an dem alles endete?

Er öffnete die Tür zur Straße.

KAPITEL 7

Burn hatte das Gefühl, vor einem Tafelberg aus schierem Fett zu stehen. Der Bulle war riesig. Und er stank, eine Mischung aus säuerlichem Körpergeruch und etwas vage Medizinischem.

»Womit kann ich Ihnen helfen, Officer?«

»Ich bin Inspector Barnard.« Der Körpergeruch des Mannes verblasste zu einer süßen Erinnerung, als Burn eine geballte Ladung von Barnards Mundgeruch abbekam. Unwillkürlich trat er einen Schritt zurück und versuchte, nicht zu atmen. »Gibt's ein Problem?«

Barnard blinzelte ihn an. »Sind Sie Amerikaner?«

»Richtig.«

»Auf Urlaub?«

»Ja, schätze schon. Wir haben das Haus für ein paar Monate gemietet.«

»Netter Stadtteil hier.« Der Bulle lächelte, zeigte gelbe Zähne unter einem Schnurrbart, so buschig wie der Schwanz eines Stinktiers.

»Ist es, ja. Hören Sie, Mr. …«

»Barnard. Inspector.«

»Inspector, kann ich Ihnen irgendwie helfen?«

»Reine Routinesache, Sir.« Barnard hatte ein Notizbuch gezückt. »Sind Sie so freundlich und verraten mir bitte Ihren Namen?«

»Hill. John Hill.«

»Mr. Hill, es hat während der letzten paar Wochen mehrere Einbrüche in dieser Gegend gegeben. Ist Ihnen eventuell irgendetwas Ungewöhnliches aufgefallen?«

Burn schüttelte den Kopf. »Nein, nichts. Das hier ist eine sehr ruhige Straße.«

»Letzte Nacht? Sie haben nichts gehört oder irgendwas Ungewöhnliches gesehen?«

»Nein, tut mir leid.«

Barnard deutete auf den roten BMW. »Haben Sie vielleicht gesehen, wer diesen Wagen da gefahren hat?«

»Tut mir leid. Kann Ihnen nicht helfen.«

Barnard nickte, saugte an seinen Zähnen. Dann fixierte er Burn mit einem scharfen Blick. »Wohnen Sie allein hier?«

»Nein, mit meiner Frau und meinem Sohn.«

»Okay. Ist es dann vielleicht möglich, kurz mit Ihrer Frau zu sprechen? Vielleicht hat sie etwas gehört?«

»Sie ist im Krankenhaus.«

Barnard schaute interessiert auf. »Ach? Was ist passiert?«

»Sie ist schwanger. Eine kleine Komplikation. Wir mussten ihr gestern Abend einen Krankenwagen rufen. Wie Sie sich sicherlich vorstellen können, hat mich das ziemlich beschäftigt.«

»Natürlich, natürlich. Nun, ich hoffe, es wird ihr bald wieder besser gehen.«

»Vielen Dank. Ihr geht's gut.«

»Okay, schön.«

Burn trat zurück, um die Tür zuzumachen. »Gibt's noch irgendwas?«

Der fette Bulle schien nur höchst widerwillig gehen zu wollen. »Nein, danke.«

Als Burn die Tür schloss, streckte Barnard eine Hand aus und hielt sie fest. Die Tür bewegte sich keinen Millimeter. »Mr. Hill, in welchem Krankenhaus liegt sie denn?«

Burn musterte die kleinen Schweinsaugen, die ihn zwischen den Fettfalten heraus anstarrten.

»Sie ist in der Gardens Clinic.«

»Vielleicht kann ich mit den Leuten vom Krankenwagen reden. Die haben womöglich etwas gesehen. Ihnen wünsche ich jetzt noch einen angenehmen Abend.« Barnard ließ die Tür los und erlaubte Burn damit, sie zu schließen.

Burn atmete tief durch, befreit von Barnards Gestank und der drückenden Last seiner eigenen panischen Angst. Der Bulle hatte das Auto zu den Gangstern zurückverfolgt. Bedeutete das, er hatte die Leichen gefunden?

Burn ermahnte sich eindringlich zur Ruhe. Er kehrte ins Haus zurück und marschierte schnurstracks in die Küche zu der Flasche Scotch, schenkte sich ein Glas ein und leerte es mit einem Schluck. Ihm war danach, die ganze Flasche zu kippen, er wusste jedoch, dass das nicht ging.

Er musste Pläne schmieden.

Sie würden wieder fliehen müssen.

Barnard rief einen Abschleppwagen, um den BMW sicherzustellen, dann fuhr er aus dem reichen Kapstadt runter ins Flachland, das er so gut kannte.

Es war nicht sehr schwer, sich vorzustellen, was Rikki Fortune und sein Freund Faried Adams hier oben auf dem Berg gesucht hatten. Sie waren Raubtiere. Immer auf der Jagd. Auf der Suche nach einer Hure waren sie unten in Sea Point gewesen, und dann hatten sie etwas gesehen, als sie gemächlich durch diesen weißen Vorort fuhren, etwas, das sie begehrten. Tiere wie sie, halb irre vor Drogen, machten niemals Pläne. Sie handelten impulsiv und aus dem Bauch heraus. Vergewaltigten. Mordeten. Nahmen sich, was sie haben wollten, ohne groß nachzudenken.

Aber wo waren sie?

Barnard fuhr zum Golden Spoon, um sich seinen gewohnten Gatsby mit allem reinzuziehen. Es war bereits dunkel, als er zu seinem Wagen ging, aber die Hitze war immer noch ungeheuer. Er saß eine Weile da, kaute wie ein Nilpferd am Ufer eines Flusses, spülte das Essen mit dem pissgelben Double O runter.

Barnard hatte sich mit den Cops im Polizeirevier von Sea Point kurzgeschlossen. In den letzten vierundzwanzig Stunden waren keine Gewaltverbrechen, Wohnungseinbrüche oder Morde gemeldet worden. Und über diesen John Hill wussten sie auch nichts.

Barnard dachte über den Amerikaner nach. Irgendetwas beunruhigte ihn an diesem Mann, etwas, worauf er noch nicht den Finger legen konnte, etwas, das ihm noch weniger Ruhe ließ als der Ausschlag auf seinen Schenkeln.

Hill verbarg etwas. Dessen war sich Barnard absolut sicher.

Benny Mongrel durchwühlte die schwarze Mülltonne und fand ein Plastikbehältnis mit Kartoffelsalat. Als Nächstes entdeckte er einen nur halb gegessenen Riegel belgischer Schokolade. Der tollste Fund jedoch war ein T-Bone-Steak, gebraten, aber nicht angerührt.

Morgen war Müllabfuhrtag in der Straße auf dem Berg, und vor jedem Haus stand eine Tonne bereit für den bei Tagesanbruch kommenden Lastwagen. Benny Mongrel war immer wieder verblüfft, was diese reichen Menschen fortwarfen. Noch verpackte Lebensmittel, brandneue Kleidung, Elektrogeräte. Letzten Monat hatte er einen tragbaren Fernseher gefunden, der hervorragend funktionierte, und den hatte er seinem Vermieter als Miete gegeben.

Es war kein Wunder, dass Scharen von Obdachlosen aus den Hauseingängen, Gossen und dem freien Veld umherstreunten, um die Abfalleimer der Privilegierten zu sieben. Prügel von der Polizei und Leuten von privaten Sicherheitsdiensten waren ein kleiner Preis, der für diese Ausbeute zu zahlen war.

Benny Mongrel verstaute seine Beute in einem Plastikbeutel und kehrte zur Baustelle zurück. Er stieg die Treppe hinauf zu der Stelle, wo Bessie mit ihrer grauen Schnauze zwischen den Pfoten lag und stumm in die Nacht hinausstarrte. Der Stiefel des fetten Bullen hatte Bessie weh getan. Als Benny Mongrel ihre Rippen abgetastet hatte, da hatte der alte Hund gestöhnt und seine Hand geleckt. Bessie war zäh. Wie er. Und wie er trug auch sie die sichtbaren Zeichen von Missbrauch und schlechter Behandlung. Quer über ihre Nase zog sich eine Narbe. Wenn er sie streichelte, spürte er die Unebenheiten und Vernarbungen alter Wunden. Der Tritt durch den Stiefel des Bullen war nur eine weitere schlechte Behandlung; etwas anderes hatte sie von der Welt auch nicht zu erwarten. Ihre Rippen würden heilen. So viel wusste Benny Mongrel. Dennoch schmerzte es ihn, dass sie bei dem Versuch verletzt worden war, ihn zu beschützen.

Wenn er den geschundenen alten Hund betrachtete, sah Benny Mongrel sich selbst.

Er faltete ein Stück Anstreicherplane wie ein Tischtuch vor Bessie auseinander. Mit großer Sorgfalt traf er vor ihr alle Vorbereitungen für das Festmahl. Sie schnupperte am Kartoffelsalat, ließ sich aber nicht locken. Die belgische Schokolade leckte sie lustlos ab, verschmähte sie dann. Benny Mongrel stellte das T-Bone-Steak vor sie. Sie heuchelte für einen Moment Desinteresse, aber der Duft war einfach zu viel, um ihn tatsächlich ignorieren zu können.

Sie klemmte den Knochen zwischen ihre Vorderpfoten und

begann, sich über das Fleisch herzumachen. Ihre Kiefer bewegten sich beim Kauen. Er hockte sich neben sie und drehte sich eine Zigarette. Schließlich war sie fertig, hob den Kopf und schaute ihm direkt in die Augen.

Benny Mongrel hätte schwören können, dass sie ihn anlächelte.

Burn hatte einen unruhigen Schlaf und wachte immer wieder auf. In seinen Träumen wimmelte es von Toten, und der fette Bulle hatte einen Gastauftritt. Matt machte wieder ins Bett, und in den frühen Morgenstunden trug Burn den schlafenden Jungen ins Bad, wo er ihn sauber machte und ihm einen frischen Disney-Schlafanzug anzog.

Er nahm Matt mit zu sich ins Bett und lauschte auf die Geräusche, die sein Sohn im Schlaf machte, bis bei Tagesanbruch das graue Licht ins Zimmer drang.

Um halb sechs saß Burn auf der Terrasse und betrachtete den Sonnenaufgang. Dachte. Dachte daran, wie besessen er gewesen war von Zufall, Glück, dem Rollen des Würfels, dem Drehen des Rades. Wie er sich eingeredet hatte, dass er mit diesem besonderen Quentchen Glück auf die Welt gekommen war, diesem bisschen mehr, das immer alles zu seinen Gunsten entscheiden würde. Dass er ein Gewinnertyp war.

Bis zu diesem Tag im Cadillac des Buchmachers.

Was Nolan ihm angeboten hatte, war simpel: Er stellte gerade eine Mannschaft zusammen, um in Milwaukee eine Bank zu überfallen. Er heuerte Leute an, die nichts mit Wisconsin zu tun hatten, die keine Spuren hinterlassen würden. Sie würden nachts einsteigen, den Tresorraum in die Luft jagen. Nolan brauchte einen Sicherheitsexperten, der die Alarmanlagen ausschalten und eine Videoschleife in die Überwachungskameras einspeisen konnte. Was Burn betraf, hatte Nolan seine Hausaufgaben gemacht und wusste, dass er der richtige Mann war.

Falls Burn einstieg, würden nicht nur seine hundert Riesen Schulden bei Pepe Vargas verdunsten, er würde zusätzlich einen ordentlichen Batzen von den sechs Millionen abbekommen, die sie aus dem Tresor holen wollten. Falls nicht, würde Nolan Susan und Matt einen Besuch abstatten. In Nolans Augen lag eine Eiseskälte, die Burn unmissverständlich klarmachte, dass er diese Drohung sehr ernst nehmen musste.

Burn hatte daran gedacht abzuhauen. Aber womit? Und wohin?

Also hatte er ja gesagt. Susan sagte er, er nehme an einer Sicherheitsmesse in Dallas teil, und er flog mit Nolan und zwei anderen Männern nach Wisconsin.

Alles lief perfekt. Burn saß hinten in einem Minivan vor der Bank an einem Laptop. Er schaltete die Alarmanlage aus, ohne den Sicherheitsdienst der Bank zu alarmieren. Für Burn, der solche Systeme baute und installierte, war es überhaupt kein Problem, sie zu umgehen. Dann speiste er das Bild des leeren Banktresors in die Monitore des Überwachungszentrums der Bank ein. Die Jungs der Nachtschicht tranken ihren Kaffee, lasen oder dösten, ohne eine Ahnung davon zu haben, dass ihre Bank gerade ausgenommen wurde.

Nolan und die beiden anderen Männer gingen in die Bank. Burn blieb im Van, hielt Funkverbindung, trotz des Frostwetters draußen schwitzte er. Hatte fürchterliche Angst. Alle paar Minuten lieferte Nolans ruhige Stimme einen knappen Bericht. Die Tür des Tresors war aufgesprengt. Sie waren drin.

Es schienen Stunden zu sein, dauerte aber nicht länger als fünfundvierzig Minuten. Die drei Männer kehrten mit dem in Seesäcken verpackten Geld zurück. Es herrschte eine ruhige, euphorische Stimmung. Nolan rutschte hinters Lenkrad, ein kräftiger Bursche, der bislang kaum ein Wort gesagt hatte, setzte sich neben Nolan. Der dritte Mann, ein magerer junger Typ um die zwanzig, kam zu Burn nach hinten. Er grinste breit und steckte sich eine Zigarette an, bot Burn auch eine an, der jedoch kopfschüttelnd ablehnte.

Nolan fuhr durch die Innenstadt von Milwaukee. Er hielt sich an die Geschwindigkeitsbegrenzungen, beachtete Verkehrsampeln. Dann setzte sich ein Streifenwagen hinter sie, und der Bulle am Steuer ließ einmal kurz die Sirene aufheulen.

Nolan fuhr an den Straßenrand. Er schaute über die Rückenlehne nach hinten. »Ganz cool bleiben.«

Nolan stieg aus dem Van, um mit dem Polizisten zu sprechen. Ein Rücklicht des Vans war defekt. Im Streifenwagen saß ein zweiter Bulle, der gar nicht erst ausstieg. Alles schien bestens zu sein, bis der erste Bulle an den Van trat und seine Taschenlampe auf den kräftigen Typen auf dem Beifahrersitz richtete. Irgendetwas an dem Mann musste bei dem Polizisten die Alarmglocken ausgelöst haben. Als Nächstes forderte er Nolan auf, die Hecktüren des Vans zu öffnen.

Nolan erschoss den Bullen, ohne zu zögern.

Und der Uniformierte im Streifenwagen knallte Nolan ab, der neben dem toten Cop in den Schnee fiel. Der kräftige Typ hatte eine Pistole in der Hand und erwiderte das Feuer. Er rutschte rüber hinters Lenkrad, und als er gerade losfuhr, wurde die Hälfte seines Kopfes weggeblasen, und der Van wurde langsamer, der Motor würgte ab.

Der Bulle im Streifenwagen schoss auf den Van, und eine seiner Kugeln durchschlug die Hecktür und erwischte den jungen Burschen im Bauch. Stöhnend stürzte er nach vorn und verblutete auf den Geldsäcken.

Burn sprang über die Vordersitze. Er schob den Toten aus dem Van, klemmte sich hinter das Lenkrad und fuhr los. Der Bulle schoss immer noch. Burn gab Vollgas, das Heck brach seitlich aus, er musste sich anstrengen, den Wagen unter Kontrolle zu halten. Während er um eine Straßenecke driftete, sah Burn die flackernden Scheinwerfer des verfolgenden Streifenwagens. Einen Block später geriet der Polizeiwagen auf Eis, schleuderte, drehte sich um hundertachtzig Grad, knallte dann gegen eine Straßenlaterne und verschwand aus Burns Rückspiegel.

In einer Seitenstraße hielt Burn an, schnappte sich einen der Geldsäcke aus dem Laderaum und rannte in die Nacht, ließ den Van und den sterbenden Jungen zurück.

Er hatte für die Nummer falsche Papiere bekommen, und damit mietete er sich jetzt ein Auto und fuhr nach Chicago. Er rief Susan an und sagte ihr, sie und Matt sollten mit der nächsten Maschine nach Miami fliegen und sich ein Hotel nehmen. Er werde sich dort mit ihnen treffen. Es erstaunte ihn immer noch, dass sie zugehört hatte, selbst als er sich weigerte zu erzählen, was zum Teufel überhaupt los war.

In Chicago besuchte er Tommy Ryan, der über gute Verbindungen verfügte. Es schien irgendwie passend, mit Tommy zu beenden, was auch mit ihm begonnen hatte. Es kostete Burn eine Menge, aber er schaffte es, fast zwei Millionen Dollar gewaschen zu bekommen und den größten Teil des Geldes auf ein Schweizer Bankkonto zu transferieren. Als Nächstes waren die neuen Identitäten dran.

Er fuhr zu Susan nach Miami. Beide hatten Neuigkeiten. Er erzählte ihr, was er in Wirklichkeit gemacht hatte. Sie erzählte ihm, dass sie schwanger war.

Sie weinte, schimpfte und tobte. Sie wollte nach Hause. Sie wollte ihr Leben zurück.

Dann hörte sie auf zu weinen und willigte ein, mit ihm zu gehen, und die drei bestiegen eine Maschine nach Kapstadt.

Der Junge im Van war nicht gestorben. Er hatte ein langes und lautes Liedchen bei der Staatsanwaltschaft gesungen, um einen Deal für sich herauszuholen, und so war Jack Burn auf die Liste der meistgesuchten Männer der USA gekommen.

Die Hunde fanden die Leichen als Erstes. Der Geruch lockte ein Rudel über die Flats streunender Köter an. Mit Zähnen und Krallen rissen sie die Plastikmüllsäcke auf, schreckten dann aber bei dem intensiven Gestank verwesender Menschen zurück. Sie rannten fort, um in den Mülltonnen nahe gelegener Häuser zu wühlen.

Ronnie September und Cassiem Davids stießen als Nächstes auf sie, irgendwann gegen acht Uhr morgens. Beide waren elf Jahre alt und trugen Schuluniformen, hatten aber nicht vor, in die Schule zu gehen.

Sie marschierten rauchend über das offene Veld und versuchten, so weit wie möglich wegzukommen von ihren Elternhäusern in Paradise Park. Sie wollten mit dem Taxi nach Belville fahren, um sich an Spielautomaten die Zeit zu vertreiben.

Da erspähte Ronnie die weißen Nikes, die aus dem Gras lugten. Er blieb stehen und zeigte auf die Stelle. »Mann, guck dir das an!«

Cassiem starrte. »Das sind Nikes.«

»Weiß ich. Glaubst du, ich bin dumm?«

Die beiden Jungs schoben sich vorsichtig an die Leiche eines kleinen, mageren Mannes heran, der nur teilweise mit schwarzen Plastikmüllsäcken bedeckt war. Für Jungs ihres Alters, die auf den Cape Flats aufwuchsen, waren Leichen nichts Ungewöhnliches, aber der Gestank war heftig.

»Da ist noch einer.« Ronnie zeigte auf die Stelle, wo der Körper eines großen Mannes aus zerrissenen Müllsäcken hervorragte. Er ließ seinen kritischen Blick über die Klamotten der schlaksigen Leiche wandern. »Seine Klamotten sind geil, Mann.«

»Gott, aber es stinkt.« Cassiem hatte sich eine Hand über die Nase gelegt.

Ronnie zog an seiner Zigarette und trat einen Schritt näher an die kleine Leiche. Der Tote lag auf dem Rücken, der schartige Schnitt an seinem Hals weit geöffnet. »Der hat 'n Messer abgekriegt, Mann.«

Cassiem schaute über Ronnies Schultern. »Nette Hose. Von Diesel.«

»Die ist doch voll Blut, Mann.« Ronnie beugte sich leicht vor. »Vielleicht hat er 'n Telefon.«

»Ich steck da jedenfalls nicht meine Hand rein.«

Ronnie beäugte die Schuhe. »Die Nikes da sind voll neu.«

»Ich hab sie aber als Erster gesehen!«

Ronnie verpasste seinem Freund einen Schubs. »Ach, willste sie ihm ausziehen? Dann mach's doch!«

Cassiem sagte nichts, trat einen Schritt zurück.

Ronnie schüttelte angewidert den Kopf. »Meine kleine Schwester hat mehr Eier als du, Mann!«

»Ja, toll, dann mach du doch. Lass sehen.«

Ronnie starrte seinen Freund an. Er hatte immer einen deutlichen Sicherheitsabstand zu den Leichen gehalten, die er schon gesehen hatte, hatte zugesehen, wie die Bullen oder Sanitäter sie in Säcken verstauten und anschließend wegkarrten. Aber das hier war anders. Das hier war scheiß ekelhaft.

Aber er senkte den Blick auf seine zerrissenen und gammeligen Laufschuhe, die er von seinem Bruder geerbt hatte. Nikes wie die da würde er sich niemals leisten können.

Also holte Ronnie tief Luft, kniete sich hin und zog an einem der Schnürsenkel. Fast hätte er gekotzt bei dem Gestank. Er band auch den zweiten Schuh auf. Dann versuchte er, den Schuh vom Fuß zu bekommen. Die Leiche war aufgedunsen und steif, der Schuh saß fest am Fuß. Ronnie zerrte und zog, der Kopf des toten Mannes kippte nach hinten weg, die klaffende Wunde öffnete sich noch weiter und eine fette weiße Made kam herausgekrochen.

Für Cassiem war das zu viel, er spuckte sich sein aus Ei und Hackfleisch-Curry bestehendes Frühstück auf die Schuhe.

Ronnie gab nicht auf. Er zog und zerrte weiter und schaffte es schließlich, einen der Schuhe runterzubekommen, wobei er am Ende hintenüberfiel. Dann nahm er den zweiten Schuh in Angriff und trennte ihn vom Fuß des toten Mannes.

Triumphierend stand Ronnie da. Er hielt Cassiem die Schuhe hin. »Meine.«

»Die tun scheiß stinken.«

»Deine stinken, und dabei bist du noch nicht mal tot.«

Ronnie entfernte sich von den Leichen, Cassiem trottete hinterher. Ronnie setzte sich, zog seine alten Schuhe aus und warf sie, so weit er konnte, ins Gebüsch. Er schlüpfte in die neuen Nikes.

»Passen perfekt.« Er stand auf, zog seine Hose bis zu den Knöcheln hoch, bewegte die Zehen hin und her.

Dann packte er Cassiem an der Krawatte und zog ihn dicht zu sich. »Du hältst deine scheiß Klappe wegen dem hier, okay?«

Cassiem nickte. Ronnie ging bereits weiter Richtung Straße. Cassiem warf einen Blick zurück über die Schulter auf die roten Socken, die aus dem Müllsack hervorragten, dann folgte er seinem Freund.

KAPITEL 8

Kurz vor Mittag holte Burn Susan aus der Klinik ab. Sie war blass, wirkte aber gefasst, als er ihr auf den Beifahrersitz des Jeeps half. Er hob Matt auf die Rückbank und legte ihm den Sicherheitsgurt an.

Susan sah ihn während der Fahrt nicht an. »Wohin fahren wir?«

»Nach Hause. Zum Haus.«

Sie schüttelte den Kopf. »Ich will nicht mehr dorthin, Jack.«

»Susan …«

»Das ist mein Ernst. Nicht nach allem, was passiert ist.«

Er sagte nichts, dann bemerkte er, dass die Knöchel seiner Hände auf dem Lenkrad weiß hervorstanden. Er zwang sich, ruhig zu werden, sich zu entspannen. »Wohin möchtest du dann?«

»Ist mir egal. In ein Hotel. Egal wohin, nur nicht in dieses Haus.«

Er fuhr rechts ran. Ein fast absurd schönes Panorama aus sonnenbeschienenem Meer und Bergen breitete sich unter ihnen aus. Sie hatten beide kein Auge für diese Aussicht.

»Susan, es ist wichtig, dass wir nichts Auffälliges tun. Etwas, das Aufmerksamkeit auf uns lenken könnte.«

»Du meinst so was wie zwei Einheimische in unserem Esszimmer massakrieren?« Sie war wütend, zwei rote Flecken waren auf ihren Wangen aufgetaucht. Susan schloss für einen Moment die Augen und holte tief Luft, wobei ihre Hände auf dem prallen Bauch lagen. Sie warf einen Blick über die Schulter zu Matt, der seine Eltern besorgt anstarrte.

Susan griff nach hinten und streichelte Matt über den Kopf. »Ist schon okay, Matty. Mami und Daddy streiten sich nicht.«

Burn sah im Rückspiegel das unsichere Lächeln seines Sohnes. Susan drehte sich wieder nach vorn, starrte auf das Meer hinab.

»Baby, du musst dich entspannen. Bitte.« Burn versuchte, ihre Hand zu nehmen. Als sie sie sofort zurückzog, bemerkte er, dass sie ihren Hochzeitsring nicht trug. »Wo ist dein Ring?«

Sie sah ihn an. »Jack, hast du gestern auch nur ein Wort von dem mitbekommen, was ich zu dir gesagt habe? Darüber, nach Hause zu gehen?«

»Natürlich. Ich denke seitdem über nichts anderes mehr nach.«

»Ich habe alles genau so gemeint, wie ich es gesagt habe.«

»Das weiß ich doch. Und ich verstehe dich auch.« Er musste sich beherrschen, sich zwingen, alles zusammenzuhalten. »Ich bitte dich nur um etwas Zeit. Um für mich alles zu klären.«

»Wie viel Zeit?«

»Ein paar Tage. Eine Woche höchstens. Bis dahin müssen wir unseren normalen Alltag aufrechterhalten.«

Sie sah ihn an, schien etwas zu ahnen. »Was ist los, Jack? Was ist im Haus passiert?«

»Nichts. Nichts ist passiert.«

»Lüg mich nicht an. Bitte.«

Er nickte. »Okay. Diese … diese Männer hatten ihr Auto in der Straße geparkt, vor der Baustelle. Das muss wohl jemand gemeldet haben. Ein Bulle war da und hat Fragen gestellt.«

»Himmel, Jack.«

»Alles bestens. Er hat mit allen Leuten in der Straße gesprochen. Reine Routine.«

Sie schüttelte den Kopf. »Dann beobachtet er das Haus?«

»Nein, ich habe ihn nicht wiedergesehen. Ich hab doch gerade gesagt, das war reine Routine.«

Susan drehte sich leicht zur Seite, um ihn anzusehen. Ihre Augen musterten sein Gesicht. »Drei Tage, Jack. Drei Tage, und dann werde ich mich mit dem Konsulat in Verbindung setzen. Sind wir uns da einig?«

»Ja.« Er ließ den Motor an und fuhr zurück auf die Straße.

Seine Frau war zum Feind geworden.

Berenice September trug Einkaufstüten in ihr kleines Haus. Sie arbeitete als Kassiererin bei Shoprite, und sie hatte zum Mitarbeiterpreis Vorräte für sich und ihre drei Kinder eingekauft. Wie viele Frauen auf den Flats war sie alleinerziehende Mutter. Ihr nichtsnutziger Bastard von einem Ehemann hatte sie wegen einer jungen Schlampe verlassen und war dann unter die Räder eines Zuges geraten.

Nicht schade um ihn.

Donovan, ihr ältester Junge, machte sich prächtig. Er hatte einen Job und brachte Geld nach Hause, und ihre Tochter Juanita war noch zu klein, um Scherereien zu machen. Ihr mittlerer aber, Ronnie, der erinnerte sie an ihren verstorbenen Ex. Er hatte die gleiche Leck-mich-Einstellung. Sie würde ihn gut im Auge behalten müssen.

Ronnie kam hereingeschlurft, als sie gerade das Abendbrot zubereitete, und marschierte schnurstracks in das Zimmer, das er sich mit seinem Bruder teilte. Sie brüllte ihm nach. »Hey, komm her!«

Er lungerte in der Küchentür. »Was?«

»Wie spät ist es?«

Er konnte nie widerstehen, einen Blick auf die riesige Batman-Uhr an seinem dünnen Handgelenk zu werfen. Es war ein billiges Imitat aus Hongkong, aber sein kostbarster Besitz. »Es ist zehn nach fünf.«

»Scheiße, ich weiß, wie spät es ist, Ronnie. Ich meine, warum kommst du so spät?«

»Ich hatte Sport.«

»Hast du Hausaufgaben auf?«

»Ja, mach ich sofort.«

Da sah sie seine Schuhe. Er bemerkte ihren Blick und trat schnell aus der Tür zurück. Berenice war eine große, füllige Frau, aber sie konnte sich ausgesprochen schnell bewegen, wenn sie es denn wollte. Sie packte ihren Sohn am Arm und zog ihn in die Küche.

»Woher hast du diese Schuhe?«

Er versuchte, sich aus ihrem Griff zu befreien. »Hab ich gekauft.«

»Wovon denn? Du kleiner Lügner! Hast du sie gestohlen?«

Er schüttelte den Kopf. Sie packte ihn am Hals und zog ihn zu sich. »Sag mir die Wahrheit, bevor ich es aus dir herausprügle!«

Ronnie wusste, dass seine Mutter niemals leere Drohungen machte. »Darf ich sie behalten, wenn ich's dir sage?«

»Erzähl's mir einfach, und danach entscheide ich mich.«

»Ich hab sie einem Toten ausgezogen.«

Sie ließ ihn entsetzt los. Berenice September lebte in abergläubischer Angst vor denen, die verstorben waren.

Sie sah ihren Sohn kopfschüttelnd an. Was für ein Monster hatte sie nur zur Welt gebracht? Warum konnte er nicht wie jeder gottverdammt normale Mensch jemanden bestehlen, der noch lebte?

Benny Mongrel kam bewusst früh zur Schicht. Streifenwagen rasten herein und hinaus, Männer der bewaffneten Teams stolzierten in ihren Kevlar-Westen herum, mit ihren Ray-Bans und Pistolen an den Hüften. Das waren die Stars der Sicherheitsdienst-Branche.

Benny Mongrel stand in der Hackordnung ganz unten. Niemand registrierte ihn.

Er wusste, dass Ishmael Isaacs nicht da war. Er hatte einen Riesenwirbel darum veranstaltet, jedem zu erzählen, dass er den Tag über zu einem Fortbildungskurs in der Zentrale in Parow war. Deutete an, dass er wahrscheinlich befördert würde.

Benny Mongrel blieb einen Moment stehen, begriff, dass er sich bei Isaacs nicht gerade beliebt machte mit dem, was er vorhatte, aber, dachte er, scheiß drauf. Er wollte die Baustelle nicht mehr bewachen. Nicht mehr nach der Sache mit diesen Gangstern. Und ganz besonders nicht mehr, seit dieser fette Bulle Bessie getreten hatte. Er wollte mit seinem Hund so weit wie nur möglich von diesem Ort weg.

Also ging er zu dem jungen Mädchen hinter der Theke. Sie hatte die Nase in einer Klatschillustrierten vergraben und kaute Kaugummi. Sie ignorierte ihn. Benny Mongrel musste sich in Geduld üben. In seiner alten Welt hätte er ihr was in die geschminkte Fresse gegeben.

»Missy.«

Aufreizend langsam löste sie ihren Blick von der Illustrierten und starrte ihn an. »Was?«

»Ich will mit dem Chef sprechen.«

»Warum?«

»Bitte. Ich muss mit ihm reden.«

Er sah, dass es ihr Probleme bereitete, sein vernarbtes Gesicht anzustarren. Sie hob den Hörer ab, murmelte ein paar

Worte hinein und deutete auf eine Tür. »Sie haben fünf Minuten.«

Benny Mongrel klopfte an und ging hinein. Er hatte noch nie mit dem weißen Mann hinter dem Schreibtisch gesprochen, ihn immer nur in seinem Mercedes-Benz kommen und wegfahren sehen. Er trug eine dunkle Krawatte und ein so weißes Hemd, dass es einem in den Augen weh tat. Durch die Klimaanlage war es in seinem Büro kalt wie in einem Kühlschrank.

Der Mann hob den Blick von einem Laptop. Er stand nicht auf und er bot Benny Mongrel auch keinen Platz an. »Wie heißt du?«

»Äh, Niemand. Benny Niemand.«

»Okay. Gibt es irgendein Problem?«

»Nein, Sir. Ich hab mich nur so gefragt, ob ich vielleicht ein anderes Gelände bewachen könnte oder so.«

»Warum klärst du das nicht mit Isaacs?«

»Er ist zur Fortbildung, Sir.«

Der Mann warf ihm einen genervten Blick zu. »Wo bist du denn im Moment eingeteilt?«

»Dieses neue Haus. Oberhalb von Sea Point.«

»Okay. Und wo liegt das Problem, auf diesem Gelände zu arbeiten?«

»Es gibt keins. Nein, ich dachte nur, vielleicht könnte ich was … keine Ahnung, etwas mit ein bisschen mehr Verantwortung bekommen. Oder so.«

Der weiße Mann lachte. »Hey, dann bist du also ehrgeizig, was? Okay, das ist gut. Pass auf, du bist jetzt wie lange, seit zwei Monaten bei uns?« Benny Mongrel nickte. »Warum lassen wir uns nicht noch einen Monat Zeit, hm? Bis dahin ist das Haus ohnehin fertig und du bekommst einen neuen Job. Okay?«

Benny Mongrel nickte wieder. Der weiße Mann widmete sich

bereits wieder seinem Laptop. Dann sah er, dass Benny Mongrel sich nicht rührte. Gereizt schaute der Mann wieder auf.

»Ist sonst noch was?«

»Mein Hund.«

»Was jetzt? Willst du jetzt auch noch einen neuen Hund?«

»Nein, nein, nein, Sir. Sie ist ein sehr guter Hund. Ich hab mich nur gerade so gefragt, Sie wissen schon, eines Tages, ob ich sie da vielleicht kaufen kann oder so.«

Der Mann sah ihn überrascht an. »Mein Gott, Niemand, was ist dein Problem? Wir verkaufen diese Hunde nicht, wir sind doch keine verdammte Tierhandlung. Und jetzt, bitte, zisch ab. Ich hab zu tun.«

Der weiße Mann tippte bereits wieder auf seinem Computer.

Constable Gershwynne Galant war sich sicher, dass sein Blut kochte, wirklich. Es war absolut unmöglich, dass er in diesem fensterlosen Metallcontainer sitzen könnte, in dem sich der Polizeiposten befand. Er nahm sich einen Hocker und stellte ihn in das winzige Stück Schatten draußen. Seine Stiefel ragten immer noch in die brennende Sonne, aber wenigstens befanden sich sein Gesicht und seine Brust im Schatten.

Dieser Polizeiposten war das Resultat der Initiative irgendeines Politikers, der sein Leben in vollklimatisierten Büros verbrachte, für mehr sichtbare Polizeipräsenz. Da sich die nächstgelegene Polizeistation in Bellwood South befand, hatten die Einwohner von Paradise Park die üblichen Statistiken über Vergewaltigungen und Morde den örtlichen Politikern um die Ohren gehauen. Schließlich war ein Wohnwagen auf ein offenes Stück Veld transportiert worden, und der Posten hatte seine Tür geöffnet.

Geplant war, von sieben Uhr morgens bis sieben Uhr abends

einen Polizeibeamten im Dienst zu haben. Was völlig unnütz war, denn die meisten Verbrechen passierten nachts, aber was will man machen? In der ersten Nacht, nachdem der diensthabende Bulle nach Hause gegangen war, hatten Gangster aus der Gegend den Wohnwagen an einen Truck gehängt und abgeschleppt. Die Politiker hatten daraufhin den Wohnwagen durch einen schweren Container ersetzt, wie sie auch auf Frachtschiffen verwendet werden.

Die Besetzung des Postens galt als Strafdienst. Gershwynne Galant hatte den Fehler begangen, sich mit den Einnahmen eines Dealers erwischen zu lassen, den er kurz zuvor verhaftet hatte. Also brutzelte er jetzt wie ein Ei, allein, tagein, tagaus, eine ganze scheiß Woche lang. Himmel.

Galant blätterte gelangweilt in einer Illustrierten, die er vor dem Container gefunden hatte, als die Frau und ihr Sohn ankamen. Galant warf einen Blick auf die Uhr. Sechs. Er würde sich ihre Geschichte anhören müssen.

Der Junge hielt ein Paar Nikes in der Hand. Er ging barfuß, irgendwie hüpfend, seine nackten Füße brannten wohl auf dem heißen Sand. Seine Mutter sah aus wie ein verdammter Drachen.

Galant hörte sich an, was der Junge zu sagen hatte, über Leichen auf dem Veld, und beschloss, das nicht gleich nach Bellwood South durchzugeben. Stattdessen wählte er die Nummer von Rudi Barnards Mobiltelefon. Gatsby liebte Informationen dieser Art, und es schadete nie, dem fetten Mann einen Gefallen zu tun.

Galant beendete den Anruf und sagte Mutter und Sohn, sie sollten warten. Es komme jemand.

Der Drachen starrte ihn finster an. »Und wie lange muss ich hier warten?«

Galant zuckte die Achseln, las bereits wieder in der Illustrierten.

Die Frau seufzte und sprach dann zu dem Jungen. »Ich muss zu Ende kochen und deiner Schwester bei den Hausaufgaben helfen. Du wartest hier und regelst das. Hast du mich verstanden?«

Der Junge nickte, und die Frau ging.

Barnards Toyota schrammte über das unebene Veld. Durch sein hohes Gewicht wurde die Federung weit runtergedrückt, und der Auspuff knallte jedes Mal beunruhigend auf den Boden, wenn er ein weiteres Schlagloch erwischte. Der kleine Mischling neben ihm auf dem Beifahrersitz flog herum wie ein Haufen Scheiße in einem Wäschetrockner. Barnards Wagen wirbelte im Abendlicht eine Staubwolke auf, er fuhr zu der Stelle, von der dieser Junge behauptete, dort lägen die Leichen.

Barnard brachte den Wagen schlitternd zum Stehen und quälte sich keuchend hinaus, wischte sich mit einem fleischigen Unterarm über das verschwitzte Gesicht. Ronnie September stieg aus und starrte Barnard in stummem Entsetzen an.

Barnard deutete auf die Nikes, die im Fußraum des Wagens lagen. »Nimm die mit.« Der Junge gehorchte. Barnard sagte, er solle vorausgehen und den Weg zeigen.

Barnard folgte dem Jungen zu einem Gebüsch.

Zuerst sah er Rikki Fortune. Barnard hockte sich hin. Falls der Gestank ihm etwas ausmachte, ließ er es sich zumindest nicht anmerken. Er betrachtete die klaffende Wunde, die quer über den Hals verlief. Auch die zerrissenen Müllsäcke und das Klebeband. Wer zum Teufel verpackte Leichen wie Weihnachtsgeschenke, bevor er sie beseitigte? Kein Gangster, den er kannte.

Mit der Kamera seines Mobiltelefons machte Barnard ein paar Aufnahmen von Rikki.

Dann hievte er sich hoch und ging zu dem großen Mischling hinüber. Sah aus, als hätte er einen Messerstich in die Brust und einen Schuss in den Bauch bekommen. Barnard machte einige weitere lustige Schnappschüsse.

Ronnie hielt sich zurück, umklammerte immer noch die Schuhe an den Schnürriemen.

Barnard winkte ihn zu sich. »Komm her.«

Der Junge kam zu ihm.

»Erzähl mir noch mal, was passiert ist.«

Ronnie begann nervös. »Also, ich bin heute Morgen hier so vorbeigekommen ...«

»Um wie viel Uhr?«

»Nach acht.«

»Warst du allein?«

Ronnie nickte. »Also, ich kam hier vorbei, und dann hab ich den da gesehen.« Er zeigte auf Rikki. »Dann habe ich als Nächstes den anderen gesehen.«

»Hast du sonst noch irgendwen hier gesehen?«

Der Junge schüttelte den Kopf.

»Ja. Und was hast du dann gemacht?«

Ronnie hob die Schuhe hoch. »Ich hab die hier genommen.«

Barnard fixierte ihn mit starrem Blick. »Und was dann?«

»Dann hab ich ein Taxi genommen. Nach Belville. Um zu spielen. Dann bin ich nach Hause. Und meine Mama hat die Schuhe gesehen. Und ich hab ihr von denen da erzählt.« Er zeigte auf die Leichen. »Und dann ist sie mit mir zu diesem Bullen.«

»Du hast keinen hierhergebracht?«

Ronnie schüttelte den Kopf.

»Lügst du mich an?«

Ronnie schüttelte den Kopf noch energischer. Barnard starrte zu dem Jungen hinunter. Er stieß eine Hand in Richtung der Nikes. »Gib mir die mal.«

Ronnie hielt ihm die Schuhe hin. Barnard nahm sie, warf sie auf die Leiche des großen Burschen. Er bohrte einen Finger in Ronnies Brust. »Du wartest hier.«

Barnard kehrte zum Auto zurück und öffnete den Kofferraum. Er holte einen .38er-Revolver unter dem Ersatzreifen heraus und schob ihn sich unter den Hosenbund. Er hatte die Waffe einem toten Dealer abgenommen und bewahrte sie für besondere Gelegenheiten auf. Wie jetzt. Dann wuchtete er einen großen Blechkanister heraus und ging zu dem Jungen zurück.

Ronnie sah aus, als denke er darüber nach, schnell die Biege zu machen.

Barnard blieb vor ihm stehen und stellte den Kanister ab. Dann zog er den Revolver heraus, spannte den Hahn und schoss dem Kind genau zwischen die Augen. Der kleine Bastard hatte es nicht mal kommen sehen, glotzte ihn einfach nur blöd an und kippte um. Barnard verpasste ihm noch einen Schuss in die Brust, um sicherzugehen.

Barnard schleifte Rikki Fortunes Leiche neben die seines Kumpels. Dann packte er den Mischlingsjungen am nackten Knöchel und warf ihn auf die beiden Gangster. Er leerte den Kanister über den Leichen, zündete einen Stofffetzen an, warf ihn drauf und trat dann schnell zurück. Die Leichen explodierten in Flammen.

Auf gar keinen Fall würde Barnard diesen Tatort offiziell machen. Er wusste, es bestand nur eine minimale Chance, dass irgendwer sich auch nur einen Furz für das Ende dieser nutzlosen Leben interessierte, aber er war nicht bereit, das kleinste Risiko einzugehen.

Nein, er wusste, dass sich die Antwort auf all seine Gebete oben in einem Haus am Berg befand. Das hier war ein Geschenk Gottes.

In ausgesprochen schrägem scheiß Geschenkpapier.

KAPITEL 9

Burn fand Susan, als sie das Einzelbett im Gästezimmer machte. »Ist das für mich?«

Sie nickte und steckte das Laken fest. »Das ist wohl das Beste.«

Er versuchte zu helfen, nahm eine Seite des Lakens. Sie riss es ihm aus der Hand. »Ich kann das allein, Jack.«

»Du weißt, dass Matt die letzten beiden Nächte bei mir geschlafen hat?«

»Dann kann er bei mir schlafen.« Sie bezog ein Kopfkissen.

»Er macht wieder ins Bett.«

»Das überrascht mich nicht wirklich.« Sie stemmte sich auf. »Er braucht professionelle Hilfe. Sobald wir zurück in den Staaten sind, werde ich ihm jemanden suchen.«

Er nickte. »Klar.« Er drehte sich um, wollte den Raum verlassen.

»Jack?« Ihre Stimme ließ ihn stehen bleiben. Sie sah ihn an, auf ihre offene, direkte Art, als könnte sie so das Kleingedruckte in seiner Seele lesen. »Glaubst du an Vergeltung?«

»Susan, was soll das?«

»Hast du je an diesen Cop gedacht, in Milwaukee?«

»Jeden Tag.«

»Hast du je seinen Namen herausgefunden?« Burn gab ihr keine Antwort. Susan machte weiter. »Weißt du, dass er eine Frau hatte? Und einen Sohn?«

Burn sagte nichts, ließ es sie zu Ende bringen.

Sie ging an ihm vorbei, machte diesen Balanceakt mit nach außen gestellten Füßen, diesen watschelnden Entengang der Schwangeren. »Genau wie du, Jack.«

Als der fette Bure ihr auf seinem Telefon das Bild zeigte, konnte Carmen Fortune es überhaupt nicht glauben. Konnte das wirklich sein? Konnte es wirklich sein, dass Rikki tot war? Bedeutete das wirklich, dass sie nie wieder ertragen musste, wie er sie besprang oder mit Fäusten schlug?

Sie starrte das Bild auf dem Telefon an. »Ist er aufgeschlitzt worden? Die Kehle?«

»Nein, er lächelt für die Kamera.« Gatsby nahm ihr das Telefon aus der Hand und ließ es in die Brusttasche seines nassgeschwitzten Hemdes gleiten.

»Wer hat das gemacht?«

»Keine Ahnung.«

»Wo ist er? Seine Leiche?«

»Mach dir darüber mal keine Gedanken.«

Carmen war fort gewesen und hatte Tik geraucht, war mit diesem verrückten Rush im Kopf nach Hause gekommen, als sie den fetten Buren vor ihrer Wohnung warten sah. Sie hatte ihn hereingelassen, rechnete mit Beschimpfungen wegen des Geldes, das Rikki ihm schuldete. Der Bulle bedeutete Unglück.

Aber heute hatte er ihr gute Nachrichten gebracht. Scheiße, es war unglaublich.

Der Bulle redete, doch sie war gefangen in dem Wirbel in ihrem Kopf. Er stieß sie mit einem seiner fetten Finger an, und beinahe wäre sie gefallen. »Scheiße, ich rede mit dir!«

Carmen musste sich schwer konzentrieren, um ihren Kopf zusammenzubehalten. »Was ist, Mann?«

Er sah sie kopfschüttelnd an. »Scheiß Tik-Hure.« Sie machte den Mund auf, um zu protestieren, doch er hob eine Hand, um sie zum Schweigen zu bringen. »Jetzt hör mir zu, hör mir verdammt gut zu.«

»Okay.«

»Die Leute werden wissen wollen, wo er ist. Hast du mich verstanden?«

»Ja.«

»Aber du wirst ihnen nicht sagen, dass er tot ist.«

»Warum nicht?«

»Weil ich's dir so sage, deshalb nicht!« Er ragte über ihr auf. Sein Gestank hing in dem Raum wie etwas Totes.

»Aber was soll ich machen? Wenn Leute wissen wollen, wohin er gegangen ist?«

»Du sagst, er und sein Kumpel ...«

»Faried.«

»Faried. Du sagst ihnen, du hättest gehört, wie sie davon gequatscht haben, rauf zur Westküste zu fahren.«

»Wozu?«

»Hey, wen interessiert's einen Scheiß, wozu? Wegen Langusten oder Seeohren. Oder Hottentotten-Nutten. Sag einfach, sie wären hingefahren und du hättest sie seitdem nicht mehr gesehen. Hast du mich verstanden?«

Carmen nickte. »Ja. Okay, Mann.«

Gatsby packte sie am Arm. Sie spürte, wie ihre Titte sich gegen seine Hand drückte. Er zog die Hand zurück. »Wenn ich höre, wie du irgendwas anderes erzählst, komme ich zurück und schneid dir deine verschissene Kehle durch. Kapiert?«

Sie nickte, wich vor seinem Gestank einen Schritt zurück. Er schaute sich im Zimmer um. »Wo ist der alte Alki?«

»Weg, um Wein zu kaufen. Keine Angst, der wird nichts sagen.«

»Und der Junge?«

»Den hat das Sozialamt mitgenommen.«

»Was? Haben die gesagt, du wärest dafür ungeeignet?« Sie zuckte die Achseln. »Also, kein Ehemann. Kein Kind. Du kannst wieder deinen Arsch verkaufen.« Tief aus Gatsbys Lunge löste sich ein schleimiges Geräusch, wie eine Brustverletzung, durch die Luft eingesaugt wurde. Er lachte.

»Leck mich!« Carmen konnte es sich nicht verkneifen.

Er bewegte sich schnell für so einen riesigen Mann, und seine Faust schoss auf sie zu. In der letzten Sekunde stoppte er den Schlag, und sie spürte, wie seine feuchten Knöchel ihre Wange streiften. So standen sie voreinander, starrten sich in die Augen, bis er die Faust senkte.

»Das nächste Mal landest du im Krankenhaus.«

Dann drehte er sich um und walzte hinaus, ließ die Tür hinter sich offen stehen. Carmen schloss sie.

Sie setzte sich auf das fleckige Sofa. Rikki war tot. Sie konnte es immer noch nicht glauben. Sie hatte Angst davor gehabt, ihm zu erzählen, dass sie die Unterstützung für Sheldon verloren hatten. Rikki hätte ihr die Schuld gegeben, und anders als der fette Bure hätte er seine Schläge nicht im letzten Moment abgebremst. Scheiße, so wie sie Rikki kannte, hätte er auch noch zugetreten.

Sie spürte Erleichterung und dazu noch ein merkwürdiges Gefühl, das ihr nicht vertraut war. Es war Glück, begriff sie schließlich. Sie war glücklich. Zum ersten Mal seit sie sieben Jahre alt war, als ihr Vater angefangen hatte, sie mit seinen geflüsterten, verschwitzten Forderungen zu besuchen, gehörte sie keinem Mann.

Burn stand in der Küche und schaute zu Susan und Matt hinüber, die auf dem Sofa vor dem Fernseher saßen. Susan hielt die Hand ihres Sohnes. Noch vor zwei Tagen hätte Burn das glücklich gemacht. Er hätte es als Zeichen aufgefasst, dass Susan Matt wieder näherkam, dass sie sich wieder öffnete.

Aber er wusste jetzt, dass Susan sich darauf vorbereitete, sich zu stellen. Sie hatte Angst davor, von ihrem Sohn getrennt zu werden, und nahm sich jede Minute, die sie mit ihm zusammen sein konnte. Burn hielt es nicht aus, die zwei länger anzusehen, nicht in dem Wissen, dass sie in ein paar Tagen aus seinem Leben verschwinden würden.

Wahrscheinlich für immer.

Er fand sich im Dunkeln auf der Terrasse wieder, starrte hinunter auf die Lichter der Stadt. Für einen kurzen Moment wurde ihm schwindlig, als würde ihm alles entgleiten. Er setzte sich auf einen Holzsessel und verlangsamte ganz bewusst die Atmung. Zwang sich, wieder ruhiger zu werden. Zwang sich, daran zu denken, wer er war.

Er war immer eine Kämpfernatur gewesen. Als Kind hatte er seinen älteren Bruder vor den Schulhofschlägern beschützt. Er hatte blaue Augen und abgebrochene Zähne davongetragen, aber er hatte nie klein beigegeben. Niemals. Es gab immer noch Männer in seiner Heimatstadt, die sich einen hinter die Binde kippen und von dem Abend erzählen würden, als er mit gebrochenem Arm für seine Highschool die Landesmeisterschaft gewonnen hatte. Mit seinem gebrochenen Wurfarm. Er hatte extrem präzise Pässe gespielt und den entscheidenden Touchdown gemacht.

Bei den Marines konnte ihm die Scheiße noch so dick um die Ohren fliegen, immer hatte er einen Ort der Ruhe gefunden, eine innere Stille, durch die er ausreichend Zeit zum Handeln fand.

An dem Abend, als die Männer von der Terrasse aus hereingekommen waren, hatte er sofort gewusst, dass er sie ausschalten würde. Es war kein Gedanke, es war ein Reflex. Er war ein Kämpfer.

Jetzt verlor er seine Familie, und er unternahm nichts dagegen. Er ließ zu, dass Susan ihm weiter und immer weiter entglitt.

Er stand auf, ging auf der Terrasse auf und ab und stellte sich harte Fragen: Wollte er, dass sie ging? Wollte er allein sein, ohne etwas zu verlieren zu haben? Wollte er alles loswerden, was ihn verwundbar machte, wollte er sich an einen kalten Ort in seinem Inneren zurückziehen und für den Rest seiner Tage als Flüchtling vor dem Gesetz und allen Gefühlen leben, die ihn erst zum Menschen machten?

Nein. Nein, das wollte er nicht.

Burn ging ins Haus. Matt starrte immer noch wie hypnotisiert auf den Bildschirm. Susan war in der Küche, hackte Gemüse.

Burn lehnte sich gegen die Küchentheke, schaute ihr dabei zu. Sie hatte wunderschöne Hände, lange, feine Finger. Sie war Bildhauerin gewesen, als er sie kennenlernte. Während der letzten paar Jahre hatte sie das Interesse an der Bildhauerei verloren. Ihre Leidenschaft, eine Künstlerin zu sein, wurde verwässert und abgeschwächt durch die Pflichten einer Ehefrau und Mutter.

Susan beachtete ihn nicht. Sie schob das Gemüse in den Wok und ging damit zum Herd hinüber.

Burn ließ sie nicht aus den Augen. »Ernie Simpkins.«

Sie schaute zu ihm auf, wischte sich eine Haarsträhne aus dem Gesicht. »Was?«

»Der tote Cop hieß Ernie Simpkins.«

Sie zuckte die Achseln, rührte mit einem Holzlöffel im Wok.

»Ich wünschte bei Gott, ich könnte ungeschehen machen, was passiert ist, Susan, aber ich kann es nicht.« Burn trat auf sie zu. »Ich will dich nicht verlieren. Oder Matt. Oder das Baby.«

»Es ist zu spät, Jack. Das hast du schon längst.«

»Ich hab Scheiße gebaut, ganz gewaltig. Das gebe ich zu.«

Sie schaute vom Wok auf. »Nein, Jack, einen Hochzeitstag zu vergessen ist Scheiße bauen. Einen Cop umzubringen ist etwas ganz anderes. Und lass uns erst gar nicht davon reden, was du neulich abends getan hast.«

Burn schaute ihr beim Kochen zu, fest entschlossen, sich von ihrem Zorn nicht einschüchtern und zum Schweigen bringen zu lassen. »Baby, willst du wirklich unsere Familie trennen? Wenn du das tust, weißt du, dass wir uns nie wiedersehen können. Die Kinder werden aufwachsen, ohne zu wissen, wer ihr Vater ist.«

»Du sagst das, als wäre es etwas Schlechtes.«

»Das bist doch nicht du, die da redet, Susan.«

»Doch, Jack. Gewöhn dich dran. Ich bin nicht mehr die süße, kleine, gutaussehende Gattin eines erfolgreichen Mannes.«

»Das bist du doch nie gewesen.« Er stellte sich hinter sie, versuchte, sie in den Arm zu nehmen, aber sie drehte sich weg und ging zum Kühlschrank, um Sojasoße zu holen.

Er machte weiter. »Komm, wir gehen nach Neuseeland.«

Sie lachte ungläubig. »Neuseeland?«

Er nickte. Er musste es verkaufen. Er hatte nur eine einzige Chance. »Es war ein Fehler, dass ich uns hierhergebracht habe. Dieser Ort ist, er ist scheiße, ich weiß nicht, wie ein Luftschloss auf einer Jauchegrube. Neuseeland ist wunderschön, wild, dort gibt es praktisch keine Kriminalität.«

»Na, das ist aber jetzt mal Ironie. Du suchst einen Ort, an dem es kein Verbrechen gibt.« Sie schüttete Sojasoße auf das Gemüse, rührte schnell um.

»Susan, sieh mich an.« Zögernd schaute sie auf. »Ich will, dass du mir noch eine Chance gibst. Mein Gott, ich habe eine Chance verdient, alles wiedergutzumachen. Für uns alle. Hör auf, mich zu schneiden. Nur weil ich ein paar schlechte Entscheidungen getroffen habe, musst du das nicht tun.«

Sie sah ihn schließlich an. Hielt seinem Blick stand. »Du sagst also, wir gehen nach Neuseeland, ja? Mit mir, in diesem Zustand?« Sie deutete auf ihren Bauch.

»Nachdem du das Baby zur Welt gebracht hast, ja. Bis dahin suche ich uns hier irgendwo eine Wohnung. In einem sicheren Wohnblock. Morgen. Wir packen und sehen zu, dass wir dieses Haus verlassen. Und wir reisen ab, sobald es für dich gesundheitlich unbedenklich ist zu fliegen.« Er sah, dass er zu ihr durchkam, spürte, dass sie sich ein wenig öffnete. »Susan, ich liebe dich. Und Matt. Ich möchte eine Chance, alles wiedergutzumachen.«

Sie schüttelte den Kopf, drehte sich von ihm weg, kämpfte gegen die Tränen.

Er ging zu ihr, schloss sie von hinten in die Arme. Sie versuchte, sich von ihm zu befreien, aber er hielt sie fest, und schließlich spürte er, dass sie sich zu entspannen begann und aufgab.

Beinahe kapitulierte Susan, beinahe ließ sie sich von seinen Worten überzeugen. Dann sah sie ihn wieder mit dem Messer, wie er über dem mageren Mann kauerte, und sie löste sich aus seiner Umarmung und trat fort.

Sie sah sein Gesicht, die Verzweiflung in seinen Augen. »Lass mich in Ruhe, Jack.«

»Susan …« Er griff wieder nach ihr.

»Lass mich verdammt noch mal in Ruhe!« Sie brüllte ihn an. Burn nickte und kehrte auf die Terrasse zurück. Sie stützte sich auf der Küchentheke ab, versuchte verzweifelt, sich wieder zu beruhigen.

Sie schaute auf und sah, dass Matt sie vom Sofa aus beobachtete. Er weinte.

Sie bekam sich wieder in den Griff und ging zu ihm, setzte sich neben ihn und legte ihm den Arm um die Schulter. »Alles in Ordnung, Matty.«

Sie wusste, dass sie ihren Sohn zurückgewiesen hatte, und seit sie aus der Klinik zurück war, versuchte sie, wieder eine Beziehung zu ihm zu finden. Ihn wieder zu lieben. Doch wann immer sie ihn anschaute, sah sie nur seinen Vater.

Das Kind schluchzte, als sie es hielt, über seinen Kopf streichelte und beruhigende Worte flüsterte. Sie spürte seinen Schmerz und seine Verwirrung. Und sie spürte auch ihr eigenes schlechtes Gewissen. Gott, wie hatte sie das nur tun können? Wie hatte sie ihrem kleinen Jungen das nur antun können?

Matt beruhigte sich wieder, die Schluchzer klangen schon nicht mehr so verzweifelt. Susan putzte ihm die Nase. Sie zeigte auf etwas auf dem Bildschirm, auf die Kapriolen einer Zeichentrickfigur, und Matt lächelte. Dann lachte er. Susan saß neben ihm, hielt ihn, bis sie sah, dass er gefangen war von dem Farbwirbel auf der Mattscheibe. Dann ging sie hinaus auf die Terrasse, wo ihr Mann mit dem Rücken zu ihr stand und in die Nacht hinausstarrte.

Er bemerkte sie nicht, und sie betrachtete ihn einige Minuten. Er war immer ihr Fels in der Brandung gewesen, das eine in ihrem Leben, worauf sie sich vollkommen verlassen konnte. Aber jetzt nicht mehr.

»Jack.«

Er drehte sich zu ihr. Licht aus dem Haus fiel auf sein Gesicht. Der geschlagene Ausdruck ließ ihn älter wirken.

»Okay«, sagte sie.

»Okay, was?«

»Machen wir's. Gehen wir nach Neuseeland. Oder wohin auch immer.«

Er starrte sie an. »Ist das dein Ernst?«

»Ja. Aber ich tu's nur für Matt und für sie.« Sie legte sich eine Hand auf den Bauch.

Er kam zu Susan und nahm sie in die Arme. Ihr Bauch drückte sich gegen ihn. Sie starrte über seine Schulter, auf den dicken, gelben Mond, der wie eine pralle angeschlagene Frucht über dem Meer hing.

»Es tut mir leid, Baby«, sagte er. »Ich werde alles wiedergutmachen. Versprochen.«

Um alles in der Welt wollte sie ihm glauben.

KAPITEL 10

Warum hatte er der braunen Schlampe nicht eins auf ihr dreckiges Maul gegeben?

Als Rudi Barnard die Flats hinter sich ließ, mit dem Toyota über die Eisenbahnbrücke nach Goodwood fuhr, zerbrach er sich den Kopf über diese Mischlingsschlampe Carmen und darüber, warum er ihr nicht eine reingehauen hatte. Normalerweise dachte er nicht zweimal über so etwas nach. Zeigte man ihm keinen Respekt oder kam ihm blöd, dann zahlte man dafür. Diese Abweichung von seinem normalen Verhalten irritierte ihn.

Wollte er wirklich mit ihr vögeln? Nein, beschloss er, das war's nicht. Erleichtert begriff er, dass sie jemand war, der ihm eines Tages von Nutzen sein könnte. Und seine Intuition sagte ihm, dass sie schon so oft von so vielen Männern bewusstlos geschlagen worden war, dass es ihr gar nichts mehr bedeutete. Tatsächlich, überlegte er, würde er mehr Gewalt über sie haben, wenn er sie nicht schlug.

Barnard lächelte in sich hinein, war zufrieden über sein psychologisches Verständnis. Er kannte die Frauen. Scheiße, er war sogar mal mit einer verheiratet gewesen, oder etwa nicht?

Scheiß Schlampe.

Aus einem Impuls heraus ging Barnard in eine Cop-Bar an der Voortrekker Road, ein paar Blocks von seiner schäbigen Wohnung entfernt. Die Station Bar hatte aufgemacht in einer Zeit, als Männer noch allein und in Ruhe trinken konnten, als Frauen Cocktailbars besuchten, in die echte Männer niemals einen Fuß gesetzt hätten.

Auch wenn Frauen heute gesetzlich nicht mehr daran gehindert werden konnten, die Station Bar zu betreten, taten dies nur sehr wenige. Die Bar war hässlich, stank und war voller grobschlächtiger, derber Kerle. Es musste schon eine ganz bestimmte Sorte Frau sein, die sich von dieser Art Gesellschaft angezogen fühlte, und die meisten davon waren draußen auf der Straße und gingen ihrem Gewerbe nach.

Barnard schnappte sich einen Barhocker. Der Barkeeper, ein glatzköpfiger, runzliger Mann mit einer Haut in der Farbe von Nikotin, schob ihm eine Flasche Double O über die Theke. Barnard bedankte sich grunzend und trank einen großen Schluck.

Er kam weder wegen des Alkohols noch wegen Gesellschaft in die Station. Er war Abstinenzler und Einzelgänger. Er kam her, um das Polizistennetzwerk anzuzapfen; wenn der Alkohol die Zungen lockerte, erhielt er häufig Informationen, die zu seinem Vorteil waren.

Er brauchte Antworten auf ein paar Fragen. In der Gerüchteküche waren ihm Dinge zugeraunt worden, Sachen, die ihn aus dem Schlaf rissen, seine Hämorrhoiden taten weh und der Ausschlag zwischen seinen Schenkeln brannte wie verrückt.

Er beobachtete einen mageren Burschen mit gestylter Frisur, zu jung gekleidet für sein Alter und am anderen Ende der Theke in ein Gespräch mit einem Mischling vertieft. Der Mischling nickte, lachte über irgendwas, trank sein Bier aus und ging.

Barnard nahm das Double O und wuchtete sein Fett auf den Hocker neben dem Kerl mit den modischen Klamotten. »Lotter.«

Lotter sah ihn desinteressiert an. »Barnard.«

Dem Barkeeper zuwinkend, der sich daraufhin wie ein schmutziger Lappen über die Theke fallen ließ, deutete Barnard auf Lotters leeres Glas. »Gib ihm einen Drink.«

»Egal, was du von mir willst«, sagte Lotter, »die Antwort lautet: nein.«

»Wer sagt denn, dass ich irgendwas will?« Barnard beugte sich dicht zu ihm hinüber und versuchte zu lächeln.

Captain Danny Lotter war kein zartbesaiteter Mann, genau genommen war er sogar dafür bekannt, bei Leichenöffnungen Hotdogs zu verspeisen, aber die geballte Ladung Mundgeruch von Barnard ließ ihn auf seinem Hocker zurückweichen. Schnell zündete er sich eine Camel an, ohne Barnard eine anzubieten.

Lotters Brandy und Coke kamen, und Barnard hob sein Double O zum Anstoßen. »Auf das Glück.«

Lotter grunzte, lehnte den Drink aber nicht ab.

»Lotter, ich habe da so ein paar komische Sachen gehört.«

»Lass dir mal die Ohren untersuchen.«

Barnard musste sich zusammenreißen, um dem mageren Arschloch nicht in seine geföhnten Haare zu greifen und seine Visage auf der Theke zu Brei zu hauen. Er keuchte, ging es ganz ruhig an. »Sachen über eine Sondereinheit zur Korruptions-was-weiß-ich-Bekämpfung, die gerade zusammengestellt wird.«

Lotter sah Barnard an. »Ja, und?«

»Na ja, ich weiß, dass du diese Maus im Büro des Superintendent vögelst.«

»Marie?«

»Ja. Die Hässliche.«

»Sie ist nicht wirklich hässlich ...«

»Lotter, auch wenn du sie fickst, bleibt sie trotzdem hässlich wie die Nacht.« Barnard lachte einen seiner feucht schmatzenden Lacher.

Lotter trank aus und stellte das leere Glas auf die Theke. Er stand auf. »Danke für den Drink.«

Barnard legte seine schwere Pranke auf Lotters Schulter, drückte ihn sanft, aber unmissverständlich auf den Barhocker zurück. »Ich versuche hier nichts anderes, als nett zu sein. Bleiben wir doch nett.«

Einen Augenblick lang schien Lotter es sich zu überlegen, dann wurde ihm klar, dass es dumm wäre, und er nickte. »Okay, aber nimm die Pfoten von meiner Jacke. Sie kommt frisch aus der Reinigung.«

Barnard nahm die Hand weg und Lotter rückte sich den Kragen gerade. »Hör zu, es ist natürlich alles streng geheim, und ich habe auch nur Fetzen gehört, aber es läuft tatsächlich eine Untersuchung.«

»Ach ja?«

»Ja. Und du bist einer der Leute, die sie sich vornehmen werden.«

»Ist das so?«

Lotter nickte. »Was ich so höre.«

Barnard zuckte die Achseln. »Egal, scheiß doch auf sie. Wie viele dieser Sonderdezernate hat's schon gegeben?«

»Dieses hier ist aber anders.« Lotter nuckelte an seiner Zigarette.

»Inwiefern?«

»Bimbos aus Jo'burg, die sind vom Innenministerium hergeschickt worden. Um am Kap aufzuräumen.«

»Bimbos, ja?«

»In BMWs und Anzügen.«

»Ist das so? Die haben einen Scheißdreck gegen mich in der Hand.«

Lotter zuckte die Achseln. »Dann musst du dir ja auch keine Sorgen machen.« Er drückte die Zigarette aus und ging.

Das kam nicht völlig unerwartet. Ein Mann wie Barnard machte sich Feinde. Oft mächtige Feinde. Er hatte gesehen, was mit anderen Cops passierte, die mit ihren Vorgesetzten in Konflikt geraten waren. Die Glückspilze wurden ohne Pensionsanspruch entlassen. Die Pechvögel landeten bei dem Mischlingsabschaum im Pollsmoor Prison, gegen den sie ihr halbes Leben gekämpft hatten.

Das war ein Schicksal, auf das Rudi Barnard gut und gerne verzichten konnte.

Falls Lotter recht hatte, und Lotter besaß viel zu wenig Phantasie, um sich so etwas auszudenken, stand Barnard eine Schlacht ins Haus. Er wusste nur zu gut, dass man in Südafrika einen politischen Kampf gewann – und falls Mischlinge in diese Sache verwickelt waren, dann war das heute ein hochpolitischer Nachmittag –, wenn man die richtigen Leute schmierte. Ein Arsch voll Geld, an den richtigen Stellen fallen gelassen, konnte alles klären.

Steck den Leuten Geld zu. Oder bring sie um.

Benny Mongrel und Bessie waren auf der obersten Etage des Hauses. Bessie schlief. An diesem Abend war sie viel besser die Treppe hinaufgekommen, und als er ihre Rippen berührte, dort, wohin der fette Bulle sie getreten hatte, hatte sie nicht gestöhnt.

Seit der Unterhaltung mit seinem weißen Chef schmiedete Benny Mongrel Pläne und überlegte. Während er zuhause in seiner Hütte lag, nicht schlafen konnte, auf den Wind lauschte, der heulte wie die Sterbenden.

Er dachte nach.

Nachdem er sich nun entschieden hatte, fühlte er sich im Frieden mit sich selbst. Er wusste, was er zu tun hatte. Nur noch zwei Tage, dann würde er seinen Monatslohn abholen. Ein Hungerlohn, aber es war alles, was er hatte. Dann würden er und Bessie gemeinsam ein neues Leben beginnen.

Er hatte sich geschworen, ein sauberes und ehrliches Leben zu führen, als er durch die Tore von Pollsmoor ins Freie trat, wollte endlich ein Leben, das ihn nicht wieder in den Knast führte. Jetzt würde er ein weiteres Verbrechen begehen.

Richtig, einen Hund zu stehlen, eine räudige alte Hündin mit verschlissenen Hüften, war rein gar nichts verglichen mit dem, was er in seinem Leben schon getan hatte. Aber sie gehörte Sniper Security. Damit allein stellte sie schon einen größeren Wert dar als die meisten braunen Männer, denen er über die Jahre eine gute Nacht gewünscht hatte. Auch wenn die Nadel des Tierarztes ihr Schicksal war und anschließend ein Sack auf irgendeiner Müllkippe.

Er musste das tun. Für sie beide.

Von seinem Lohn würden sie in dem ausgedehnten Labyrinth am Lavender Hill eine neue Bleibe finden, in einer Hüttensiedlung namens Cuba Heights. Kein Mensch würde sie dort finden.

Benny Mongrel hatte einen Plan. Er und Bessie würden Arbeit finden, die Geschäfte und kleinen Fabriken bewachen, die am Rand der Cape Flats erbaut wurden, wo sie ungeschützt Überfällen und Diebstahl ausgesetzt waren. Die meisten Inhaber konnten sich Sniper Security nicht leisten, aber Benny Mongrel und Bessie würden sie sich leisten können.

»Nicht mehr lange, Bessie«, flüsterte er. »Nicht mehr lange.«

Er streichelte sie, während sie schlief.

Barnard fuhr die Voortrekker hinauf, vorbei an den Autohäusern und Fastfood-Restaurants und den Nutten, die ihr Tik-Lächeln in sein Scheinwerferlicht strahlten. Er würde nicht schlafen können. Nicht nach dem, was er von Lotter in Erfahrung gebracht hatte, also hatte es auch keinen Sinn, nach Hause zu fahren in seine beengte Wohnung in Goodwood.

Er würde Geld brauchen. Nicht solches Kleingeld, wie er es von Rikki Fortune und seinesgleichen bekam. Richtiges Geld. Großes Geld.

Er dachte an die toten Americans, an Rikki und seinen Kumpel, wie sie hübsch verpackt draußen auf den Flats gelegen hatten. Etwas hatte zu ihm gesprochen in dem Moment, als er diese Leichen sah. Vielleicht war es Intuition. Vielleicht war es eine Ahnung. Man konnte es nennen, wie man wollte, jedenfalls wusste Rudi Barnard, dass dieser andere Amerikaner, der aus den Vereinigten Staaten von scheiß Amerika, irgendwie damit zu tun hatte.

John Hill war der Schlüssel. Da war er sich absolut sicher.

Am liebsten würde Barnard zu diesem schicken Haus fahren und sich mit der Waffe in der Hand Zutritt verschaffen. Diesem scheiß Amerikaner die Kanone in den Rachen rammen. Seiner schwangeren Frau was auf die Ohren geben. Seinen Jungen bedrohen. Tun, was er eben tun würde, wenn er in seinem Viertel unterwegs war. Tun, was er tun musste, um an die Wahrheit zu kommen.

Aber oben auf dem Berg herrschten andere Regeln. Geld kaufte Anwälte. Und die Aufmerksamkeit der Medien. Barnard würde sich eine neue Taktik ausdenken müssen, wenn er herausfinden wollte, was wirklich geschehen war. Es ging hier um einen erheblich höheren Einsatz. Er würde es ruhig und vorsichtig angehen müssen. Sei klug. Der Moment würde kommen, an dem er tun würde, was er am besten tat.

Jemanden umlegen.

Barnard hatte keine Ahnung, wie viele Menschen er bereits umgebracht hatte. Er kannte welche, die geradezu besessen mitzählten, aber ihm war das immer egal gewesen. Er machte einfach weiter. Aber an sein erstes Mal konnte er sich erinnern. Daran erinnert man sich immer.

Im Alter von dreizehn Jahren hatte er den Geliebten seiner Mutter getötet. Sekunden später hatte er seine Mutter umgebracht.

Barnard war in einem gottverlassenen Dorf auf dem Land zur Welt gekommen, fünf Stunden nordöstlich von Kapstadt. Die Stadt wurde in zwei Hälften geteilt von einem Bach, der wie Pisse durch die Halbwüste tröpfelte. Die Hütten der Farbigen befanden sich auf der einen Seite. Auf der anderen Seite drängten sich die Häuser der Weißen um den Turm der Niederländisch-Reformierten Kirche, der wie ein mahnender Zeigefinger in den Himmel ragte. Barnard hatte eine Ewigkeit stickiger Sonntage in dieser Kirche verbracht, in Angst vor der Hölle, dem sich von der Kanzel ergießenden Schwefel, vergeblich darauf wartend, dass Gott zu ihm sprach.

Mit dreizehn war Rudi Barnard bereits fett und unbeliebt. Und er stank. Eines Tages schickte so eine Schlampe von Lehrerin ihn frühzeitig mit einem Zettel nach Hause, auf dem seine Mutter gesagt bekam, sie solle ihm den Darm entleeren, bevor sie ihn wieder zur Schule schicke. Gedemütigt trottete Rudi durch die Hitze nach Hause, während die Sonne ihm im Nacken brannte.

Als Rudi sich dem Haus näherte, sah er den alten Truck von Truman Goliath, einem farbigen Tagelöhner, in der Zufahrt stehen. Sein Vater bezahlte Goliath, damit er verrostete Teile des Wellblechdachs erneuerte.

Rudi ging ins Haus, die Fliegentür fiel laut hinter ihm zu. Er hörte seine Mutter schreien. Barnard rannte zum Schlafzimmer seiner Eltern und stieß die Tür auf. Er brauchte ein paar Sekunden, um zu kapieren, dass Truman Goliath seine Mutter nicht umbrachte. Tatsächlich feuerte sie den sportlich gebauten Farbigen mit Schlägen auf die nackten Pobacken und ermunternden Schreien an, ohne sich bewusst zu sein, dass ihr Sohn in der Tür stand.

Genau in diesem Moment sprach Gott zum ersten Mal zu Rudi Barnard.

Der junge Rudi ging in das Waffenzimmer seines Vaters, holte ein .22er-Gewehr und lud es durch. Dann kehrte er ins Schlafzimmer zurück und blies die Rückseite von Truman Goliaths Kopf an die Wand. Die nackte Mrs. Barnard, bedeckt von Blut, Knochensplittern und Hirnmasse, starrte ihren Sohn an und öffnete die Lippen zum Schrei, wobei ihr Mund wie bei einer Opernsängerin ein perfektes Oval bildete.

Rudi Barnard schoss seiner Mutter ins Gesicht.

Dann rief er seinen Vater in der Metzgerei an. Die beiden fetten Rudis, Vater und Sohn, steckten die Köpfe zusammen und arbeiteten die Geschichte aus, die die Stadt hören wollte. Vergewaltigung und Mord von Elsie Barnard.

Truman Goliath hatte gewartet, bis Vater und Sohn aus dem Haus waren, und hatte Elsie dann Gewalt angetan. Wie einer Burenfrau der guten alten Zeit war es ihr gelungen, an das Gewehr ihres Mann zu kommen und den Bastard zu erschießen. Unglücklicherweise hatte er Elsie mit letzter Kraft das Gewehr entrungen und sie in die Arme Jesu geschickt.

Falls die Farbigen in den Hütten auf der anderen Seite der Bahnschienen sich gewundert hatten, wie Truman das alles hatte tun können, wo ihm doch der Schädel weggepustet worden war, waren sie klug genug gewesen, ihre Gedanken für sich zu behalten.

Nach diesem ersten Mal fiel Rudi das Töten leicht. Er hatte ein Talent dafür.

Barnard stand vor einer Ampel auf der Voortrekker, der Schweiß lief ihm in Strömen. Eine Tik-Hure kam auf ihren Pfennigabsätzen auf ihn zugeschwankt. Sie hob ihren Rock, um ihre dürren Schenkel zu entblößen, so verführerisch wie ein Kadaver. Normalerweise wäre Barnard aus dem Wagen gesprungen, um sie ihren Fehler bedauern zu lassen. Doch er verspürte den plötzlichen Drang, nach Hause zu fahren.

Er würde diese Aufnahmen auf seinem Mobiltelefon ausdrucken, die Bilder von Rikki und seinem Kumpel. Es gab da jemanden, dem er sie gern zeigen wollte.

Burn lag in den Armen seiner schlafenden Frau. Sein Sohn schlief neben ihm. Er konnte sich nicht erinnern, wann er sich das letzte Mal so gut gefühlt hatte. Morgen würde er zu den Maklern gehen und eine Wohnung organisieren. Was immer es kostete, morgen Abend würden sie dieses Haus verlassen haben.

Dann würde er ins Internet gehen, Recherchen über Neuseeland anstellen. Er erinnerte sich dunkel, dass es zwei Inseln gab, den Norden und den Süden. Der Süden sollte wilder sein, unzugänglicher, weniger besiedelt. Hohe Berge und unberührte Strände.

Mit diesen Bildern im Kopf schlief Burn ein.

Als er aufwachte, fiel die Sonne ins Zimmer. Er war allein. Er hörte jemanden im Pool unter dem Schlafzimmerfenster plätschern. Die afrikanischen Rufe und Spötteleien von den Bauarbeitern nebenan wehten zu ihm herüber.

Er gähnte, rieb sich mit einer Hand über die Bartstoppeln.

Er hörte Susans Stimme. Es klang, als wäre sie in der Küche. Wahrscheinlich redete sie mit Matt, während sie das Frühstück zubereitete. Die Vorstellung gefiel ihm.

Dann hörte er eine andere Stimme. Die Stimme eines Mannes. Eine Stimme, die er nicht ganz einordnen konnte.

Burn sprang aus dem Bett, er zog Shorts und T-Shirt über. Bevor er sich versah, hatte er den Schrank geöffnet, und der Colt lag in seiner Hand.

Lautlos ging er in Richtung Küche. Susan sagte etwas, das er nicht verstand. Es klang wie eine Frage. Der Mann antwortete. Jetzt erkannte Burn die Stimme.

Der fette Bulle war bei Susan in der Küche.

KAPITEL 11

Burn trat in die Küche.

Susan und der Bulle blickten ihn an. Susan sah verängstigt aus. »Jack, ich wollte dich gerade rufen.«

Der Bulle lehnte seinen massiven Wanst gegen die Küchentheke. Susan befand sich auf der anderen Seite der Theke, hielt Abstand.

»Was können wir für Sie tun, Inspector?«

Burn versuchte, ganz cool und locker zu bleiben. Er wollte sich nichts anmerken lassen. Den gesetzestreuen Typen geben, der schon etwas erstaunt war, morgens einen Polizisten in seiner Küche anzutreffen.

»Ich möchte, dass Sie und Ihre Frau sich ein paar Fotos ansehen.« Barnard hatte einen großen gelben Umschlag dabei, den er nun auf die Küchentheke legte und aus dem er zwei Hochglanzfotos herausgleiten ließ.

Er gab sie Susan. Sie nahm sie, ein Foto in jede Hand, und starrte sie an. Dann schloss sie für einen Moment die Augen. Als sie sie wieder aufschlug, sah sie Burn an. Alle Farbe war aus ihrem Gesicht verschwunden.

Barnard hatte sie nicht eine Sekunde aus den Augen gelassen. »Erkennen Sie einen dieser Männer?«

Sie schüttelte den Kopf und legte die Fotos auf die Arbeitsfläche, als wären sie hochgiftig.

Burn trat näher und sah die Gesichter der Männer, die er getötet hatte. Mein Gott, sie waren gefunden worden. So schnell. Sie sahen aufgedunsen aus, fleckig. Die Verwesung hatte bereits eingesetzt. Er zwang sich, ganz ruhig zu bleiben, ließ nicht zu, dass sein Gesicht irgendetwas verriet.

Er rührte die Fotos nicht an.

Barnard sah Burn an. »Und was ist mit Ihnen, Sir?«

»Hab sie noch nie gesehen.«

Dann stand Burn hinter Susan. Sie zitterte. Er führte sie zu einem Stuhl.

»Hören Sie, um was geht es denn hier überhaupt? Meine Frau ist gesundheitlich etwas angeschlagen, sie verkraftet solche Aufregung momentan nicht gut.«

Barnard schob die Fotos zurück in den Umschlag. »Wussten Sie, dass dieses Auto draußen stand? Der rote BMW?« Burn nickte. »Ich glaube, diese beiden Männer sind damit hierhergekommen. In Ihre Straße.«

»Ich habe Ihnen doch bereits gesagt, dass wir nichts über dieses Auto wissen. Auch nicht von den beiden Männern.«

Barnard hievte seine Wampe von der Theke. »Nun, das freut mich zu hören. Das sind nämlich keine netten Leute.« Er warf Susan einen lüsternen Blick zu – gelbe Zähne wie Knochensplitter in einer offenen Wunde. »Tut mir leid, wenn ich Sie beunruhigt habe, Mrs. Hill.«

Susan sagte nichts, starrte ihn ausdruckslos an.

Ihre Schultern waren hart vor Anspannung. Burns Hände versuchten, seine Frau zu beruhigen. Sie schüttelte sie mit einem Achselzucken ab. Was dem Polizisten nicht entging. Matt kam in die Küche. Er sah den fetten Cop an, schlug einen weiten Bogen um ihn und ging zum Kühlschrank.

»Ist das Ihr Junge?«

Instinktiv schob Burn sich zwischen seinen Sohn und den Bullen. »Gibt es sonst noch etwas, Inspector?«

Barnard schüttelte seinen massigen Kopf. »Ich melde mich, sollte sich noch etwas ergeben.«

Er schleppte sich zur Haustür. Burn folgte ihm, um unten das Tor zu öffnen und sich zu vergewissern, dass er auch tatsächlich ging.

Aus dem Augenwinkel sah er, wie Susan die Küche verließ. Er hörte die Schlafzimmertür zuschlagen.

Um sieben Uhr morgens stand Berenice September vor dem Polizeiposten. Von dem Bullen weit und breit nichts zu sehen. Die Sonne brannte schon auf die Pendler nieder, die auf dem Weg zur Arbeit waren. Kinder in Schuluniformen gingen vorbei und brüllten sich gegenseitig an.

Ihr Sohn Ronnie war nicht nach Hause gekommen. Alle Eltern auf den Cape Flats lebten in Angst vor einem solchen Moment. Jahr für Jahr verschwanden jede Menge Kinder spurlos. Die meisten von ihnen tauchten dann im Veld wieder auf, vergewaltigt, geschändet, ermordet.

Um Viertel nach sieben wurde Berenice noch ungeduldiger. Sie kam bereits zu spät zur Arbeit. Sie würde am Monatsende ihre Rechnungen nicht bezahlen können, wenn sie ihr den Lohn kürzten. Dann sah sie den Bullen, der gemütlich vom Taxistand heraufgeschlendert kam, als wäre er mit seiner Freundin unten an der Waterfront. Berenice winkte ihm zu. Was sein Tempo nicht beschleunigte.

Sie ging ihm entgegen, schob sich durch eine Reihe Pendler, die sich gerade in ein Taxi zwängten. »Erinnern Sie sich an mich? Von gestern?«

Es dauerte einen Moment, bis der Bulle nickte. Er ging weiter, und Berenice passte sich seinem Tempo an, lief neben ihm. »Ich habe meinen Sohn nicht mehr gesehen, seit ich ihn bei Ihnen zurückgelassen habe.«

Der Bulle zuckte die Achseln. Sie hatten inzwischen den Container erreicht, und er kramte in seiner Tasche nach den Schlüsseln. »Ich hab ihn nicht gesehen.«

»Was ist gestern Abend noch passiert, nachdem ich gegangen war?«

Er schloss die Tür des Containers auf und zog sie ganz auf. Die Scharniere kreischten nach Öl. »Nichts ist passiert.«

Der Bulle ging hinein, und Berenice folgte ihm. Sie liefen gegen eine Wand aus Hitze. Berenice schwitzte ohnehin schon vor Sonne und Anspannung. Ihr wurde schummerig, und sie ging schnell wieder hinaus, schnappte nach Luft. Der Bulle sah sie mit ausdruckslosem Desinteresse an.

Sie versuchte es wieder. »Gestern Abend haben Sie doch gesagt, es käme jemand. Ich habe Ronnie, meinen Jungen, hiergelassen, damit er mit denen sprechen kann.«

»Ja. Aber er hat sich verpisst. Der Junge. Bevor sie hier waren. Er hat drauf gewartet, dass Sie weg waren, dann ist er abgehauen.«

Sie starrte ihn an. »Wohin abgehauen?«

»Woher soll ich das wissen? Ist doch Ihr verfluchter Sohn.« Der Bulle schlug das Dienstbuch auf und legte einen Stift daneben.

Berenice schüttelte den Kopf. Sie drehte sich um und ging zurück nach Hause. Sie würde anrufen und sich krankmelden. Sollten sie ihr doch den Lohn kürzen. Sie musste ihren Sohn finden.

»Dieser Bulle weiß was, Jack.« Susan ging im Schlafzimmer auf und ab, sie war rot vor Wut.

»Wie sollte er?« Burn achtete bewusst darauf, ruhig zu bleiben, als Ausgleich zu ihrem Gefühlsausbruch.

»Und was hatte er dann hier zu suchen?«

»Wahrscheinlich war er in jedem Haus in dieser Straße. Eine reine Routinesache.« Tatsächlich hatte Burn den fetten Bullen in sein Auto steigen und wegfahren sehen, was er ihr allerdings nicht sagte.

»Wohin hast du sie gebracht, diese Männer?«

»Auf ein freies Stück Feld. Hinter dem Flughafen. Kilometer von allem entfernt.«

»Anscheinend nicht. Mein Gott, Jack.« Sie unterbrach sich, legte eine Hand auf den Bauch, hielt den Atem an.

Er ging zu ihr. »Hör zu, beruhige dich wieder. Setz dich aufs Bett.«

»Lass mich einfach in Ruhe! Verschwinde!« Die Worte brachten Burn zum Stehen, als hätte er eine Ohrfeige bekommen. So sprach Susan sonst nie.

»Susan …«

»Okay, Jack, die Sache sieht so aus. Ich, wir, Matt und … und sie«, sie deutete auf ihren Bauch, »mussten die Sache ausbaden wegen dem Bullen, den du umgebracht hast. Aber wir werden nicht, ganz sicher nicht draufgehen für das, was du neulich Abend getan hast. Verstehst du mich?«

»Ich verstehe dich. Niemand wird draufgehen.«

Sie schüttelte den Kopf. »Da irrst du dich, Jack. Du wirst draufgehen. Du wirst schnurstracks in die Hölle wandern, aber uns wirst du nicht mitnehmen!«

Wunderschön. Der Fingerabdruck baute sich auf dem Monitor von Barnards Computer auf. Die Amerikanerin hatte einen gottverdammt nahezu perfekten Abdruck des rechten Zeigefingers auf dem Foto von Rikki Fortune hinterlassen.

Bevor Barnard zum Haus der Amerikaner gegangen war, hatte er die Fotos sorgfältig sauber gewischt und anschließend in einen Umschlag geschoben. Er hatte gehofft, Hill dazu bewegen zu können, sie auch anzufassen, aber der hatte darauf geachtet, sie auf der Arbeitsfläche liegen zu lassen. Was Barnard nur noch misstrauischer machte. Die Abdrücke der Frau würden also genügen müssen.

Barnard war von den Amerikanern auf kürzestem Weg ins kriminaltechnische Labor gefahren. Einer der Leute dort schuldete ihm einen Gefallen, er sicherte die Abdrücke und mailte sie ihm.

Barnard saß vor dem Laptop an einem Schreibtisch in seiner Wohnung. Die meisten Leute, die ihn kannten, wären automatisch davon ausgegangen, dass diese Wurstfinger mit einem Computer absolut nichts anfangen konnten, aber seine Hände bewegten sich mit überraschendem Feingefühl. Er hatte seine PC-Kenntnisse ohne den Widerwillen der meisten Cops seines Alters auf dem neuesten Stand gehalten – er war klug genug zu wissen, dass man genauso gut einpacken konnte, wenn man technisch nicht mehr auf dem Laufenden war.

Überhaupt wären die Leute von seiner Einzimmerwohnung überrascht gewesen. Sie war spartanisch eingerichtet, penibel sauber, beinahe klösterlich in ihrer Schlichtheit. Das Bett war gemacht, auf dem Nachttisch lag ordentlich ausgerichtet eine Bibel. Das Geschirr war gespült und weggeräumt. In der Badewanne gab es keine Schmutzränder.

Barnard hatte zwar keine Gewalt über die ranzigen und giftigen Gerüche, die sein Körper absonderte, vielleicht bemerkte er sie gar nicht, aber in seiner Wohnung herrschten Ordnung und Sauberkeit.

Barnard warf einen Blick auf die Uhr. Es war noch früher Morgen in Arlington, Virginia, aber Dexter Torrance müsste seine Gebete beendet haben. Barnard griff nach dem Telefon.

Es kam nicht oft vor, dass Barnard jemanden traf, dem er sich verbunden fühlte. Meistens verspürte er lediglich Abscheu und Verachtung für den Rest der Menschheit, als stünde allein ihre bloße Anwesenheit zwischen ihm und dem Himmelreich.

Dexter Torrance war anders. Äußerlich konnten Barnard und der Deputy US Marshal nicht unterschiedlicher sein. Während Barnard enorm fett war, war Torrance schmal und sah aus, als sei er ewig hungrig. Nicht nach Essen, sondern nach dem Beistand jener Version von Jesus Christus, an die er mit stiller Inbrunst glaubte.

Torrance war vor einigen Jahren nach Kapstadt gekommen, um einen Mann nach West Virginia zu überführen, der wegen Vergewaltigung und Mordes an einer Sonntagsschullehrerin in Charleston gesucht wurde. Der Mann war auf Kaution freigekommen, dann geflohen und hatte sich schließlich in Kapstadt erwischen lassen. Die südafrikanischen Behörden waren zur Auslieferung gern bereit, da es in West Virginia keine Todesstrafe gab, und Dexter Torrance wurde geschickt, um den Flüchtigen nach Hause zu holen.

Rudi Barnard war aus dem einfachen Grund die Aufgabe zugefallen, den Gefangenen zu übergeben, weil seine Vorgesetzten an einer politischen Großveranstaltung teilnahmen.

Torrance und Barnard hatten nur wenig Zeit miteinander verbracht, erkannten jedoch sehr schnell, dass ihre Weltbilder sich sehr ähnelten. Torrance musste nicht viel sagen, lediglich seiner Enttäuschung darüber Ausdruck verleihen, dass der Staat, in dem das Verbrechen begangen worden war, es für angebracht gehalten hatte, die Todesstrafe abzuschaffen, damit Barnard einen Gleichgesinnten erkannte. Barnard hatte die gleiche Einstellung bezüglich der liberalen Verfassung seines eigenen Landes und tat sein Möglichstes, die Situation zu verbessern, indem er so viele Kriminelle hinrichtete, wie es ging.

Torrance schüttelte den Kopf, während sie den Gefangenen in der Arrestzelle beobachteten. Der Deputy US Marshal war der Ansicht, wenn dieser Scheißhaufen in die Staaten zurückkäme, dann würde er für zehn Jahre im Bau landen, anschließend rauskommen und es wieder tun.

Torrance und Barnard fanden ihre Zusammenarbeit so einfach und angenehm wie zwei Tennisspieler, die schon seit Jahren gemeinsam Doppel spielten und daher exakt wussten, wann der andere ans Netz gehen würde. Barnard hielt den Gefangenen fest, während Torrance den Mann mit seinem eigenen Gürtel erdrosselte, den er für die Rückreise gekauft hatte.

Danach hob Barnard den Gefangenen auf, Torrance zog den Gürtel zwischen den Stangen der Zelle durch und legte ihn dann dem Toten um den Hals. Sie ließen ihn dort baumeln, gingen und tranken Tee und unterhielten sich, so als wären sie auf Du und Du mit jenem strafenden Gott, den sie beide so sehr liebten.

Ein Constable, der seine übliche Runde machte, fand den Erhängten.

Der betrunkene Bezirksarzt, verärgert darüber, von den jugendlichen Säften seines neuesten Lustknaben weggeschleift zu werden, vergeudete keine Zeit, erklärte den Tod für Selbstmord und unterschrieb den Totenschein.

Torrance war in Begleitung eines Sarges in die Vereinigten Staaten zurückgeflogen. Es war ihm eine große Freude gewesen, der Familie des Toten den Leichnam zur Bestattung zu übergeben.

Gute Arbeit.

Rudi Barnard, sein Kamerad in der Armee des Herrn, nahm einen besonderen Platz in seiner Wertschätzung ein, und als Rudi ihn an diesem Morgen anrief und darum bat, einen Fingerabdruck mit der Datenbank des FBI abzugleichen, da sagte er, es sei ihm eine Ehre.

Burn fuhr mit dem Jeep nach Sea Point, einem Viertel aus Wohnblocks und Bürogebäuden mit Blick über den Atlantik.

Als Burn gesehen hatte, wie Susan die Fotos anfasste, musste er sich sehr zusammenreißen, um ihr die Aufnahmen nicht aus der Hand zu reißen und die Fingerabdrücke abzuwischen. Verflucht, ihre Paranoia übertrug sich langsam auf ihn. Der Bulle sah aus wie ein Schwachkopf. Er hatte den Befehl erhalten, an ein paar Türen zu klopfen, eine Routineuntersuchung durchzuziehen. Sie waren hier in Kapstadt, allein heute würde noch ein Dutzend weiterer Leute sterben. Wie viel Zeit würde der Bulle also auf zwei Gangster vergeuden?

Aber was, wenn er einen Fingerabdruck genommen hatte? Burn wusste, dass Susan am Anfang ihres Studiums an der UCLA verhaftet worden war, weil sie auf einer Party Hasch geraucht hatte. Sie hatte Burn die Geschichte erzählt, kurz nachdem sie sich kennengelernt hatten, hatte darüber gelacht, auf der Rückbank eines Streifenwagens des Sheriffs nach Santa Monica gefahren worden zu sein. Förmlich verhaftet zu werden. Mit einem gutaussehenden Deputy darüber zu scherzen, aber auch ja ihre Schokoladenseite aufzunehmen, als sie erkennungsdienstlich behandelt und fotografiert wurde. Wie sie mit ihm flirtete, als er ihre Finger auf das Papier drückte.

Burn erinnerte sich an ein Gefühl von Eifersucht – wegen etwas, das zwei Jahre vor dem Augenblick passiert war, als er Susan kennenlernte. Jetzt bekam er das Bild ihrer mit Stempelfarbe geschwärzten Finger nicht mehr aus dem Kopf …

Hinter ihm hupte jemand energisch. Er träumte mit offenen Augen vor einer grünen Ampel. Burn fuhr weiter, versuchte sich zu beruhigen. Selbst wenn Susans Fingerabdrücke genommen worden waren, wo sollten diese Abdrücke denn jetzt sein? Und wie sollte ein Bulle aus Kapstadt an sie herankommen?

Burn war unterwegs zu einem Immobilienmakler. Im Augenblick war es das Wichtigste, aus diesem Haus zu verschwinden. Es erinnerte Susan viel zu sehr an die toten Männer. Außerdem machte es sie zur Zielscheibe eines fetten Bullen.

Er würde mit seiner Familie umziehen, und dann würde er Susan überzeugen, was Neuseeland betraf. Wenn das Baby erst mal da war.

Carmen Fortune erstickte beinahe am Schwanz des Mannes. Sie versuchte, ihren Kopf zurückzuziehen, doch er schlug ihn gegen das Lenkrad. Seine schwieligen Hände vergruben sich in ihren Haaren und schoben sein Ding noch tiefer rein, als wäre sie dieser Schwertschlucker aus dem Fernsehen.

Der Tag hatte beschissen begonnen und wurde immer schlimmer. Das Gefühl von Leichtigkeit und Freiheit, das mit der Nachricht über Rikkis Tod gekommen war, verflog schnell, als sie sich keinen Globe reinziehen konnte. Es war einfach kein Geld mehr da, nachdem die Unterstützung für Sheldon gestrichen worden war.

Bevor sie Rikki kennenlernte, hatte sie als Teenagerin schon mal nebenbei angeschafft. Die meisten ihrer Freundinnen taten das. Es war eine einfache Möglichkeit, sich Designerjeans leisten zu können. Aber das war nun schon Jahre her.

Als sie daher mit dem Taxi zur Voortrekker Road gefahren war, hatte sie nicht gewusst, was sie erwartete. Sie fand eine Straßenecke, stellte sich dort auf und taxierte vorbeifahrende Autofahrer. Es war Zahltag, und sie war nicht hässlich. Irgendwer würde schon anhalten. Sie wusste, dass es riskant war, am helllichten Tag auf den Strich zu gehen. Schon möglich, dass sie auch dem einen oder anderen Bullen einen blasen musste. Aber sie konnte nicht bis Einbruch der Dunkelheit warten. Sie musste nachlegen. Unbedingt. Um dieses beschissene kratzige Gefühl loszuwerden, als lägen ihre Nerven außen auf der Haut.

Ein Auto hielt neben ihr. Netter neuer BMW. Sie trat einen Schritt vor, ein, wie sie meinte, professionelles Lächeln auf dem Gesicht, als sie sich zur Fahrerscheibe hinunterbeugte.

Ihr Lächeln verblasste, als sie den Nigerianer am Steuer sah. Bevor sie einen Schritt zurückmachen konnte, hatte er sie am T-Shirt gepackt und halb in den Wagen gezogen.

»Das hier ist mein Revier, verstehst du? Es gehört mir und meinen Mädchen. Wenn ich dich hier noch mal sehe, bringe ich dich um.« Um das zu unterstreichen, öffnete er sein Leinenjackett und zeigte ihr die fette, große Kanone in einem Schulterhalfter.

Sie nickte, und er fuhr an, gab direkt Gas, wäre ihr beinahe über die Füße gefahren, scheiß Nigerianer.

Sie ging und trieb sich eine Weile in der Mall herum. Aber sie drehte langsam durch, fing an, sich zu kratzen, bis sie blutete. Also ging sie zurück auf die Straße, ein paar Blocks entfernt von der Stelle, wo der Nigerianer sie zur Rede gestellt hatte, und schaute sich nervös nach seinem BMW um.

Sie brauchte nur wenige Minuten zu warten, bis ein verbeulter Pick-up neben ihr hielt. Am Steuer saß ein Farbiger, ziemlich dunkelhäutig. Auf den Flats, wo die Unterschiede in der Hautfarbe sehr genau registriert wurden, wo die Geburt eines hellhäutigen Kindes Grund zum Feiern war und Frauen alle möglichen Tinkturen auf ihre Haut auftrugen, um sie aufzuhellen, war dunkle Haut alles andere als ein Grund, stolz zu sein.

Dennoch ging sie zur Fahrertür. Er trug einen schmutzigen Overall und roch nach Schweiß.

»Was kostet einmal blasen?«, fragte er. Ihm fehlten einige Zähne.

»Hundert.« Sie verdoppelte, was sie eigentlich verlangen wollte.

»Fünfundzwanzig.«

»Fünfzig.«

Er grinste. »Scheiße, ey, für die Kohle saugst du aber besser wie ein Staubsauger.« Er streckte den Arm aus und öffnete die Beifahrertür.

Sie fuhren eine Seitenstraße hinunter, und er parkte neben einem unbebauten Grundstück. Er zog den Reißverschluss seines Overalls auf und präsentierte seinen ganzen Stolz. Das Ding war gewaltig und duftete nicht nach Rosen.

Carmen nahm ein Kondom aus ihrer Jeans und riss die Verpackung mit den Zähnen auf. Der Mann schüttelte den Kopf. »Für 'n Fünfziger kannste das scheiß Gummi knicken.«

»Hör zu, Mann, wenn du denkst, dass ich dein versifftes Ding ohne ein Gummi in meinen Mund stecke, bist du scheiß verrückt. So oder gar nicht.«

Er zuckte mit den Achseln, und sie zog ihm das Kondom über. Ehe sie sich versah, hatte er sie an den Haaren gepackt und ließ sie das verdammte Ding schlucken.

Carmen würgte, konnte aber hören, dass er total erregt wurde. Jetzt war der richtige Augenblick. Sie schlug seine Hände weg und hob nach Luft schnappend den Kopf.

»Warum hörst du auf?«

»Entspann dich, nicht so schnell. Lass dir Zeit.«

Sie zog seinen Overall runter, so dass er ihm um die Knie hing, dann zog sie das Küchenmesser aus ihrer Jeans. Mit einer Hand packte sie seinen Schwanz, und mit der anderen drückte sie das Messer an die Schwanzwurzel.

»Mein Gott, Scheiße, was machst du da?« Er starrte sie an. Das Ding in ihrer Hand begann bereits schlaff zu werden wie eine Gummischlange.

»Hol deine Brieftasche raus und leg sie mir auf den Schoß.«

»Leck mich!«

Sie verstärkte den Griff um den weich werdenden Schwanz und bohrte ihm die Spitze des Messers in die Haut. Er schrie auf.

»Verfickte Scheiße, ich schneid dir dein Ding ab!« Sie drückte die Klinge so tief hinein, dass ein Blutstropfen austrat.

»Okay, okay.« Er griff in seine Tasche und kramte die Brieftasche heraus.

»Leg sie mir auf den Schoß.«

Er machte, was sie sagte.

Sie hielt die Klinge an seinen Schwanz gedrückt, löste die andere Hand und öffnete die Autotür hinter sich. Dann schnappte sie sich die Brieftasche und schob sich rückwärts hinaus. Er versuchte, sich auf sie zu stürzen, wurde aber von dem Overall um seine Knie zurückgehalten.

»Du scheiß Schlampe, ich bring dich um!«

Carmen lief aus der Seitenstraße und kam gerade rechtzeitig zurück auf die Voortrekker, um in ein Minibus-Taxi zu springen, das genau in diesem Moment losfuhr.

Das Taxi war nicht voll, und sie setzte sich nach hinten, allein, kam wieder zu Atem. Sie öffnete die Brieftasche. Sah das Foto einer lächelnden Frau und eines Kleinkinds. Mistkerl. Sie zog das Geld heraus und warf die Brieftasche aus dem Fenster. Dreihundert.

Lange würde das nicht halten.

Berenice September kämpfte gegen die Panik an, als sie Ronnies Freund Cassiem über das Veld folgte. Die Nachmittagssonne brannte auf sie herab, und der Schweiß lief ihr aus den Haaren, über das Gesicht, sammelte sich zwischen ihren Brüsten.

Der Junge warf einen Blick über die Schulter und blieb stehen, als er ihr gerötetes Gesicht und das Blut auf ihren Beinen sah, wo die Dornen ihre Haut aufgerissen hatten.

»Geht's?«

Sie konnte es sich nicht leisten, stehen zu bleiben, denn sie wusste, wenn sie das tat, würde sie allen Mut verlieren und umkehren.

»Geh, Cassiem. Bring mich hin.«

Cassiem stapfte weiter über das Veld, die keuchende Frau hinter ihm.

Berenice hatte den Tag mit der Suche nach Ronnie verbracht. Sie war zu seiner Schule gegangen. Dort war er nicht. Sie nahm ein Taxi zu der Spielhalle in Belville, hoffte zum ersten Mal in ihrem Leben, dass sie ihn beim Schuleschwänzen erwischen würde. Keine Spur von Ronnie.

Nach der Schule ging sie zu Cassiems Haus, zwei Straßen von ihrem entfernt. Cassiem sagte, er habe Ronnie seit gestern nicht mehr gesehen. Zuerst bestritt der Junge, überhaupt etwas von den Leichen zu wissen.

Erst nachdem Berenice damit gedroht hatte, ihm Ärger bei seinen Eltern zu machen, gab der Junge nach und erzählte ihr die Wahrheit. Er war mit Ronnie zusammen gewesen, als sein Freund sich die Nikes geholt hatte.

»Ich möchte, dass du mich jetzt dorthin führst«, sagte sie zu Cassiem.

»Warum, Tantchen? Es ist schrecklich.«

»Weil Ronnie vielleicht noch mal dorthin gegangen ist.«

»Aber warum denn, Tantchen?«

Auf diese Frage hatte sie auch keine Antwort. Sie wusste nur, dass sie zu den Leichen musste.

Cassiem ging durch dichtes Gebüsch auf eine kleine Lichtung. Er deutete auf einen Dornenstrauch auf der anderen Seite.

»Es ist da drüben.«

»Geh weiter«, befahl sie.

Der Junge zögerte. Berenice gab ihm einen Schubs, und er ging langsam weiter.

Berenice roch den unverwechselbaren Gestank von verbranntem Fleisch. Dann sah sie einen Hügel aus etwas Schwarzem, Verbranntem, Unförmigem.

Ronnie blieb stehen. Berenice nahm ihren letzten Mut zusammen und trat vor. Bitte, lieber Gott, flehte sie leise.

Sie näherte sich den Leichen. Sie brauchte einen Moment, um schlau aus dem zu werden, was sie da sah. Zwei Männer, sie nahm an, es waren Männer, lagen nebeneinander, schwarz verkohlt. Dann machte sie eine kleinere Gestalt aus, die irgendwie quer über den beiden anderen lag.

Gesichtszüge waren nicht zu erkennen. Geschwärztes Fleisch, von einem Schädel weggebrannt. Stofffetzen in die Haut eingebrannt. Dann sah sie etwas, das sie nach Luft schnappen ließ.

Berenice unterdrückte ein schmerzerfülltes Wimmern und sank im Schmutz auf die Knie, um näher an die Leichen heranzukommen, um zu sehen – bitte, lieber Gott –, dass es nicht das war, was sie bereits wusste. Am Arm des kleinsten Körpers befand sich eine Uhr. Eine lächerlich große Uhr, viel zu groß für dieses dünne Handgelenk. Das Glas war zersplittert, das Zifferblatt geschwärzt und verbogen, doch es war noch genug übrig geblieben, dass sie Batman erkannte.

Berenice hob das Gesicht zur sengenden Sonne, ließ den Klageschrei aus ihrer Brust und schrie um Gottes Erbarmen.

KAPITEL 12

Sonderermittler Disaster Zondi saß im Vernehmungszimmer des Polizeihauptquartiers von Bellwood South und wartete auf Rudi Barnard, der bereits zwanzig Minuten zu spät war. Zondi zeigte keine Spur von Ungeduld oder Verärgerung. Er verbrachte die Zeit damit, nochmals die Akte über Barnard zu studieren. Sie war so fett wie der Bulle, dessen Foto draufgeheftet war.

Disaster Zondi weigerte sich kategorisch, seinen Namen ändern zu lassen, trotz des Gespötts, das er provozierte. Er trug den Namen, der ihm von seinen Zulu-Eltern, die weder lesen noch schreiben konnten, gegeben worden war, voller Stolz. Jedes Mal, wenn er verhöhnt worden war, hatte es ihn nur stärker gemacht. Es erinnerte ihn daran, dass er sich mühsam aus einem Leben der ländlichen Armut und Entbehrungen hochgearbeitet hatte. Er hatte ein Stipendium bekommen und einen Abschluss in Kriminologie gemacht und unterstand jetzt nur noch dem Minister für Innere Sicherheit. Nur sehr wenige Menschen lachten ihm noch ins Gesicht, seit ihn die Aura der Macht umgab.

Rudi Barnard und Disaster Zondi waren vollkommene Gegensätze. Barnard war fettleibig, Zondi athletisch. Barnard glaubte an die Macht Gottes, Zondi glaubte an die Macht der Gerechtigkeit. Barnard war ein Fresssack, ein Junkfood-Junkie, Zondi war diszipliniert und anspruchsvoll in Bezug auf das, was er aß. Barnard interessierte sich kaum für Sex. Zondi hatte aufwühlende Leidenschaften, die ihn immer wieder aus dem Gleichgewicht zu werfen drohten, aber er unterdrückte und kontrollierte sie durch schiere Willenskraft.

Religiös war Zondi bestenfalls insofern, als er sich als Inquisitor sah, der über die Schlachtfelder der Korruption ritt. Zondi war nicht käuflich. Definitiv. Er hatte schon mit Männern zu tun gehabt, die in ganz anderen Ligen spielten als Barnard. Politiker und Manager. Ihm waren Millionen angeboten worden, die er ohne Zögern abgelehnt hatte. Ihm waren Macht und Positionen angeboten worden. Nichts davon reizte ihn.

Ihm waren Frauen angeboten worden: Ehefrauen, Töchter, Geliebte, die Körper von Verbrecherinnen selbst. Diesen Angeboten zu widerstehen war schon schwieriger gewesen. Er war gezwungen gewesen, sich seine Entschlossenheit in Erinnerung zu rufen. Aber er hatte nicht nachgegeben. Er war standhaft geblieben.

Disaster Zondi war überzeugt, dass die Polizei das Bollwerk darstellte, den schmalen Grat zwischen Gesellschaft und Anarchie. Seine Lebensaufgabe bestand darin, die miesen Cops auszumerzen, die sich auf Kosten des südafrikanischen Fortschritts bereicherten.

Zondi war sich sehr wohl bewusst, dass Rudi Barnard ein Dinosaurier war, dem es irgendwie gelungen war, das Ende der Apartheid zu überdauern. Er hatte sich in Kapstadt ein Leben aufgebaut, mordete und erpresste draußen auf den gesetzlosen Cape Flats. Es war schon sehr ungewöhnlich, dass er so lange ungeschoren davongekommen war. Aber jetzt war Schluss damit. Sonderermittler Zondi war hier, um der Herrschaft von Rudi Barnard ein Ende zu machen.

Die Tür ging auf, und der ungeheuer fette Bulle kam keuchend herein. Zondi sah die kleinen Augen, wie Brandlöcher auf einem Ledersofa, die Zondis dunkle Züge, das weiße Hemd und den Anzug von Roberto Cavalli musterten.

Barnard erkannte ihn nicht. Warum auch? Das letzte Mal hatte Zondi Barnard vor fast zwanzig Jahren gesehen durch einen Schleier aus Schmerz und Blut. Er war damals nur ein namenloses schwarzes Kind gewesen.

Zondi erhob sich und streckte eine perfekt manikürte Hand aus. »Disaster Zondi«, sagte er.

Zwei junge Mädchen stiegen in Mowbray in das Minibus-Taxi, behindert durch hautenge Jeans, stolperten an Benny Mongrel vorbei und setzten sich auf die Sitzbank direkt hinter ihm. Sie bekamen große Augen beim Anblick des Alptraums, der sein Gesicht war. Als das Taxi losklapperte, tuschelten sie über ihn, überzeugt, dass er sie angesichts des Lärms nicht hören konnte.

Aber er konnte es.

»Hast du sein Gesicht gesehen?«

»Ja. Ist ja ekelhaft!«

»Stell dir vor, mit so was im Bett aufzuwachen.«

»Ich würde schreien. Echt.«

»Meinst du, er hat eine Frau?«

»Falls ja, dann muss sie blind sein!«

Sie kicherten in ihre Hände mit falschen Nägeln wie Krallen.

Benny Mongrel wollte sich umdrehen und ihnen sagen, dass er keine Schlampe mit einem gehässigen Maul als Frau brauchte. Wollte ihnen eine scheiß Angst einjagen. Aber er machte gar nichts, blendete sie einfach aus.

Außerdem hatte er die Nase voll von Ehefrauen. Im Pollsmoor Prison hatte ein hochrangiger 28er die freie Auswahl. Benny Mongrel hatte sich unter den Neuankömmlingen umgesehen, und wenn er einen jungen Körper sah, der noch keine Gang-Tattoos trug, hatte er mit einem Finger auf ihn gezeigt.

Die Männer waren ihm immer gefolgt.

Benny Mongrel brachte sie im Bett neben sich unter. Er schützte sie und verlangte als Gegenleistung, dass sie ihm die Mahlzeiten kochten, die Wäsche wuschen und bügelten und die Fußnägel schnitten. Und nachts lag Benny in der überfüllten Zelle auf ihnen und fickte sie.

Die Pflichten einer Ehefrau.

Schon bei der leisesten Andeutung, dass Benny Mongrel homosexuell sei, hätte er einen umgebracht. Es gab schwule Männer im Knast, unmögliche Tunten, die kurze T-Shirts als Kleider trugen, sich die Haare wachsen ließen und auf Lockenwickler legten, die sich Lippenstift und Rouge einschmuggeln ließen. Diese Männer, die *Moffies*, wurden toleriert. Sie waren amüsant, sie waren Teil der Gefängniskultur. Aber Benny Mongrel ging niemals auch nur in ihre Nähe.

Benny Mongrel behielt eine Ehefrau nie länger als ein paar Wochen. Vertrautheit stand nie zur Debatte. Es war kalt, brutal und zweckmäßig.

In den letzten paar Jahren im Knast hatte Benny Mongrel sich keine Frauen mehr genommen. Er hatte das Interesse verloren. Er hatte keinerlei Verlangen, zu berühren oder berührt zu werden. Er hatte allein auf seinem Bett gelegen und hatte die animalischen Laute von Vergewaltigung und Lust ringsum ausgeblendet.

Es hatte ihm nichts mehr bedeutet.

Nachdem er jetzt wieder draußen war, war es so ziemlich das Letzte, was ihn beschäftigte, sich eine Frau zu nehmen. Weder gewaltsam noch sonst. Er sah, wie sie ihn ansahen, so wie die kleinen Schlampen, die hinter ihm im Taxi saßen. Als wäre er ein

Monster. Er könnte ihnen das Messer unter die Nase halten, sie an den Haaren ins Gebüsch schleifen und dann nehmen. Das hatte er früher schon gemacht. Aber er hatte keinen Appetit mehr darauf.

Er hatte sich damit abgefunden, als Mann allein zu sein.

Bis er Bessie begegnete.

Zu seiner Überraschung hatte er mit dem alten Hund seine Ruhe gefunden, eine Art Frieden. Bessie war zuverlässig. Sie freute sich, ihn abends zu sehen. Sie schlief neben ihm, fraß das Futter, das er ihr gab, und verlangte nichts weiter. Es war seltsam, aber wenn er mit ihr zusammen war, nahm er sich selbst ganz anders wahr. Zum ersten Mal in seinem Leben konnte er einfach nur er selbst sein.

Nur noch zwei Tage, dann konnte er das neue Leben beginnen, das er wollte, seit er aus dem Gefängnis war.

Das Taxi kam in Salt River mit einem Ruck zum Halten, und Benny Mongrel stieg aus. Es war nur ein kurzer Fußweg zu Sniper Security und dem Beginn seiner Schicht.

Der heiße Wind tobte so heftig, dass die Nerven aufschrien wie angespannte Banjosaiten. Und die Brände waren ausgebrochen. Eine achtlos fortgeschnippte Kippe, ein Funke, eine Glasscherbe, die das Sonnenlicht auf trockenes Gebüsch bündelte, eines davon genügte, um den Berg in Brand zu setzen.

Burn stand neben dem Pool und schaute zu, wie ein Hubschrauber über dem Meer schwebte und mit einem unter dem Rumpf montierten Behälter Wasser aufnahm. Der Hubschrauber stieg wieder auf, kämpfte mit dem Gewicht des Wassers und der Wucht des Windes und flog fast genau über ihn hinweg. Er schaute zu, wie der Hubschrauber über dem Feuer, das sich den Lion's Head hinunterfraß, in Querlage ging und die Ladung

Wasser abwarf. Von ihrer Wasserlast befreit, flog die Maschine zurück zum Meer.

Dunkler, orangefarbener Rauch befleckte die untergehende Sonne, nahm die Sicht auf die oberen Etagen der Gebäude in Sea Point.

Burn kam sich vor wie in der Falle.

Das Haus am Berg wirkte auf Rudi Barnard wie ein Magnet. Er konnte sich nicht vernünftig erklären, warum er in der Nähe des Hauses des Amerikaners parkte, aber er stellte den Impuls nicht in Frage. Mit seinen Ahnungen lag er normalerweise richtig.

Barnard saß in seinem Wagen und beobachtete den Hubschrauber, der lärmend über ihn hinwegflog, so niedrig, dass Tropfen aus dem Behälter auf seine Windschutzscheibe fielen. Er rauchte den letzten Zug einer Zigarette und warf die noch glühende Kippe hinaus auf die Straße. Scheiß drauf, es ging ihm völlig am Arsch vorbei, wenn die ganze verschissene Gegend bis auf die Grundmauern abbrannte.

Seine Hämorrhoiden brachten ihn noch um, aber seine Gedanken waren ausschließlich bei diesem Affen im Anzug. Disaster Zondi. Was für ein scheiß Name.

Das Gespräch mit Zondi war genau so verlaufen, wie er es geahnt hatte. Der schwarze Mann hatte dort gesessen und Barnard angesehen, als wäre er Scheiße unter seinen teuren Schuhsohlen, hatte immer wieder mit seinen Fingern auf der dicken Akte herumgeklopft, die vor ihm lag. Die Akte, die Barnards Namen trug.

Zondi hatte Barnard nichts Konkretes vorgeworfen, hatte lediglich gesagt, dass gegen ihn ermittelt werde. Hatte das Gespräch ein Vorbereitungstreffen genannt. Hatte gesagt, sie würden noch mehrere persönliche Unterredungen führen. Hatte sich tatsächlich so ausgedrückt, *persönliche Unterredungen*. Seine Stimme, die etwas schleppend Amerikanisches hatte, war Barnard unglaublich auf die Nerven gegangen, hatte gewirkt wie ein Nagel, der über eine Tafel schrammt.

Er kannte Männer wie Zondi. Scheiße, er hatte einen großen Teil seines Lebens damit verbracht, sie zu jagen, zu foltern und zu töten. Manche hatten geschrien wie Frauen, hatten um ihr Leben gebettelt, andere hatten ihn fixiert, bis der Tod ihre Augen glasig werden ließ.

Zondi hatte diesen Ausdruck. Als wollte er Rudi Barnard fertigmachen und nichts auf der Welt würde ihn daran hindern. Am allerwenigsten Barnards sogenannter Vorgesetzter.

Superintendent Peterson war die Personifizierung all dessen, was Rudi Barnard hasste. Ein Farbiger, der seinen Nutzen aus den Antidiskriminierungsgesetzen gezogen hatte, um sich wie bei einem Stabhochsprung über die Karrieren erheblich qualifizierterer weißer Polizisten hinwegzukatapultieren. Ein kleiner Politiker, der die Uniform eines Polizisten trug, aber nicht in der Lage gewesen wäre, den Verkehr zu regeln. Ein PR-Mann, dessen Zunge an den Arschlöchern seiner Bosse festgewachsen war.

Nach der Konfrontation mit Zondi war Barnard direkt zu Peterson gegangen. Barnard wusste, dass sein Vorgesetzter panische Angst vor ihm hatte. Barnard machte, was er wollte, er behielt seine Dienstmarke allein durch Gerissenheit und Manipulation. Wer bestechlich war, der wurde von ihm bestochen. Wer seine Bestechungsgelder ablehnte, der wurde eingeschüchtert. Über die Jahre hatte Barnard eine umfangreiche Datenbank mit Informationen über seine Kollegen und Vorgesetzten angelegt. Er wusste, wer krumm war, er wusste, wessen Erfolgsquote gefälscht war, er wusste, wer nie wegen Fahrens unter Alkoholeinfluss eingelocht worden war, er wusste, wer von Nutten Gefälligkeiten annahm, er wusste, wer die Frauen von Kollegen vögelte.

Als Barnard vor Peterson saß, war er sich der Angst des Mischlings nur zu bewusst. Der Mann hatte sich literweise Aftershave ins Gesicht gespritzt, stank aber trotzdem. So wenig Barnard sich seines eigenen Gestanks bewusst war oder sich dafür interessierte, so extrem deutlich registrierte er die Gerüche anderer.

Peterson, ein glücklich verheirateter, regelmäßig in die Kirche gehender Ausbund an Tugend des neuen Südafrikas, hatte sich vor einigen Jahren mit einer erheblich jüngeren Frau eingelassen. Ihr Mann war ein Schrotthändler, der nebenbei mit gestohlenen Autos handelte. Barnard wusste mit Bestimmtheit, dass Peterson gestohlene Autoteile auf den Schrottplatz gebracht und seinen Einfluss geltend gemacht hatte, damit der Mann für einige Jahre hinter Gittern verschwand. Der glücklose Dreckskerl war im Gefängnis gestorben, als Opfer einer Bandenfehde.

Peterson wusste, dass Barnard es wusste. So einfach war das.

Also tat Barnard so ziemlich, was er wollte, machte sich nur selten die Mühe, ins Präsidium zu kommen. Aber heute war er zu einem bestimmten Zweck hier. Er beugte sich dicht zu Peterson vor.

»Ich will diesen Neger vom Arsch haben.«

Peterson schüttelte den Kopf. »Da habe ich leider nichts mitzureden, Inspector. Ist nicht meine Zuständigkeit.«

»Sie verstehen nicht richtig, Peterson. Sorgen Sie dafür, dass dieser Wichser verschwindet.«

Peterson spielte an einem teuren Federhalter herum. »Sie müssen mir glauben, dass wir hier alle völlig aus dieser Sache rausgehalten werden. Die Untersuchung untersteht unmittelbar dem Ministerium.«

»Dann wollen Sie mir damit also sagen, dass es völlig in Ordnung ist, wenn er mich an den Eiern aufhängt?«

Peterson zuckte die Achseln. »Tut mir leid. Mir sind die Hände gebunden.«

Barnard nickte. Er versuchte sogar, sich ein Lächeln abzuringen – ein Anblick, bei dem man Angst kriegen konnte. »Wie geht's Ihrer Freundin?«

Der Geruch von Angst strömte über den Schreibtisch. »Rudi, bitte. Das alles habe ich längst hinter mir gelassen. Sie müssen verstehen, dass ich in dieser Angelegenheit nicht Ihr Feind bin. Es gibt wirklich absolut nichts, was ich tun könnte, um etwas an der Sache mit diesem Mann aus Jo'burg zu ändern. Ich bin machtlos.«

Barnard war aufgestanden und ragte nun über Peterson auf wie eine Wand aus kaltem Fett. »Vergessen Sie eines nicht: Wenn ich draufgehe, nehme ich Leute mit.«

Barnard, die Augen auf das Haus des Amerikaners gerichtet, steckte sich eine weitere Zigarette an. In der zunehmenden Dunkelheit brannten Lichter.

Barnard würde in diese Sache mit Zondi Geld investieren müssen. Eine Menge Geld. Und wenn er sich nicht mit Geld aus dieser Situation manövrieren konnte, würde er das tun müssen, was er am besten tat. Zondi war nicht irgendeine Crack-Hure auf den Flats, er war ein Schwarzer mit einer schicken Dienstmarke, aber das machte ihn nicht kugelsicher.

Er würde sterben wie all die anderen.

Barnard merkte, dass er bei diesem Gedanken breit grinste. Das Grinsen verging ihm, als er Scheinwerfer in seinem Rückspiegel aufleuchten sah. Ein Auto näherte sich langsam, das Fahrzeug eines bewaffneten Sicherheitsdienstes.

Barnard konnte diese Mietbullen nicht ausstehen, die von der Paranoia der Reichen lebten. Sie sahen auf die echten Bullen herab, waren selbstgefällig, wenn sie in diesen privilegierten

Vierteln Streife fuhren. Normalerweise hätte es ihm großen Spaß gemacht, mit dem Cowboy hinter dem Steuer dieses Wagens unter vier Augen zu reden, einfach nur so, wobei er wusste, dass seine Dienstmarke den Ausweis eines Mietbullen immer übertrumpfte.

Aber nicht heute Abend.

Er wollte nicht in der Nähe dieses Hauses gesehen werden. Barnard ließ den Motor an und fuhr los, bevor der Mietbulle auf gleicher Höhe war.

Burn ging ins Haus und sah, dass Susan auf dem Sofa lag, schlief oder zumindest so tat. Matt hockte vor dem Fernseher. Normalerweise hätte Burn die Kiste ausgemacht, hätte sich dem Wunsch des Kindes widersetzt, sich in diesen betäubenden Banalitäten zu verlieren.

Doch im Moment war es fast schon eine Erleichterung zu sehen, dass Matt beschäftigt und abgelenkt genug war, um von den Problemen seiner Eltern nichts mitzukriegen.

Als Burn nach Hause gekommen war, hatte Susan neben dem Pool gesessen und ein Modemagazin gelesen, hatte die Füße im Wasser baumeln lassen, um die Hitze besser auszuhalten. Matt hatte Schwimmflossen getragen und im Pool geplanscht. Mrs. Dollie war da gewesen und hatte den Staubsauger geschwungen wie eine Waffe. Das schrille Heulen machte sie taub allem gegenüber, was Burn sagte.

Burn erzählte Susan, dass er eine Wohnung gefunden hatte. Direkt am Meer oberhalb von Clifton Beach und, wichtiger noch, sie war unbewohnt. Die Makler baten sich einen Tag aus, um eine Reinigungsfirma durchzuschicken, dann konnten sie einziehen.

Susan hatte ihn groß angestarrt, die Achseln gezuckt und sich dann weiter in ihre Illustrierte vertieft.

Der Hubschrauber flog wieder über das Haus, Susan öffnete die Augen und sah, dass Burn sie anstarrte. Sie schloss die Augen.

»Susan?« Er musste gegen den Lärm des Hubschraubers anschreien.

»Ja?« Sie hielt die Augen geschlossen. Eine Zeichentrickfigur wurde von einem Felsbrocken platt gedrückt, und Matt lachte.

»Ich gehe aus.«

Ihre Augen flogen auf. »Klar.«

»Komm doch mit, wenn du magst. Ich muss hier einfach nur mal eine Weile raus.«

Sie schüttelte den Kopf. »Nein. Wir werden hierbleiben.«

»Alles okay?«

»Wir kommen schon klar, Jack.« Sie versuchte nicht einmal, ihre Gereiztheit zu verbergen.

»Wenn du möchtest, dass ich bleibe, dann bleibe ich.«

»Nein. Geh. Es ist besser so.« Wieder schloss sie die Augen.

»Achte darauf, dass die Türen abgeschlossen sind. Okay?«

Sie antwortete nicht.

Er schnappte sich die Autoschlüssel und ging zur Garage.

Als er den Jeep rückwärts auf die Straße setzte, sah er, dass der Brand deutlich weiter den Berg hinabgewandert war. Inzwischen kämpften zwei Hubschrauber gegen die Flammen.

Disaster Zondi saß in einem Café am Meer, nicht weit entfernt von der Waterfront, und trank einen jämmerlichen Cappuccino. Zu viel Schaum, zu wenig Pep.

Er löffelte etwas von dem Schaum auf die Untertasse, aber als er die Tasse an seine Lippen hob, drohte etwas davon auf sein Seidenhemd zu tropfen. Er stellte die Tasse auf die Untertasse zurück und schob beides von sich.

Es war inzwischen dunkel, und er war der letzte Gast des Cafés.

Das Personal kreiste wie Geier, brannte darauf, ihn endlich loszuwerden.

Nach dem Gespräch mit Barnard hatte Zondi das Bedürfnis unterdrückt, ins Hotel zurückzueilen und zu duschen. Der Gestank dieses Mannes hatte ihm fast den Atem geraubt, denn es war mehr als nur Körpergeruch. Etwas, das erheblich giftiger war, übelriechender. Schweflig. Irgendwo aus den Tiefen seiner Erinnerung, der Zeit in einer anglikanischen Missionsschule, kam ihm der Gedanke, dass der Teufel einen ekelhaft widerlichen Gestank hatte, wie Schwefel. Natürlich glaubte Zondi nicht mehr an den Teufel. Oder an Gott.

Trotzdem.

Er hatte nicht damit gerechnet, dass ihn diese Begegnung so beunruhigen würde. Er hatte es bewusst kurz gehalten, hatte dem fetten Mann einfach nur einen Schuss vor den Bug gesetzt. Sollte er doch wissen, dass Zondi ihm auf der Spur war. Aber die Nähe zu Barnard hatte Zondis distanzierte Kühle beinahe weggetaut, diese Eisschicht, die er zwischen sich und der Welt hielt. Er sollte das nicht zu persönlich nehmen, sagte er sich. Er musste sich beruhigen. Sich distanzieren. Das Wesentliche im Auge behalten.

Zondi war aus dem Polizeipräsidium Bellwood South geflüchtet und mit seinem BMW-Mietwagen zurück Richtung Stadt gefahren, als die Sonne über dem Meer unterging, die letzten Strahlen den Tafelberg golden anmalten. Kapstadt zog seine große Show ab. Selbst die Rauchwolken am Lion's Head konnten diese Pracht nicht mindern.

Kapstadt beleidigte Zondi. Seine lässige Langsamkeit und die Hingabe an Sonne und Weinverkostungen, die Vergötterung der natürlichen Schönheit der Stadt erschienen ihm so dekadent wie töricht. Wie eine Frau, die von nichts anderem besessen ist als ihrem eigenen Aussehen. Es sah hier nicht einmal aus wie Afrika. Es war vielmehr wie ein Stück Europa, übertragen auf eine bergige Halbinsel, die sich dem Südpol entgegenstreckte, als zeige sie ihm den Stinkefinger. Selbst das Klima war mediterran.

Und es war die einzige größere Stadt südlich der Sahara, in der ein schwarzer Mann einer Minderheit angehörte.

Zondi hatte keinerlei Verlangen, in sein Hotel zurückzukehren, also war er einen Kaffee trinken gegangen. Diesen ungenießbaren Cappuccino.

Die farbige Kellnerin schnappte die Tasse unter seiner Nase weg. Auf dem Weg zur Küche blieb sie stehen, um mit einer anderen braunhäutigen Frau zu plaudern, die einen Tisch abwischte und Salz- und Pfefferstreuer ordentlich hinstellte.

Sie unterhielten sich leise in der hiesigen Mundart, aber Zondi konnte sie hören. Und verstehen.

»Sieht der nicht, dass wir gehen wollen?«

»Typisches Benehmen für einen Schwarzen. Tut mir leid, aber so ist es.«

»Die führen sich auf, als würde ihnen alles gehören.«

»Aber das ist ja auch so. Jetzt.«

»Ich weiß. Das macht mich ganz krank.«

»Ich meine, hast du das heute Morgen im Radio gehört? Die sagen jetzt ja sogar, dass selbst Gott ein Schwarzer ist.«

»Nein!«

»Wenn ich's sage!«

»Tut mir leid. Ich komme schon damit klar, dass Gott weiß ist. Aber nicht schwarz. Dann kann ich immer noch für einen weißen Chef arbeiten!«

Sie lachten und gingen in den hinteren Teil des Lokals.

Zondi erlaubte sich ein angespanntes Lächeln. Sein Mobiltelefon meldete sich zwitschernd. Hauptquartier Bellwood South.

Carmen Fortune legte ihre Lippen an den Globe und saugte gierig. Das Glas verbrannte ihr den Mund, aber sie spürte den Schmerz gar nicht, war viel zu versessen darauf, den Rauch in die Lunge zu bekommen, sie wollte verzweifelt den Rush.

Herr im Himmel, ihr Kopf fühlte sich an, als würde er in eine Million Knochensplitter und Hirnmasse auseinanderfliegen. Sie sah, wie ihr die dreckige, tätowierte Hand den Globe abnahm, bevor sie auf die stinkende Matratze zurücksank und die Augen schloss. Der Rush ging vorbei, und ihr blieb das Glühen, die Euphorie, das Gefühl, dass ihr die ganze verschissene Welt gehörte.

Sie schlug die Augen auf und lächelte. Conway Paulsen saß da, beobachtete sie, während eine pilzförmige Wolke von Tik-Rauch aus seinem Mund strömte. Er erwiderte das Lächeln und zeigte dabei durch jahrelange Vernachlässigung geschwärzte Zähne.

Carmen setzte sich ein wenig benommen auf. Sie befand sich in Conways *Zozo*, einer Holzhütte im Garten seines Elternhauses. Conway, noch keine zwanzig, war eine von Rikkis Connections, ein Möchtegern-American, der als Laufbursche benutzt wurde, dem man aber nie die volle Aufnahme zuteilwerden ließ, von der er träumte. Er war einfältig, Zielscheibe endloser gemeiner und boshafter Witze.

»Dann wirst du also mit Rikki reden, ja? Über mich? Dass ich für ihn dealen will?«

»Ja. Sobald er von der West Coast zurück ist.«

»Was macht er da oben eigentlich? Irgendeinen Deal mit den Chinoken?«

»Scheiße. Keinen Schimmer. Vielleicht.«

»Oder geht's um Tik? Beliefert er also so Städte bis rauf nach Namibia?«

Sie zuckte die Achseln. »Du kennst Rikki.«

Conway lachte. »Ja, er is 'ne große Nummer.«

»Ja, er is allerdings 'ne scheiß große Nummer.«

Carmen stützte sich an der Wand ab und stand auf. Sie bedankte sich bei Conway und ging hinaus in die Nacht.

Carmen ging die Tulip Street hinunter, vorbei an den Reihen absolut identischer Häuser, wich Schlaglöchern aus, wollte zu ihrem Ghettoblock. Die Hitze war drückend, und sie fühlte sich, als würde sie unter einer Decke abgestandener Luft erstickt. Fetzen des Lebens auf den Cape Flats wehten zu ihr herüber, während sie ging: Rufe, Flüche, das leise Schluchzen einer Frau, das Lachen eines Betrunkenen.

Ein frisierter Honda Civic, laut getunt, kam die Straße auf sie zu gerast, zwang sie, Platz zu machen. Sie sah die vier Jungs darin, die ganz tief saßen, deren Blicke sie abtasteten, als sie vorbeifuhren, dann hörte sie Gangsta-Rap, der auch noch zu hören war, als sie längst vorbei waren.

Kleine Pisser.

Carmen ging schneller. Sie kam an drei Hausfrauen vorbei, die an einer Straßenecke unter einer Laterne schwatzten. Zwei von ihnen trugen Lockenwickler, alle drei saugten an Zigaretten, als wären es Sauerstoffgeräte. Ihre Blicke blieben an ihr kleben.

Carmen tat, als ignoriere sie sie, ihr Getuschel hallte hinter ihr nach wie Stöckchen, die klappernd über einen Holzzaun gezogen werden. Bevor sie außer Hörweite war, hörte sie noch *Tik-Hure* und *Schlampe*.

Als sie mitbekam, wie ihr Name gerufen wurde, ignorierte sie das. Weitere Beleidigungen. Dann spürte sie, wie an ihrem Ärmel gezogen wurde, und blitzschnell hatte sie die Hände zu Fäusten geballt, bereit zum Zuschlagen. Sie drehte sich um und sah die Frau ihres nichtsnutzigen Bruders vor sich stehen.

»Was willst du?«

Carol war ein Winzling von einem Mädchen, das sich vor seinem eigenen Schatten erschreckte. Sie ließ Carmens Ärmel los und trat einen Schritt zurück. »Es geht um deinen Vater, Carmie.«

»Ich hab keinen Vater.«

»Er ist sehr krank.«

Carmen starrte das Mädchen an. »Gut. Ich hoffe, dieser miese, abscheuliche Wichser stirbt.«

Carmen ging weiter. Das waren genug gute Nachrichten für eine Nacht.

Burn konnte gar nicht verlieren.

Egal, was er machte, er gewann ständig gegen den Geber. Er saß Scotch trinkend draußen im Grand West Casino, Kapstadts Antwort auf Vegas, am Blackjack-Tisch.

Der Kartengeber, der sich eine Dame aufgelegt hatte, gab Burn eine Zehn und eine Sechs.

Burn klopfte auf seine Karten. »Karte.«

Missbilligendes Raunen von den anderen am Tisch. Scheiß auf sie. Der Kartengeber sah Burn fragend an. »Sie haben gehört, was ich gesagt habe. Eine Karte.«

Der Kartengeber gab ihm eine Fünf, zog dann eine Sechs für sich selbst und dann eine Zehn. Zu viel.

Er schob einen Stapel Chips zu Burn. Burn schnippte mehrere Chips dem Kartengeber zu, der sie einmal aufklopfte und dann in einen Schlitz im Tisch fallen ließ.

Burn trank seinen Drink aus und hob dann einer vorbeigehenden Kellnerin das leere Glas entgegen. Zum Teufel auch, einen konnte er noch.

Er wusste, es war völlig verrückt, hier zu sein. Dumm und leichtsinnig. Das Glücksspiel war für alles Schlimme in seinem

Leben verantwortlich. Hatte ihm einen toten Cop im Schnee beschert. Er lief Gefahr, seine schwangere Frau und seinen Jungen für immer zu verlieren, und er zockte wieder. Das Leben entglitt ihm.

Doch er verspürte etwas von dieser alten Aufregung, von diesem Kitzel, den das Glücksspiel ihm immer gegeben hatte, wie eine Ladung Adrenalin direkt ins Herz. Er liebte es.

Selbst jetzt.

Der Kartengeber gab ihm eine Zehn und eine Sieben und zog sich selbst einen König.

Der Mann neben Burn, ein dunkelhäutiger Mann mit goldenen Zähnen, wurde deutlich. »Halt dich einfach zurück. Okay?«

Burn ignorierte ihn, klopfte auf seine Karten. »Karte.«

Der Kartengeber warf ihm einen ausdruckslosen Blick zu und gab ihm eine Vier. Einundzwanzig. Dann verlor der Kartengeber, indem er zwei Bildkarten zog.

Burn lachte laut und griff nach dem Scotch, den man neben seinen Ellbogen gestellt hatte.

Er konnte gar nicht verlieren.

KAPITEL 13

Disaster Zondi starrte auf die verkohlten Leichen. Der heulende Wind rüttelte an den transportablen Bogenlampen, die einen gnadenlosen Schein warfen, drohte sie umzustürzen, obwohl sie mit Sandsäcken beschwert waren. Das gelbe Absperrband sang und flatterte im Wind, und die Männer der Spurensicherung kämpften bei der Arbeit gegen den Staub.

Der Wind trug Gesprächsfetzen in Zondis Richtung. Die Leute von der Spurensicherung fragten sich, warum zum Teufel sie nur wegen einer x-beliebigen Cape-Flats-Sauerei hier herausgerufen worden waren. Blicke flogen in seine Richtung, als wäre das allein sein Werk.

Zondi blendete das ungerührt aus, hielt Zwiesprache mit den Toten.

Der kleine Körper war definitiv ein Kind, und die Mutter schwor Stein und Bein, dass es ihr Sohn war. Morgen früh würden sie einen Abgleich mit zahnärztlichen Unterlagen durchführen, doch Zondi zweifelte nicht daran, dass sie recht hatte. Mütter irrten sich bei solchen Dingen nicht.

Zondi war sich sehr wohl bewusst, dass er hier außerhalb der Vorgaben seines Auftrags agierte. Man könnte es auch Feldforschung nennen – der Mann aus Johannesburg vertiefte sich in das Verbrechen, das die Flats in Atem hielt. Das hier schien jedoch kaum ein typischer Mord zu sein. Die Leichen der beiden

Männer hätten auf einen Bandenmord hingewiesen. Die Leiche des Kindes allein wäre nur ein weiteres Opfer eines mörderischen Pädophilen gewesen, Alltag auf den Flats.

Aber diese drei Leichen zusammen? Das deutete auf das Werk einer völlig anderen Bestie hin.

Superintendent Peterson, der Revierchef von Bellwood South, war ebenfalls am Tatort. Zondi zweifelte keine Sekunde daran, dass dies hauptsächlich seinetwegen war. Peterson hatte das wohlgenährte Aussehen von jemandem, der die Drecksarbeit anderen überließ.

Ein uniformierter Sergeant trat zu Peterson. »Superintendent, wir haben Constable Galant.« Er deutete auf einen Streifenwagen.

Peterson folgte dem Uniformierten. Zondi holte zu ihnen auf.

»Was dagegen, wenn ich mitkomme, Superintendent?«

Falls Peterson etwas dagegen hatte, dachte er gar nicht daran, das auch zu sagen. »Natürlich nicht.«

Constable Gershwynne Galant, der widerstrebende Diensthabende des Polizeipostens, saß im Fond des Streifenwagens. Er trug Jeans und T-Shirt und roch, als hätte man ihn aus einer Kneipe geholt. Er sah missmutig und nervös aus.

»Holen Sie die Mutter, Sergeant.« Der Superintendent deutete mit einem Kopfnicken auf Berenice September, die auf dem Beifahrersitz von Petersons Wagen saß.

Berenice kam langsam herüber. Sie stolperte, und der Sergeant musste sie stützen. Es fiel genug vom Licht der hellen Bogenlampen auf ihr Gesicht, um die Hölle zu erkennen, die sie durchmachen musste.

Peterson zeigte auf Galant. »Mrs. September, ist das der Constable, zu dem Sie Ihren Sohn gebracht haben?«

Berenice sah Galant an, der ihren starren Blick erwiderte, dann wegschaute. »Ja. Das ist er.«

Peterson sagte dem Sergeant, er solle die Frau zu seinem Wagen zurückbringen, rutschte dann neben Galant in den Fond. Zondi beugte sich durch die Scheibe auf der Beifahrerseite hinein, hörte zu.

»Was ist passiert, nachdem diese Frau Ihnen ihren Sohn übergeben hat, Constable?«

»Er ist weggelaufen. Genau, wie ich es ihr gesagt habe.«

Peterson schüttelte den Kopf. »Wir wissen doch beide ganz genau, dass es so nicht gewesen ist.« Er unterbrach sich einen Moment. »Die Frau sagt, Sie hätten jemanden angerufen. Von Ihrem Mobiltelefon aus. Jetzt sagen Sie uns entweder, wen Sie angerufen haben, oder aber wir kontaktieren Ihren Netzbetreiber. Und glauben Sie mir, wenn Sie zur Zusammenarbeit bereit sind, bin ich deutlich eher bereit, Nachsicht walten zu lassen. Haben Sie mich verstanden?«

Galant nickte.

»Okay. Dann frage ich Sie also noch mal. Wen haben Sie angerufen?«

Galant wischte sich mit dem Handrücken über die Nase, schniefte. »Es war Inspector Barnard.«

Zondi schaute zu Peterson hinüber. War das Angst, was er da auf dem Gesicht des Mannes bemerkte?

»Und was ist dann passiert?« Es schien Peterson beinahe zu widerstreben, diese Frage zu stellen.

»Der Inspector kam und hat den Jungen mitgenommen. In seinem Wagen.«

Peterson rutschte aus dem Streifenwagen und wandte sich an den Sergeant. »Sperren Sie ihn ein. Einzelzelle, okay?«

Der Cop nickte, setzte sich hinters Lenkrad, ließ den Motor an und fuhr los. Zondi und Peterson standen im heulenden Wind, versuchten, ihre Augen gegen den Flugsand zu schützen.

»Ich werde einen Haftbefehl gegen Barnard ausstellen lassen«, sagte Peterson blinzelnd.

»Das halte ich für eine gute Idee. Ich möchte über jeden einzelnen Schritt informiert werden, Superintendent.«

»Natürlich. Absolut.«

Berenice September kam zu ihnen zurück. Sie hatte das Ende der Unterhaltung mitbekommen. »Hat Gatsby das getan?«

Zondi schaute Peterson fragend an.

Peterson zuckte die Achseln. »Gatsby. Einer von Barnards Straßennamen.« Er wandte sich an Berenice. »Das ist noch zu früh, um es mit Sicherheit sagen zu können.«

Zondi nahm den Arm der Frau und begleitete sie zum Wagen. Peterson machte den Eindruck, als wolle er folgen, blieb dann jedoch zurück.

»Kennen Sie diesen Mann, diesen Barnard?« Zondi half ihr beim Einsteigen.

»Ja. Den kennen wir alle. Er macht seine eigenen Gesetze.«

»Ich glaube, das ist bald vorbei.«

Berenice sagte nichts, war zu beschäftigt mit dem Albtraum in ihrem Kopf.

Zondi ging zu seinem BMW, der Wind zerrte an seinem Anzug, die Augen brannten ihm vom Staub. In der Ferne loderte der Tafelberg, Flammenzungen sprangen vor dem Nachthimmel auf.

Rudi Barnard hasste den Wind. Während all der Jahre, die er nun bereits in Kapstadt lebte, hatte er sich nie daran gewöhnen können. Der Wind machte ihn einsam. Barnard war stolz auf seine Unabhängigkeit, er traute allein sich selbst und seinem Gott. Mit Zwischenmenschlichem konnte er normalerweise nichts anfangen, aber an diesem Abend musste er mit jemandem sprechen. Er brauchte Rückendeckung.

Barnard fuhr durch die Nebenstraßen von Goodwood, bis er die Bahnlinie erreichte. Er blieb im Auto sitzen, schaute zu dem zerfallenden Gebäude hinauf, zwei Etagen über einem traditionellen afrikanischen Heiler. Die Praxis war geschlossen, aber das Licht einer Straßenlaterne fiel durch die krude bemalten Fenster, auf denen Heilmittel für alles, von Impotenz bis Aids, angeboten wurden. *Kommen Sie jetzt herein, bevor es zu spät ist*, drängte ein Plakat.

Als Barnard das letzte Mal hier gewesen war, war es noch eine Tierhandlung gewesen. Dinge ändern sich.

In einer der Wohnungen brannte Licht. Barnard zögerte. Der letzte Besuch war Monate her, er war ziemlich nervös. Schließlich stieg er aus und fluchte, als er eine Ladung Flugsand voll ins Gesicht bekam.

Scheiß Wind.

Er lief schnell zum Eingang, trat über einen Mann und eine Frau hinweg, die unter Kartons und Plastikplanen schliefen, betäubt von billigem Stoff. Barnard trottete eine Etage hinauf, keuchte wie nach einem Marathonlauf und hämmerte gegen die Wohnungstür. Drinnen Geraschel und Poltern, dann schlurfende Schritte.

»Ich bin's, Pastor. Rudi Barnard.«

Viele Schlösser wurden geöffnet, Riegel zurückgeschoben, und dann ging die Tür einen Spalt auf. Ein gelbes Auge betrachtete Barnard argwöhnisch. Dann wurde die Tür ganz geöffnet und gab den Blick frei auf einen großen, spindeldürren Mann mit fettigen grauen Haaren, die ein faltiges, uringelbes Gesicht rahmten. Sein Mund verzog sich zu einem trockenen Lächeln, und ein schlecht sitzender Zahnersatz klackerte feucht.

»Komm rein, Bruder Rudi.«

Barnard war mit Sicherheit kein besonders einfühlsamer Mann, aber er kämpfte darum, sich den Schock darüber nicht anmerken zu lassen, wie stark der Pastor seit seinem letzten Besuch abgebaut hatte.

Johan Lombard, einst Kopf der Army of God Church, war vor die Hunde gekommen. Nach fünf Jahren im Pollsmoor Prison wegen sexuellen Missbrauchs von Straßenkindern war er inzwischen noch ängstlicher und paranoider als damals bei Haftantritt. Lombard schwor, er sei unschuldig, er habe lediglich seine Pflicht getan und die Kinder mit Jesus bekannt gemacht. Warum er sie ebenfalls mit seinem Penis bekannt machen musste, konnte er nie zufriedenstellend erklären. Rudi Barnard war von Lombards Unschuld fest überzeugt, glaubte, dass er ein Opfer der Lügen gottloser Mischlinge geworden war und den Preis dafür bezahlt hatte.

Lombard trug eine schmutzige graue Flanellhose, Hausschuhe und ein ausgefranstes Hemd, das einmal weiß gewesen war.

»Ich habe den Pastor doch hoffentlich nicht geweckt, oder?« Barnard verhielt sich äußerst respektvoll, war immer noch überzeugt, dass Lombards blutleere Lippen dem Ohr Gottes sehr nahe waren.

»Wer kann schon schlafen, Bruder Rudi? In Zeiten wie diesen?«

Lombard schlurfte voraus in ein kleines Wohnzimmer, vollgestellt mit einem Sofa, zwei Stühlen mit geschnitzten Krallenfüßen und Stapeln von theologischen Büchern.

Er zeigte auf einen der Stühle. »Bitte, setz dich.«

Lombards Hemdsärmel rutschten bis zu seinen knochigen Ellbogen hinauf, und Barnard sah die Einstiche der selbstgesetzten Morphiumspritzen. Lombard hockte sich aufs Sofa, die Hände auf den Knien. Als Barnard sich auf einem der Sessel niederließ, knurrte sein Magen wie ein Betonmischer. Er klopfte darauf.

Lombard versuchte ein Lächeln. »Du siehst immer noch gut aus, Rudi.«

Barnard nickte. »Ich bin okay. Und Sie?«

Der Pastor zuckte die Achseln. »Es wird nicht mehr lange dauern, bis ich meine ewige Belohnung erhalte. Lobet den Herrn.« Der Krebs hatte Lombards Leber fast völlig weggefressen und knabberte jetzt auch andere Organe in der Nachbarschaft an. »Und deine Arbeit? Kämpfst du immer noch den gerechten Kampf?«

»Ich versuch's, Pastor.«

»Du bist ein tapferer Mann, Rudi. Du musst stark bleiben.«

»Ich tue mein Bestes, Pastor.«

»Bittest du Gott immer noch um Führung?«

Barnard nickte ernst mit seinem massigen Kopf. »Jeden Morgen und jeden Abend, Pastor.«

»Gut. Er hört dir zu. Ich sehe seine Stärke in dir.«

»Vielen Dank, Pastor.«

Lombards klauenartige Hände umklammerten das Sofa, als ein schmerzerfülltes, gequältes Zittern durch seinen Körper ging. Schweißperlen traten ihm auf die Stirn und die Augenlider schlossen sich wie verstaubte Vorhänge.

Barnard fühlte sich unwohl. Mitleidsbekundungen fielen ihm nicht leicht. »Ich sollte Sie nicht länger belästigen, Pastor.«

Lombard kämpfte sich durch den Schmerz, dann seufzte er. Er öffnete die Augen und hob eine zitternde Hand. »Nein. Bitte.« Er saugte gierig Luft ein. »Beunruhigt dich etwas, Rudi? Du siehst aus, als wärest du in Gedanken mit etwas beschäftigt.«

Barnard zuckte die Achseln. »Ich will Sie nicht damit behelligen, Pastor.«

»Sprich mit mir, Rudi. Wenn ich auf irgendeine Weise helfen kann, selbst wenn es noch so wenig ist …« Es war wieder etwas Farbe in diese eingefallenen Wangen gekommen.

»Ich stehe vor einer Schlacht. Es ist vielleicht die größte, die ich je gekämpft habe.«

»Kannst du deinem Feind ein Gesicht geben?«

»Ja.«

»Dann wird Gott dir Kraft geben, Rudi. Sieh dies als Gelegenheit, als eine Chance, durchs Feuer zu gehen. Ein Geschenk von Ihm.«

»Ich versuch's.«

Ein irres Flackern war in Lombards Augen. »Deine Feinde sind Sünder, Bruder Rudi. Genau wie dieser Berg heute Nacht brennt, werden ihre Seelen verloren sein in einem See aus Feuer. Diese Höllenfeuer werden ihre Knochen und Lungen verbrennen. Ein schrecklicher Gestank wird sich von ihnen erheben. Und dies ist ein Feuer, das für alle Ewigkeit brennen wird.« Er schnappte nach Luft, behielt aber seinen Kanzelton bei. »Aber du, Rudi, wirst durch das Feuer gehen, und du wirst den Heiligen Geist empfangen! Ich weiß es, denn ich bin diesen Weg bereits gegangen!«

Dann stand Lombard auf. »Komm, mein Sohn, knie nieder!«

Barnard wuchtete seinen massigen Leib aus dem Sessel, hielt sich dann auf gebeugten Knien vor dem zitternden Mann. Er schloss die Augen.

Lombard hob das Gesicht dorthin, wo er den Himmel vermutete, irgendwo jenseits der fleckigen Decke, und kniff die Augen fest zu. Er legte eine zitternde Hand auf Rudi Barnards Stirn, und ein Schwall kehliger, unverständlicher Worte ergoss sich von seinen Lippen und wurde immer mächtiger und lauter.

Barnard kniete da wie ein kleiner Junge, während die Worte des in Zungen Redenden auf ihn niederprasselten.

Berenice September befand sich im Wohnzimmer, im Hintergrund brabbelte der Fernseher. Irgendein Politiker log sich etwas über die Verbrechensstatistiken in Südafrika zusammen. Neben ihr auf dem Sofa saß Juanita und weinte leise. Berenice legte die Arme um ihre Tochter, versuchte, die Kraft in sich zu finden, um sie zu trösten.

Die Haustür ging auf, und Donovan kehrte von der Spätschicht bei McDonald's in Goodwood heim. Er trug immer noch ein McD's-Hemd und in der Hand hatte er eine Tüte mit Big Macs und Fritten.

Er stand da und sah seine Mutter und Schwester an. »Mami?«

Berenice schaute zu ihm auf. »Ich hab ihn gefunden.«

Donovan stellte die Tüte oben auf den Fernseher. »Erzähl.«

Berenice stand auf und gab Juanita einen Kuss auf die Stirn. »Bleib hier. Ich muss mit deinem Bruder reden.«

Juanita streckte die Arme nach ihr aus, klammerte sich an ihre Bluse, krallte sich in den Stoff. Behutsam löste Berenice den Griff des Mädchens. »Warte hier, mein Baby. Es wird nicht lange dauern.«

Donovan folgte ihr in die Küche, und sie erzählte ihm so viel, wie sie verkraften konnte. Donovan war achtzehn, ein Mann. Er verdiente es, die Wahrheit zu erfahren. Donovan stand mit grauem Gesicht da. Aus heiterem Himmel übergab er sich, halb verdaute Big Macs klatschten in das Spülbecken. Sie trat hinter ihn, feuchtete ein Geschirrtuch an und wischte ihm den Mund ab, während er wieder zu Atem kam.

Als er sprechen konnte, sah er ihr dabei in die Augen. »Bist du auch ganz sicher, dass es Ronnie ist?«

Sie nickte. »Ich bin sicher.«

»Und es war Gatsby, der das getan hat?«

»Das ist, was sie sagen, ja.«

Donovan nickte. Sagte nichts. Er war der ruhige, der älteste Sohn. So ruhig, dass es ihr manchmal Sorgen machte.

»Donovan.«

Er starrte ins Nichts, versuchte zu verarbeiten, was sie ihm gerade erzählt hatte.

»Donovan, sieh mich an.« Sein Blick fand ihre Augen. »Versprich mir, dass du jetzt keine Dummheiten machst. Die Polizei wird sich darum kümmern.«

Er spuckte in die Spüle. »Die Polizei. Scheiß auf die Polizei.« So sprach er sonst nie. Er spülte seinen Mund aus, drehte sich dann zu ihr um. »Es tut mir leid, Mami.«

»Ist schon okay. Du bist ein guter Junge. Ich möchte nur nicht, dass du in Schwierigkeiten gerätst.«

Er nickte. Sie trat zu ihm und nahm ihn in die Arme. »Versprich es mir, Donovan.«

Er starrte über ihre Schulter. »Ich versprech's, Ma.«

Benny Mongrel drängte sich mit Bessie an eine Wand, versuchte so, Schutz vor dem Südostwind zu finden. Die Bauarbeiter hatten einen Sandhaufen nicht abgedeckt, und jetzt wurde der Sand vom Sturm gegen den Rohbau geschleudert. Der Hund keuchte und stöhnte, beunruhigt durch den Wind. Benny Mongrel streichelte über ihr Fell. Er spürte den Flugsand, der sich in ihrem verfilzten Fell festgesetzt hatte. Sniper Security behandelte sein Wachpersonal wie Tiere und seine Hunde wie Dreck. Er wusste nicht, wann Bessies Fell das letzte Mal mit Wasser in Berührung gekommen war.

Das würde er als Erstes machen, wenn er sie in seiner Hütte

hatte, er würde die Blechwanne raus in den Hof bringen und sie mit Wasser füllen. Dann würde er Seife nehmen und sie baden. Und falls die verfilzten Stellen sich nicht herauswaschen ließen, würde er sie mit seinem Messer herausschneiden.

Der Wind machte Benny Mongrel ganz wahnsinnig. Er hatte sich ein Tuch über Mund und Ohren gebunden, trotzdem drang der Sand irgendwie ein.

Er kauerte sich hin, sah die Flammen auf dem Berg über sich tanzen, während beißender Rauch und Asche auf ihn und Bessie regneten. Die Hubschrauber waren immer noch bei der Arbeit, schraubten sich durch den Himmel und entleerten ihr Wasser in das Inferno.

Es erinnerte ihn an die Zeit in Pollsmoor, als der Berg gebrannt hatte und die Sträflinge anfingen, rastlos auf und ab zu gehen, als selbst die Knastveteranen, die alles ertragen konnten, versuchten, die Gitterstäbe mit bloßen Händen auseinanderzubiegen.

Vor einem Jahr, während der Winde, hatte ein Idiot, ein anderer Mongrel, der bald auf Bewährung entlassen wurde, den Verstand verloren und Essen aus Benny Mongrels Bett gestohlen. Er hatte den Mann erwischt, und die anderen Männer in der Zelle hatten darauf gewartet, dass er ihm Gute Nacht sagen würde.

Doch Benny Mongrel hatte angeordnet, dass der Mann unten gehalten und ihm ein Handtuch in den Mund gestopft wurde, damit er still blieb. Er hatte dem Mann dann die Finger beider Hände mit seinem Knastmesser amputiert, eine Aufgabe, die Zeit und Kraft erforderte. Er hatte ihm die Daumen gelassen. Blut hatte gespritzt, und der Mann war ohnmächtig geworden vor Schmerzen.

Einer der Gefangenen hatte eine Kochplatte in seiner Zelle. Benny Mongrel hatte die blutenden Stümpfe genommen und auf der Kochplatte kauterisiert, und der Gestank von verbrennendem Fleisch hatte sich mit dem Geruch des Qualms von den Bränden auf dem Berg vermischt.

Am folgenden Morgen hatten die Wärter den Mann ins Gefängniskrankenhaus gebracht. Er hatte es abgelehnt, auch nur ein Wort darüber zu sagen, wer seine Finger amputiert hatte. Innerhalb einer Woche war er wieder in seiner Zelle gewesen, mit Verbänden an den Händen und einem neuen Spitznamen.

Fingers.

Die Männer hatten Benny Mongrel gefragt, warum er dem Mann die Daumen gelassen habe. Damit er nach Hause trampen kann, hatte er ihnen geantwortet. Sie hatten gelacht. Er nicht.

Dieser scheiß Wind machte ihn wahnsinnig.

Benny Mongrel hörte den Motor. Er wusste, dass es der Jeep von nebenan war, und machte sich nicht die Mühe aufzustehen. Während einer kurzen Flaute hörte er das Geklapper des sich öffnenden Garagentores, dann, wie der Wagen langsam hineinfuhr. Dann das Geräusch von Metall, das über Backstein schrammte.

Bessie knurrte. Benny Mongrel stand auf und trat an den Rand des Balkons.

Der Amerikaner war gegen die Mauer gefahren und hatte den rechten Kotflügel verbeult. Er setzte wieder zurück und stieg aus, um sich den Schaden zu besehen. Der Mann war angetrunken, und Benny Mongrel konnte ihn fluchen hören. Er stieg wieder ins Auto und fuhr es in die Garage. Das Tor senkte sich.

Benny Mongrel kauerte sich wieder vor die Wand und wartete, dass der Wind sich endlich legte.

Barnard, der immer noch erregt war von dem intensiven Besuch bei Lombard, saß im Auto. Er hatte eine Macht gespürt, eine

Hitze, die durch Lombards Hand in seinen Körper geleitet wurde. Er fühlte sich wiederhergestellt, erfüllt von der Inbrunst, die er brauchte, um anpacken zu können, was vor ihm lag.

Sein Mobiltelefon zwitscherte und er fuhr rechts ran, damit er es aus seiner Tasche ziehen konnte. Als er die Nummer des Anrufers sah, beeilte er sich ranzugehen und hörte Dexter Torrance' langsamen, schleppenden Dialekt.

»Rudi, hi. Ich hab Neuigkeiten.«

»Ich höre.«

Der Deputy berichtete Barnard, dass er die Fingerabdrücke der Frau durch die Datenbank gejagt hatte und dabei auf ein ein paar Jahre zurückliegendes Drogendelikt gestoßen war. Dann hatte er eine Querschnittsanalyse mit einigen anderen Datenbanken durchgeführt und herausgefunden, dass die Frau heute verheiratet war. Und mit wem sie verheiratet war. Und wovor ihr Ehemann auf der Flucht war.

Barnard bedankte sich überschwänglich bei Torrance.

Dann beendete er das Gespräch und dankte Gott, dass er ihm Jack Burn geschickt hatte.

KAPITEL 14

Barnard fuhr in dem Wissen nach Hause, dass er keine eindeutigere Botschaft hätte erhalten können über diesen Amerikaner, der sich Hill nannte, aber in Wahrheit auf der Flucht war und sich mit mehreren Millionen Dollar aus den Staaten abgesetzt hatte.

Barnard wollte Burn zahlen lassen.

Dexter Torrance, der Deputy, hatte keinerlei Interesse, den amerikanischen Behörden die Ergebnisse seiner Recherchen mitzuteilen. »Burn hat einen Cop ermordet, Rudi, ob er jetzt selbst den Abzug gedrückt hat oder nicht. Aber er hatte das gottverdammte scheiß Glück, das in einem Bundesstaat zu tun, der die Todesstrafe abgeschafft hat. Ich habe kein Interesse, mit ansehen zu müssen, wie er auf Kosten des Steuerzahlers Zeit im Gefängnis verbringt. Er hat es verdient, dafür mit der höchsten Strafe zu zahlen.«

Rudi Barnard versicherte Torrance, er würde sich darum kümmern. Der Amerikaner würde die wohlverdiente Strafe erhalten.

Aber zuerst brauchte Barnard Geld. Einfache Erpressung würde nicht funktionieren. Dieser Amerikaner war ganz offensichtlich härter und einfallsreicher, als Barnard vermutet hatte. Beim ersten Hinweis auf Entlarvung würde er verschwinden.

Nein, Barnard musste etwas tun, das Burn keinen Raum für Manöver ließ.

Barnard näherte sich seinem Wohnblock und ging in Gedanken die verschiedenen Kombinationsmöglichkeiten durch. Als er ein ungekennzeichnetes, ziviles Polizeifahrzeug vor seinem Haus parken sah, dachte er sich nichts dabei. Viele Cops wohnten in dieser Gegend. Dann wanderte sein Blick zu seiner Wohnung im vierten Stock. Die Gardinen waren zugezogen, aber durch einen Spalt sah er Licht brennen. Hatte er es angelassen? Nicht, dass er wüsste. Er fuhr an den Straßenrand, ließ den Motor laufen. Litt er an Verfolgungswahn? Er glaubte nicht. Wie Lombard es so anschaulich ausgedrückt hatte: Dies war eine Schlacht zwischen den Mächten des Guten und den Mächten des Bösen. Sie würden vor nichts haltmachen.

Barnard fuhr weiter.

Disaster Zondi stand in Barnards Wohnung und schaute zu, wie die Detectives alles durchsuchten. Es war ein kleines Apartment, das angesichts des abstoßenden körperlichen Erscheinungsbildes des Mannes überraschend ordentlich war. Nur ein Zimmer mit einem Bett, einem robusten Stuhl vor einem Schreibtisch und einer offen angelegten Kochnische. Kein Fernseher. Keine Stereoanlage. Keine Fotos. Keine Erinnerungsstücke. Zondi witterte den unverkennbaren Gestank von Barnard, als wäre er in die Vorhänge, in den abgewetzten beigefarbenen Teppichboden und die übergroßen Kleidungsstücke im Schrank eingesickert.

Zondi sah sich um. Er fand das Zimmer bedrückend, deprimierend. Das funktionale Mobiliar, das Fehlen jeder Ästhetik. Die meisten korrupten Bullen, gegen die er ermittelte, waren habgierige Materialisten, die ihren Besitzhunger mit ihren illegalen Aktivitäten finanzierten. Vergangene Woche in Soweto hatte er einen so großen Plasma-Bildschirm gesehen, der aus dem Zimmer heraus und über einen Durchgang ragte, dass seine Männer gezwungen waren, sich ständig daran vorbeizudrängen, bis er schließlich anordnete, das Scheißding zu entfernen. Er war es gewohnt, Häuser voller elektronischer Geräte und mit ledernen Wohnzimmergarnituren zu durchsuchen, Schränke, die überquollen von Designerklamotten und Schmuck, sowie Garagen, deren Tore nicht geschlossen werden konnten, weil die SUVs zu fette Ärsche hatten.

Da war es fast schon beruhigend, der physischen Manifestation der einfachsten Grundbedürfnisse des Menschen zu begegnen. Da war überhaupt keine Doppeldeutigkeit. Man wusste exakt, mit wem man es zu tun hatte.

Aber das hier war der Zufluchtsort eines Fanatikers. Eines von der inneren Gewissheit getriebenen Mannes, nicht nur das Richtige zu tun bei allem, was er tat, sondern auch, dass er tun *musste*, was er tat. Früher, in der Zeit der Apartheid, war Zondi einigen solchen Männern begegnet. Sie waren anders als die Säufer und die Cowboys, die Profiteure; sie waren Gläubige. Sie hatten eine Mission.

Er erkannte sie, weil er, so vermutete er, selbst einer war.

Zondi verscheuchte diese Gedanken und ging zum Schreibtisch hinüber. Ein zugeklappter Laptop lag neben einem leeren Notizblock und einem billigen Kugelschreiber. Zondi schob den Laptop in die Tasche und warf sie sich über die Schulter. Dann ging er zum Bett und schlug die afrikaanssprachige Bibel auf, die auf dem Nachttischschränkchen lag. Er sah die Widmung in einer eng zusammengekritzelten Handschrift: *Für Rudi. Von Deinem Vater zum zehnten Geburtstag.*

Selbst Monster hatten Väter. Und Mütter.

Zondi setzte sich aufs Bett und zog die Schublade des Schränkchens auf. Eine alte, abgegriffene Ausgabe des *Hustler*, eine Tube

Hämorrhoidensalbe. Zondi, ein sehr pingeliger Mann, schreckte zurück angesichts der Vorstellung, wie der fettleibige Barnard sich mit der Salbe einschmierte. Er drückte die Schublade zu.

Er öffnete die Tür des Schränkchens und fand einen kleinen Stapel rechtsgerichteter, christlich-fundamentalistischer Traktate. Ungebildete, giftige Galle. Vorhersehbar. Ein Foto, das erste, das er in der Wohnung fand, lag unter den Pamphleten.

Zondi nahm eine verblichene Farbaufnahme von vier Männern in die Hand, die über einem offenen Feuer draußen im Busch Fleisch brieten. Alle waren weiß, fleischig, hielten Bierflaschen in den Händen, schnitten Grimassen für die Kamera. Einen erkannte er sofort, einen ehemaligen Captain der Sicherheitspolizei, der sich später, um einer strafrechtlichen Verfolgung zu entgehen, öffentlich für die von ihm während der Apartheidjahre begangenen Greueltaten entschuldigt hatte. Der Mann rechts von dem Captain war der junge Rudi Barnard. Kein Schnurrbart, dennoch schwer gebaut, aber viel schlanker als der Fleischberg, der neulich keuchend in den Verhörraum gekommen war.

Zondi starrte das Foto an. Die ruhige Unterhaltung der Detectives verklang vor seinen Ohren.

Das Foto steckte er in die Tasche.

Barnard parkte auf der anderen Straßenseite gegenüber der Station Bar. Er sah Captain Lotter die Bar verlassen und zu einem neuen Nissan hinübergehen. Barnard überquerte die Straße und ließ sich auf den Beifahrersitz des Nissans fallen, ehe Lotter losfahren konnte.

Lotter warf einen Blick auf Barnard und begann, seinen geföhnten Kopf zu schütteln. »Ich hatte nichts damit zu tun. Gar nichts.«

Barnard stieß einen seiner saugenden Lacher aus. »Entspann dich. Wenn ich dich umlegen wollte, hätte ich das schon längst gemacht.«

»Was willst du dann von mir?«

»Erzähl mir doch einfach, was hier vorgeht.«

»Ich habe nur gehört, dass gegen dich ein Haftbefehl erlassen wurde.«

»Weswegen?«

»Mord an einem Kind. Und an zwei bislang nicht identifizierten Männern.«

Das kam völlig unerwartet. Er hatte mit irgendeiner frei erfundenen Anklage gerechnet, aber sie hatten ihn jetzt irgendwie mit dem kleinen Mischlingsbalg in Verbindung gebracht. »Ich habe die zwei Bastarde nicht erledigt.«

Lotter sah ihn an. »Und den Jungen?« Barnard sagte nichts. Lotter schüttelte den Kopf. »Mein Gott, Barnard.«

»Haben sie Galant?«

Lotter nickte. »Er sitzt im Bellwood South. Wie ich höre, hat er bereits gesungen.«

»Das Stück Scheiße.« Er lutschte an seinem Schnurrbart, starrte ins Leere.

»Wär besser, wenn du verdammt die Biege machst, Barnard. Ich rechne dir keine großen Chancen in Pollsmoor aus.«

Barnard sagte nichts, als er sich aus dem Wagen wuchtete. Er schaute Lotter noch nach, der jetzt wahrscheinlich schon das Mobiltelefon am Ohr hatte und Peterson anrief.

Barnard kehrte zu seinem Auto zurück und sah zu, dass er wegkam.

Jetzt stand er unter Druck. Er musste schnell handeln. Es gab für ihn nur eine einzige Möglichkeit, diese Sache zu überstehen, und die bestand darin, an genug Geld zu kommen, um sehr tief unterzutauchen und seine Identität zu ändern. Die Ironie entging ihm nicht.

Ganz genau wie sein amerikanischer Freund.

Der Hubschrauber schnitt sich durch Burns Schlaf, er flog niedrig genug, dass Burn das Schlagen der Rotorblätter hören konnte. Der Lärm des Choppers und der beißende Rauch in seinen Nasenflügeln schleuderten ihn zurück in den Februar 1991, als ein Apache-Kampfhubschrauber über ihn und seinen Zug hinwegflog, während sie durch die schwelenden Schrotthaufen auf dem Highway des Todes fuhren.

Die vierspurige Autobahn durch die Wüste, voller Fahrzeuge mit Krempel von der Plünderung Kuwait Citys durch die Irakis, war die Nacht zuvor bombardiert worden. Fahrzeuge waren von Kugeln durchlöchert, Autos in die Luft gejagt, Hunderte von Iraki-Soldaten und Zivilisten eingeäschert worden.

Dann wachte Burn auf. Er war in Kapstadt. Der Berg brannte, und er hatte einen gigantischen Kater. Er lag im Gästezimmer, die Fenster waren geschlossen, es war stickig.

Er stand auf, noch vollständig bekleidet. Er hatte einen fürchterlichen Geschmack im Mund. Er schob eine Hand in seine Tasche und fand ein Bündel Geldscheine. Die Gewinne der letzten Nacht am Blackjack-Tisch. Er verfluchte sich wegen seiner Schwäche und Dummheit.

Er ging in die Küche, um sich ein Aspirin zu holen.

Susan machte gerade Frühstück. Speck und Eier. Beim Geruch des Essens hätte er sich beinahe übergeben. Matt saß an der Küchentheke, schaukelte mit den Beinen, las Dr. Seuss. Ein Buch, aus dem Burn ihm zuhause abends immer vorgelesen hatte. Mein Gott, wie lange war das schon her?

Burn zerzauste seinem Sohn die Haare. »Morgen, Matty.«

Seine Stimme klang wie ein unvollendetes Projekt. Ein schlechtes, noch dazu.

Matt nickte, er war ganz in sein Buch versunken. Susan drehte sich nicht zu ihm um.

Burn fand das Aspirin in der Schublade und spülte zwei mit einem Glas Wasser runter. Susan deckte den Tisch für sich und Matt. Sie stellte den Teller des Jungen vor ihn und ging dann mit ihrem hinaus auf die Terrasse. Es war erst kurz nach sieben, aber die Sonne brannte bereits.

Burn folgte ihr hinaus, blinzelte.

Der Berg über ihnen war verkohlt, schwarz, schwelend. Hubschrauber löschten die letzten Funken. Der Wind hatte sich zum Glück gelegt.

Susan setzte sich an den Tisch, die Augen verborgen hinter einer schwarzen Ray-Ban.

Burn setzte sich nicht. Er schlich um sie herum. »Es tut mir leid.«

Sie sagte nichts. Es war, als wäre er gar nicht da.

Es gab nichts mehr, was er seiner Frau sagen konnte. Er wusste, dass sie nur dann Frieden finden würde, wenn er sich von ihr abwendete und ging.

Disaster Zondi saß an einem Tisch in seinem Zimmer im Arabella Sheraton und frühstückte. Obstsalat mit extra Kiwi, pochierte Eier und Vollweizen-Toast. Frischgepresster Orangensaft. Kein Speck. Schwein rührte er niemals an. Er trug eine Anzughose und ein weißes Hemd ohne Krawatte. Seine italienischen Halbschuhe glänzten.

Wenn man für das Ministerium arbeitete, wurde man gut versorgt. Man flog Business, man mietete BMW und Mercedes-Benz. Man hatte ein Spesenkonto, mit dem man sich Anzüge von

Cavalli leisten konnte. Fast. Und warum zum Teufel auch nicht? Es war ein harter Job, in den dunklen Gruben der Korruption zu wühlen, sich Tag für Tag den schlimmsten Seiten der menschlichen Natur zu stellen. Ein bisschen Luxus war da Balsam für die Seele.

Sorgfältig klaubte er Krümel von der weißen Tischdecke und legte sie auf einen Teller. Dann räumte er das Frühstücksgeschirr auf ein Tablett und stellte es hinaus auf den Korridor.

Zondi kehrte an den Tisch zurück und fuhr erneut Rudi Barnards Laptop hoch. Er hatte bis in die frühen Morgenstunden den Inhalt der Festplatte durchforstet. Viel kam dabei nicht heraus, was ihn nicht weiter überraschte. Barnard würde nicht so dumm sein, seine Aktivitäten detailliert auf einem Computer zu speichern.

Bei den E-Mail-Dateien handelte es sich hauptsächlich um harmlose Korrespondenz: Aktualisierungen der Pensionskasse der Polizei, ein Widerspruch gegen eine Mieterhöhung für sein Apartment. Dann hatte Zondi die E-Mail an eine anonyme Yahoo-Adresse gefunden, deren Anhang aus dem JPEG eines Fingerabdrucks bestand. Zondi hatte die Nacht zuvor in aller Länge darüber gegrübelt, hatte die Wirbel studiert, als würden sie ihn zu einem tieferen Verständnis führen. Nichts dergleichen war geschehen, also hatte er sich gezwungen, ins Bett zu gehen.

Nach dem Frühstück hatte er seine Betrachtungen des Fingerabdrucks wiederaufgenommen. Irgendwie wusste er, dass dies wichtig war, dass es ihn zu Rudi Barnard führen konnte. Der verschwunden war.

Das Foto der lächelnden Männer beim Grillen im Busch hatte er neben den Laptop gestellt. Während Zondi an seiner Tasse Earl Grey nippte, erging er sich in Erinnerungen.

Es war 1988. Zondi war achtzehn, studierte an der Universität von Johannesburg, war mit einer Gruppe von Jugendaktivisten zusammen. Sein bester Freund Jabu war ein politisch sehr engagierter und angesehener Studentenführer. Eines Abends war Zondi bei Jabu in Soweto, als die Sicherheitspolizei eine Razzia machte. Fleischige weiße Männer in Jeans und T-Shirts, mit kurzgeschorenen Haaren und Schultern wie Rugby-Stürmer. Einer von ihnen war der Captain des Fotos. Sie warfen Zondi und Jabu in einen Wagen und fuhren sie zum John Vorster Square, in die Zentrale der Sicherheitspolizei.

Zondi und Jabu wurden getrennt und einzeln eingesperrt. Im Verlauf der nächsten paar Tage kam eine ganze Reihe von Männern in Zondis Zelle und folterte ihn, wollte die Namen von Jabus Kollegen wissen. Zondi kannte die Namen nicht.

Barnard hatte Zondi damals einen nassen Sack über das Gesicht gezogen und seinen Kopf anschließend in einen Eimer Wasser gedrückt, bis er glaubte, jeden Moment ertrinken zu müssen. Dann hatte der fette Mann ihn mit aller Wucht getreten. Barnard und ein anderer Mann banden Zondis Beine zusammen, ließen den nassen Sack über seinem Kopf und traten weiter auf ihn ein. Brachen ihm die Rippen.

Sie zogen ihm den Sack vom Gesicht, gerade als er das Bewusstsein zu verlieren drohte. Er blutete aus Nase, Mund und Ohren.

Wieder verlangte Barnard Antworten, die Zondi ihm nicht geben konnte.

Barnard trat ihn so lange, bis er ohnmächtig wurde.

Blutend und durchnässt wachte Zondi in der Zelle auf. Er wurde weitere zwei Tage festgehalten, regelmäßig geschlagen, dann brachten sie ihn ohne weitere Erklärung zu einem Auto. Er wurde nach Soweto gefahren und auf einem Feld aus dem Wagen geworfen. Abgesehen von den gebrochenen Rippen hatte er Prellungen an den Nieren und einen zertrümmerten rechten Arm. Aber er lebte noch.

Jabu sah er nie wieder.

Neun Jahre später saß Zondi mit Jabus Mutter und Schwester in einem anonymen Johannesburger Bürogebäude und hörte aufmerksam zu, wie der Captain aus dem Foto sich vor der Wahrheitskommission förmlich entschuldigte. Um der Strafverfolgung zu entgehen. Zu den Mitgliedern der Kommission zählten ein anglikanischer Erzbischof, ein Rechtsanwalt, ein Arzt und ein Akademiker, ihre Gesichter wirkten gequält durch die Greueltaten, die sie sich im Laufe der letzten paar Jahre angehört hatten.

Der Captain, ein eitler Mann mit schmierigem Grinsen, erzählte, dass Jabu während der Verhöre gestorben sei. Sein Leichnam sei an einen entlegenen Ort verbracht und sieben Stunden lang auf einem Holzfeuer eingeäschert worden, bis sämtliche Spuren vernichtet gewesen seien. Während der Einäscherung habe eine Gruppe von Beamten der Sicherheitspolizei ein eigenes Barbecue veranstaltet, bei dem getrunken und Fleisch gebraten worden sei.

Jabus Mutter hatte sich in stummem Entsetzen weit vorgebeugt, als der Captain weitere Details lieferte. Während die Cops der Sicherheitspolizei tranken, brieten und aßen, kümmerten sie sich um das Einäscherungsfeuer, wendeten die Hinterteile und Oberseiten der Beine immer wieder herum, damit alles gründlich zu Asche verbrannte. Und am folgenden Morgen, nachdem die Asche noch einmal durchgeharkt worden war, um sicherzugehen, dass keine Fleisch- oder Knochenstücke übrig geblieben waren, waren alle ihrer Wege gegangen.

Als Zondi die Akte über Barnard erhalten hatte, hatte er sich nicht sofort an ihn erinnert. Erst als er seine Personalakte der

Sicherheitspolizei las und die Passfotos aus den achtziger Jahren sah, erst da begriff Zondi, mit wem er es zu tun hatte.

Zu wissen, wer Barnard war, änderte jedoch nichts. Zondi war ein Profi. Und er würde handeln wie ein Profi. Aber Zondi wusste, dass er ein Glas Single Malt auf Jabus Wohl trinken würde, wenn er Rudi Barnard zu Fall gebracht hatte.

KAPITEL 15

Barnard setzte den 80er Ford aus dem ansonsten leeren Container zurück. Er schloss ab und fuhr durch Reihen ähnlicher Container zum Ausgang.

Er hatte den Ford für genau solche Notfälle behalten, machte ein richtiges Zeremoniell daraus, die Batterie jeden zweiten Sonntag aufzuladen. An diesen Sonntagen, während das Batterieladegerät lief, hatte er sich hingesetzt, einen Colt Cobra .32 und eine Mossberg 500 Special Purpose Pumpgun gereinigt und geölt. Die Waffen und der kleine Betrag in Banknoten, den er in dem Container aufbewahrt hatte, befanden sich im Kofferraum des Fords.

Nachdem er seinen Dienst-Toyota in der Nacht zuvor in Goodwood abgestellt hatte, war er mit einem Taxi in die Innenstadt gefahren und in einem billigen Hotel abgestiegen, weit entfernt von seinem üblichen Revier. Er hatte bar und im Voraus bezahlt. Er hatte nicht sonderlich gut geschlafen. Nicht aus Angst, denn er glaubte nicht, dass die Tür nachgeben und Disaster Zondi wie ein Racheengel hereinkommen würde. Nein, es war vielmehr die Vorfreude auf das, was kommen würde.

Am Morgen war er wieder mit einem Taxi bis auf wenige Blocks an das Lager herangefahren, hatte dann gewartet, bis das Taxi im Stoßverkehr verschwunden war, bevor er losging, um den Ford und die Waffen zu holen.

Als er jetzt Richtung Stadt fuhr, ging er eine Checkliste dessen durch, was noch erledigt werden musste. Er hatte einen Plan.

Er wusste ganz genau, was dem Amerikaner bevorstand.

Es war der härteste Tag in Burns Leben. Der letzte Tag, den er mit seinem Sohn verbringen würde.

Burn und Matt fuhren in dem Jeep die Peninsula hinunter. Die Brände waren zwar gelöscht, aber an manchen Stellen schwelte es immer noch; der Berg erinnerte an eine Mondlandschaft. Aber der Himmel war blau, und der Wind hatte sich gelegt. Die Farbe des Meeres reichte von Türkis in Strandnähe bis zu einem tiefen Aquamarin weiter draußen.

Sie hörten beim Fahren die Beach Boys, sangen zu »Good Vibrations« mit, wie sie es immer machten.

Burn bemühte sich, so locker wie nur möglich zu sein, Matt zum Lachen zu bringen. Sonst hätte er wohl angefangen zu weinen.

An diesem Morgen hatte Burn sich eine neue Identität aus dem Safe genommen. William Morton. Er ging mit dem Pass und einem Bündel Dollarnoten zum Reisebüro in Sea Point und buchte einen Flug nach Denpasar, Indonesien, mit Zwischenstopps in Johannesburg und Singapur. Seine Maschine ging am nächsten Tag um zehn Uhr morgens. Er hatte sich für Indonesien entschieden, da es erheblich gastfreundlicher erschien als Algerien, Angola, Moldawien, der Jemen, Simbabwe oder eines der anderen Länder, die kein Auslieferungsabkommen mit den USA hatten.

Da er weder von einer schwangeren Frau noch von einem kleinen Kind begleitet wurde, erschien das weitläufige Indonesien reizvoll. Und es gab erheblich schlimmere Orte als Bali, um das eigene Leben wieder in den Griff zu bekommen.

Er hatte sich mit der Tatsache abgefunden, dass Susan sich

stellen wollte. Er hoffte, dass die US-Behörden Verständnis zeigen würden und dass Susans Strafe milde ausfiel.

Irgendwann in der Zukunft würden sie wieder zusammen sein. Daran musste er glauben.

Burn und Matt hielten in einem kleinen Hafen und gingen aufs Pier hinaus, schauten zu, wie Männer vom Hafendamm aus angelten. Buntbemalte hölzerne Fischerboote kehrten mit ihrem Fang zurück.

Burn kaufte einen frischen Kabeljau. Vielleicht könnte er ihn an diesem Abend kochen, als eine Art Abschiedsessen. Er beabsichtigte zu warten, bis Matt schlafen gegangen war, um Susan dann von seinen Plänen zu erzählen. Er würde sich von seinem Sohn verabschieden, bevor er morgens aus dem Haus ging. Das war die einzige Möglichkeit, wie er sich vorstellen konnte, das Unvorstellbare zu tun.

Matt hielt Burns Hand und schaute gebannt zu, wie eine Frau mit bronzefarbener Haut und in Gummistiefeln auf einer Kiste saß und ihren Kabeljau ausnahm. Sie schwang das Filetiermesser, ohne hinsehen zu müssen, und flirtete dabei ohne Unterbrechung mit den Fischern. Sie hatte so ein heiseres Lachen, das aus billigem Fusel und Zigaretten entsteht.

Sie zwinkerte Matt zu. »Hübscher Junge«, sagte sie auf Englisch mit einem starken Akzent. »Er hat die Augen seines Daddys.« Dann schaute sie zu Burn auf. »Der Kleine wird noch so manche Herzen brechen.« Sie lachte wieder, während sie den Rest der rosafarbenen Fischinnereien auf den Boden schabte.

Burn hielt weiter Matts Hand und sie kehrten mit dem Fisch in einer Plastiktüte zum Wagen zurück.

Barnard fuhr mit dem Ford die Main Road in Greenpoint entlang. Er hielt an einer roten Ampel und steckte sich eine Zigarette an, während er wartete. Er spürte, wie das Nikotin von seinem Körper aufgenommen, wie alles ein winziges Stück verlangsamt wurde. Er wusste, dass er überdreht, auf Action aus war. Das war gut. Aber er musste konzentriert bleiben. Es war eine kritische Situation.

Ein Polizei-Van hielt neben Barnard, die uniformierte Polizistin schaute zu ihm hinunter. Er erwiderte kurz ihren Blick, starrte dann stur geradeaus. Er spürte, wie ihm der Schweiß über die Brust floss, wie ihm die Jeans an den Oberschenkeln scheuerte. Er hatte wieder diesen verdammten Ausschlag bekommen, entzündete rote Pusteln auf den weißen Fleischbergen. Er musste unbedingt duschen und sich umziehen. Er hatte frische Kleidung aus dem Container mitgenommen.

Die Ampel sprang um, und er fuhr langsam an, schaltete sorgfältig und ruhig die Gänge hoch. Der Polizeitransporter gab Gas und war schon bald im Verkehr verschwunden. Barnard kam an zwei Teenie-Nutten in kurzen Röckchen vorbei. Eine von ihnen warf ihm einen Handkuss zu. An jedem anderen Tag wäre er längst aus dem Auto gesprungen, hätte seine Marke gezückt und sie vertrieben. Hätte ihnen eine scheiß Angst eingejagt. Aber heute nicht, heute hielt er sich so bedeckt, wie das bei einem Mann mit der Statur eines Panzers eben möglich war.

Er sah ein Schild, auf dem Zimmer angeboten wurden, und bog auf einen Parkplatz ein. Es war ein kleines Hotel, heruntergekommen und hässlich. Die Heimat von Nutten, Dealern und Ehebrechern aus billigen Mietwohnungen. Genau das Richtige für ihn.

Barnard ließ den Kofferraumdeckel des Fords aufspringen. Er hatte die Waffen, Geld und Kleidung in einer großen Reisetasche verstaut. Er schloss den Wagen ab und ging mit der Tasche in der Hand zur Rezeption.

Ein eher teilnahmsloser Farbiger verfolgte ein Kricketspiel im Fernsehen. Er sah Barnard kaum an, nahm das Geld, das ihm hingehalten wurde, und schob ihm einen Schlüssel hin. Barnard wuchtete sein Fett eine Treppe hinauf und weiter in ein beengtes Zimmer. Die Klimaanlage war laut, funktionierte aber.

Als Erstes zog er sich aus und ging in die Dusche. Es gab keine Duschkabine, nur eine Badewanne mit Vorhang. Es fiel ihm schwer, seinen massigen Körper auf der kleinen zur Verfügung stehenden Fläche zu bewegen, und der Strahl aus dem Duschkopf war schwach und lauwarm.

Aber wenigstens war er am Ende sauber.

Er zog seine Arschbacken auseinander und trug die Salbe auf. Die Hämorrhoiden hatten Mucken gemacht und saumäßig weh getan. Nackt trampelte er ins Schlafzimmer zurück, nahm einen Plastikbehälter mit Babypuder aus der Tasche und rieb es sich unter die Achseln und dort zwischen seine Schenkel, wo die Haut beim Gehen besonders scheuerte. Dann zog er sich Jeans, T-Shirt und schwere Stiefel an. Er setzte sich aufs Bett, die Matratze ächzte.

Er breitete aus, was er benötigte. Zuerst die Mossberg, deren Lauf auf die Länge des Magazins gestutzt war. Der Schaft war fast bis zum Pistolengriff gekürzt. Barnard hatte sie einem Flats-Gangster abgenommen, hatte ihn gezwungen, den Lauf zu fressen, und dann ungerührt abgedrückt. Es hatte ihm gefallen, wie der Schuss die Schädeldecke des Gangsters weggefetzt hatte, und so hatte er beschlossen, die Waffe zu behalten.

Er reinigte das Gewehr, überprüfte den Lademechanismus und pumpte zwei Patronen in die Kammer. Anschließend reinigte, ölte und lud er die .38er, die er die letzten paar Tage immer bei sich gehabt hatte. Und schließlich bereitete er die .32er vor und steckte sie in ein Knöchelhalfter.

Aus der Reisetasche nahm er eine Rolle Klebeband, zwei chirurgische Handtücher, ein Stück Stoff und ein paar schwarze Kabelbinder und verstaute das alles in der kleinen Taillentasche, die er an seinem Gürtel befestigt hatte.

Er streifte ein Schulterhalfter über und schob die .38er hinein. Er zog einige Male, korrigierte mehrfach den Sitz des Halfters, bis es bequem saß. Dann wickelte er die abgesägte Schrotflinte in ein knallbuntes Badetuch, das er im Bad gefunden hatte, und verstaute es in der Tasche. Er zog den Reißverschluss der Tasche zu, vergewisserte sich einmal im ganzen Raum, dass er auch nur ja nichts liegen gelassen hatte, dann ging er zur Tür.

Er würde nicht zurückkommen.

Wenn sie nicht jetzt ging, würde sie ihren Mut verlieren.

Susan Burn ging zur Haustür, in der Hand einen kleinen Koffer. Mrs. Dollie putzte gerade das Panoramafenster im Wohnzimmer, bearbeitete das Glas energisch mit zusammengeknülltem Zeitungspapier, bis das Fenster einen makellosen Blick auf die Welt da draußen bot.

»Kann ich Ihnen helfen, Mrs. Hill?«

Susan schüttelte den Kopf. »Nein, danke, Mrs. Dollie. Ich komme schon zurecht.« Susan versuchte zu lächeln, doch sie sah an dem besorgten Ausdruck auf dem Gesicht der älteren Frau, dass es nicht besonders überzeugend war.

Mrs. Dollie zögerte einen Moment, dann nahm sie Susan in den Arm. Beinahe hätte Susan ihren Tränen freien Lauf gelassen, wollte sich an diese liebenswürdige Frau klammern und ihr Herz ausschütten, schluchzen und heulen, bis sie so ausgetrocknet war wie dieser verbrannte Berg, der über ihnen aufragte.

Doch sie befreite sich aus der Umarmung und brachte ein effektiveres Lächeln zustande. »Vielen Dank, Mrs. Dollie. Für alles. Sagen Sie bitte Matt, dass ich ihn bald wiedersehe.«

Mrs. Dollie nickte. »Sie passen aber gut auf sich auf, ja, okay?«

Susan manövrierte sich vorsichtig die Treppe hinunter, schloss die Tür am unteren Ende des Gartens auf und ging zu dem wartenden Taxi. Als er ihren dicken Bauch sah, beeilte sich der Taxifahrer, ein Farbiger mittleren Alters, um den Wagen herumzukommen und ihr die hintere Tür aufzuhalten. Er half ihr mit ihrem Koffer.

»Wohin darf ich Sie fahren, Madam?«

»Die Gardens Clinic.«

Das Taxi fuhr los, und Susan schloss die Augen. Die Klimaanlage machte die Hitze etwas erträglicher.

Sie hatte diese Entscheidung heute Morgen gefällt, bevor Jack und Matt sie allein in dem Haus zurückgelassen hatten. Sie würde in die Klinik gehen, um die Geburt ihres Babys künstlich einzuleiten. Nach dem Zwischenfall mit der abgelösten Plazenta würde ihr Arzt diese Entscheidung unterstützen. Sie konnte die Warterei nicht mehr ertragen. Auch nicht mehr die Auswirkungen ihrer in die Brüche gehenden Ehe auf ihren Sohn. Gott, zumindest das schuldete sie Matt.

Nachdem ihre Tochter zur Welt gekommen war, würde sie das US-Konsulat anrufen. Sie hoffte, dass Jack zu diesem Zeitpunkt bereits fort war, nach Neuseeland oder wohin auch immer zum Teufel er fliehen wollte.

Als sie sich an diesem Morgen von ihrem Mann verabschiedet hatte, hatte ihr Entschluss festgestanden: Das sollte das letzte Mal gewesen sein, dass sie ihn sah.

Als Benny Mongrel sich am späten Nachmittag zu seiner Schicht meldete, ging er schnurstracks zum Hundezwinger, um Bessie zu holen. Sie lag hechelnd auf dem Boden des Käfigs, eine trockene Wasserschale vor sich. Diese Scheißkerle konnten sich nicht mal darum kümmern! Er füllte die Schüssel an einem Wasserhahn und schaute zu, wie sie das Wasser komplett aufschleckte.

Dann hakte er ihre Kette ein und ging mit ihr zu dem Truck. Eine Stimme brachte ihn zum Stehen. Ishmael Isaacs, der Schichtvorarbeiter, rief, er solle warten. Isaacs überquerte in großen Schritten den Hof, seine paramilitärische Uniform frisch gebügelt mit messerscharfen Falten. In Händen hielt er ein Klemmbrett.

Isaacs musterte ihn von oben bis unten. »Der Chef sagt mir, du warst neulich bei ihm und hast ihm Stress gemacht?«

»Ich wollte ihn nur etwas fragen.«

»Warum hast du nicht vorher mit mir gesprochen?«

»Sie waren nicht da.«

»Du übergehst mich nicht noch mal! Hast du mich verstanden?« Benny Mongrel nickte. »Jedenfalls wirst du ab morgen nicht mehr auf diese Baustelle gehen.«

»Warum?«

»Du hast jetzt allmählich genug Erfahrung, um in eine der Fabriken zu gehen. Einer der neuen Jungs kann das übernehmen.«

Benny Mongrel nickte. Sollte ihm recht sein. Er schickte sich an zu gehen.

»Ach, übrigens, du kriegst auch einen neuen Hund.«

Benny Mongrel blieb stehen und blickte dem Vorarbeiter in die Augen. »Warum?«

»Sieh sie dir doch nur an.« Isaacs stieß mit der Spitze seines glänzenden Stiefels gegen Bessies Hinterlauf. Sie jaulte auf. »Ihre

Hüften sind im Arsch, Mann. Wir hatten heute den Tierarzt da, und der sagt, sie kann nicht mehr arbeiten. Heute Nacht ist ihre letzte Nacht.«

»Kann ich sie dann kaufen?«

»Wozu?«

»Ich will sie behalten.«

Isaacs schüttelte den Kopf. »Nein. Diese Hunde sind ausgebildete Kampfhunde. Die können nicht einfach so auf die Öffentlichkeit losgelassen werden.«

»Was wird dann aus ihr?«

Isaacs grinste ihn höhnisch an. »Was denn? Wirst du etwa weich, oder was? Was interessiert's dich einen Scheißdreck? Ihre Tage sind gezählt, sie wird eingeschläfert.«

Er ging, das Klemmbrett unter dem Arm.

Benny Mongrel schaute zu Bessie hinab. So, das war's also. Die Entscheidung war gefallen. Heute Nacht war die Nacht, in der sie abhauen würden. Nur noch zwei Tage bis zum Zahltag, aber daran ließ sich nichts ändern.

Benny Mongrel ging mit Bessie zum Truck.

Die Sonne stand tief am Horizont, als Burn und Matt wieder beim Haus eintrafen. Als sie hereinkamen, saß Mrs. Dollie in der Küche.

Matt ging zu ihr, den Fisch in Händen. »Schau mal, was wir hier haben.«

Sie lächelte ihn an. »Das ist aber ein sehr großer Fisch.«

Burn war verwirrt. »Wo ist Susan?«

Mrs. Dollie wirkte beklommen. »Sie bittet mich, die Nacht bei Matt zu bleiben. Sie sagt, sie müsste irgendwohin.«

Burns Gedanken überschlugen sich. Hatte sie sich bereits mit dem Konsulat in Verbindung gesetzt? Würden die Bullen jeden

Moment hier aufkreuzen? Er beruhigte sich selbst. »Wo ist sie hin, Mrs. Dollie?«

Die Frau sah ihn an, sagte nichts, konnte nicht lügen.

Burn sprach so beruhigend, wie er konnte. »Mrs. Dollie, ich weiß, dass Susan Ihnen erzählt hat, wohin sie geht. Ich muss es wissen. Bitte.«

Sie nickte. »Sie hat ein Taxi genommen. Zur Klinik.«

»Ist mit ihr alles in Ordnung? Hatte sie Blutungen?«

»Sie hat okay ausgesehen. Es sah nicht so aus, als hätte sie irgendwelche Probleme.«

Burn lief zum Telefon und wählte die Nummer der Klinik. Er sprach mit einer Frau in der Aufnahme, die es strikt ablehnte, am Telefon irgendwelche Informationen zu geben.

Burn schnappte sich die Autoschlüssel. »Mrs. Dollie, ich muss in die Klinik. Würden Sie bitte Matt etwas zu essen machen?«

Mrs. Dollie sah den Fisch an. Burn schüttelte den Kopf. »Nein. Machen Sie ihm einfach einen Hotdog oder so. Der Fisch kann warten.«

Er nahm die Plastiktüte und legte sie in das Gefrierfach, dann ging er hinunter zum Wagen.

Barnard saß in dem Ford, ein paar hundert Meter von Burns Haus entfernt. Es war schon fast dunkel, und die Straßenbeleuchtung brannte. Er war seit zwei Stunden dort gewesen, blendete die Hitze aus, die Langeweile und den Ausschlag, der unter seinen Eiern juckte wie Sau.

Vor einer Stunde hatte er ein Taxi kommen und anhalten sehen. Die blonde Frau war allein herausgekommen. Sie war hinten eingestiegen, dann war sie weg gewesen. Ein paar Minuten später war eine Farbige in Dienstmädchenuniform herausgekommen und hatte die Terrasse gekehrt. Keine Spur von dem Mann oder dem Jungen.

Dann, vor zehn Minuten, war der Jeep an ihm vorbeigekommen und in die Garage eingebogen. Burn am Steuer, der Junge angeschnallt auf der Rückbank.

Jetzt rollte das Garagentor wieder hoch, und der Jeep setzte rückwärts heraus. Der Amerikaner allein.

Barnard beobachtete, wie der Jeep am Stoppschild langsamer wurde, die Bremsleuchten in der Abenddämmerung rot aufleuchteten. Dann bog er in Richtung Sea Point ab und verschwand.

Die Mischlingsfrau und das Kind waren allein.

Barnard wollte noch einige Minuten warten, bis es vollkommen dunkel war, dann würde er reingehen.

KAPITEL 16

Burn ging in der Klinik direkt zur Rezeption. Die junge Frau dahinter, eine Wasserstoffblondine mit dunklen Haaransätzen, schenkte ihm ein strahlendes professionelles Lächeln.

»Ich möchte bitte zu meiner Frau. Susan Hill. Wo finde ich sie?«

Die Finger der Frau flogen über eine Tastatur. Sie summte leise vor sich hin, dann runzelte sie die Stirn. »Entschuldigen Sie mich bitte einen Moment.«

Sie ließ ihn stehen und ging zu einem Telefon, weit genug entfernt, um außer Hörweite zu sein. Ihre Unterhaltung war kurz, unterbrochen von mehrmaligem Nicken und Kopfschütteln.

Sie kehrte ohne das Lächeln zurück. »Es tut mir sehr leid, Sir, aber Mrs. Hill hat darum gebeten, keinerlei Besuch zu empfangen.«

»Ich bin ihr Mann.«

Die Frau schüttelte den Kopf. »Es tut mir leid. Das sind meine Anweisungen.«

Burn ging in Richtung Treppe, ignorierte die Frau, die ihm jetzt hinterherrief.

Er nahm zwei Stufen auf ein Mal, bis er die Etage mit den Privatzimmern erreicht hatte. Er ging zu Susans vorigem Zimmer, drückte die Tür auf und steckte den Kopf hinein. Ein Mann saß neben einer blassen Frau, die auf Kissen gelehnt im Bett lag.

Die Frau weinte, und der Mann hielt ihr die Hand. Burn nuschelte eine Entschuldigung und schloss die Tür.

Als er sich der nächsten Tür näherte, tauchten neben ihm eine Oberschwester und ein Uniformierter des Sicherheitsdienstes auf. Die Schwester war ein Muskelpaket, die aussah, als könne sie locker zehn Runden gegen Mike Tyson in Hochform durchhalten. Sie war für das Reden zuständig. »Es tut mir leid, Sir, aber Sie werden jetzt sofort gehen müssen.«

»Ich will meine Frau sehen.« Burn versuchte, sich an ihnen vorbeizuschieben. Der Mann vom Sicherheitsdienst, ein großer, kräftiger Mann, legte Burn warnend eine Hand auf die Schulter. Ein weiterer Sicherheitsdienstmann kam herbeigeeilt, sprach dabei etwas in ein Walkie-Talkie.

Die Oberschwester versuchte, Burn zu beruhigen. »Ihrer Frau geht es gut. Sie hat uns die Anweisung erteilt, dass sie Sie im Moment nicht sehen möchte.«

Der zweite Sicherheitsdienstmann war inzwischen eingetroffen. Burn hob besänftigend beide Hände. »Okay. Schön. Dann sagen Sie mir bitte wenigstens genau, wie es ihr geht.«

»Ihr geht es gut. Alles ist normal.«

»Und warum ist sie dann hier?«

»Es handelt sich um einen reinen Routineeingriff.«

»Eingriff?«

»Ihre Frau hat uns in Anbetracht ihres Zustandes gebeten, dass wir künstlich die Wehen einleiten. Das Kind wird einige Wochen vor dem Termin zur Welt kommen, durch einen Kaiserschnitt, falls erforderlich, aber es besteht keinerlei Gefahr.«

»Und wann wird das passieren?«

»Morgen früh.« Die Schwester versuchte zu lächeln. Es sah aus, als würde sie einen Mundschutz ausspucken. »Ich halte es wirklich für das Beste, wenn Sie jetzt gehen. Ich bin sicher, wenn das Kind erst mal zur Welt gekommen ist und wenn Ihre Frau nicht mehr ganz so … so aufgewühlt ist, dann wird sie Sie auch bestimmt sehen wollen.«

Burn nickte. Er drehte sich zur Treppe um, die beiden Männer vom Sicherheitsdienst links und rechts von ihm.

Auf dem Berg waren die Brände neu erwacht, Flammenzungen leckten am Nachthimmel, und der Brandgeruch drang Benny Mongrel in die Nasenflügel. Er war angespannt, der Augenblick war gekommen. Wenn sie jetzt gingen, würden sie neun Stunden Vorsprung haben.

Benny Mongrel wollte gerade die Kette an Bessies Halsband befestigen und den Fußmarsch in ihr neues Leben beginnen, als er sah, wie der fette Bulle sich die Straße hinunterschleppte. Benny Mongrel rührte sich nicht. Wartete. Er sah, dass der Bulle auf den Klingelknopf am Haus des Amerikaners drückte, hörte, wie er etwas in die Gegensprechanlage sagte.

Barnard füllte den Türrahmen vollkommen aus, als er auf den Klingelknopf drückte. Nach einer Weile hörte er eine Frauenstimme. Die Haushaltshilfe, nervös. Wollte wissen, wer da sei.

Barnard hielt seinen Dienstausweis vor die Kamera, leicht schräg, damit er das Licht über der Tür einfing. »Polizei. Lassen Sie mich bitte herein.«

Die Stimme der Frau klang zögernd, voll von dem Misstrauen der Cape Flats gegenüber den Bullen. »Mr. und Mrs. Hill sind nicht zuhause.«

»Ich weiß. Ist schon in Ordnung. Ich muss mit Ihnen reden.«

»Worüber?«

»Hören Sie, Lady, wie heißen Sie?«

Zögern, dann die nervöse Erwiderung. »Mrs. Dollie.«

»Mrs. Dollie, falls Sie keinen Ärger mit mir und mit Ihrem Chef haben wollen, öffnen Sie mir besser jetzt sofort die Tür. Haben Sie mich verstanden?«

Die Drohung funktionierte, und die Tür öffnete sich mit einem leisen Klicken. Barnard trat ein und schloss sie hinter sich wieder.

Zeit, sich in Bewegung zu setzen.

Benny Mongrel nahm Bessie an die Kette und schnalzte leise mit der Zunge. »Komm, Bessie. Gehen wir.« Der alte Hund kam nur mühsam hoch, und es dauerte eine ganze Weile, bis sie ihre Hinterläufe wieder einigermaßen bewegen konnte.

Sie hatten einen weiten Weg vor sich. Benny Mongrel wusste, er brauchte nicht darauf zu hoffen, dass ein Taxifahrer ihn und den Hund mitnahm. Sie würden es zu Fuß schaffen müssen, immer wieder mal eine Pause einlegen, damit der alte Hund sich etwas ausruhen konnte. Benny Mongrel und Bessie gingen das unfertige Treppenhaus hinunter, zwischen den Sand- und Schutthaufen hindurch, zum Tor und in die Freiheit.

Dann hielt ein roter Wagen einer bewaffneten Sniper-Einsatzgruppe am Bordstein. Direkt unter einer Straßenlaterne. Benny Mongrel sah Ishmael Isaacs hinter dem Steuer sitzen, der ihn unverwandt anstarrte.

Burn saß vor der Klinik in seinem Wagen. Er wusste nicht, was er nun tun sollte. Er hatte sich entschieden, er war bereit, den Schmerz, seine Familie zu verlassen, zu ignorieren und am Morgen ins Flugzeug zu steigen.

Jetzt hatte sich alles geändert. Susan lag in der Klinik. Ihre gemeinsame Tochter würde morgen auf die Welt kommen. Burn konnte Matt einfach nicht allein lassen. Er vertraute Mrs. Dollie, aber es kam überhaupt nicht in Frage, dass er den Jungen bei ihr ließ und fortflog. Nicht, bis Susan wieder zuhause war, und zwar in einem Zustand, der es ihr erlaubte, sich um sich selbst und Matt zu kümmern. Fast war es eine Erleichterung, das Gefühl, dass ihm die Entscheidung abgenommen worden war. Er blieb.

Er ließ den Motor an.

Isaacs steckte sich eine Camel an und nahm einen tiefen Zug, bevor er Benny Mongrel den Rauch ins Gesicht blies. Er saß am Steuer, das Einsatzfahrzeug tuckerte im Leerlauf, und starrte zu Benny Mongrel auf.

»Wo willst du hin?«

»Dreh nur meine Runde.«

»Drehst deine Runde?« Das spöttische Grinsen auf Isaacs' Gesicht ging Benny Mongrel auf die Nerven. Zu einer anderen Zeit und an einem anderen Ort wäre dieser Scheißkerl längst unterwegs zu Allah. »Wo willst du deine Runde drehen?«

Benny Mongrel zwang sich zur Ruhe. Nicht mehr lange, jetzt. »Wir gehen jede volle Stunde die Vorderseite des Hauses ab.«

Isaacs nickte. »Okay.« Er paffte, atmete aus. »Bei den Bränden momentan haben wir zusätzliche Einheiten losgeschickt. Diese Leute hier sind beunruhigt, dass ihre scheiß Häuser niederbrennen könnten.«

Benny Mongrel sagte nichts, behielt seinen Kopf leer, so wie er es im Gefängnis gelernt hatte.

Isaacs legte einen Gang ein. »Kann sein, dass ich später noch mal hier vorbeikomme, deshalb mach deine Runden nicht zu groß, okay?« Isaacs lachte in sich hinein und fuhr los, legte völlig unnötig Gummi auf den Asphalt.

Arschloch.

Jetzt würden sie warten müssen.

Die Haushaltshilfe stand hinter dem Sicherheitstor und beobachtete Barnard, der zum Vordereingang des Hauses heraufgekeucht kam. Er sah, dass sie mittleren Alters war, eine Muslimin, ihrem Kopftuch nach zu urteilen. Er hatte keine Zeit für sie, scheiß Heiden.

»Guten Abend, Mrs. Dollie.«

»Guten Abend.«

»Ich bin Inspector Barnard.« Er behielt seine Hände, in den OP-Handschuhen, außer Sichtweite.

»Ja?«

»Kann ich bitte reinkommen?«

Sie war sich nicht sicher. »Ich darf nicht jeden reinlassen. Das hat mir mein Chef gesagt.«

»Ich bin nicht jeder. Ich bin die Polizei.«

Barnard versuchte, einen beruhigenden Gesichtsausdruck aufzusetzen. Was ihr aber nur einen noch größeren Schrecken einjagte. Sie schüttelte den Kopf, trat von dem Sicherheitstor zurück und griff nach ihrem Mobiltelefon in der Tasche. »Ich werde Mr. Hill anrufen. Dann können Sie selbst mit ihm reden.«

Bevor sie außer Reichweite verschwinden konnte, schob Barnard einen fleischigen Arm durch die Gitterstangen – er bekam ihn so gerade eben durchgezwängt – und packte sie an der Kehle, hob sie auf die Zehenspitzen hoch, wobei sie mit den Füßen austrat. Ihre Augen standen panisch vor, als sie verzweifelt nach Luft schnappte. Er griff sich ihr Telefon und steckte es ein.

Der Schlüssel steckte im Sicherheitstor auf ihrer Seite. Sie immer noch festhaltend, griff er mit der freien Hand hinein und drehte den Schlüssel. Er drückte das Tor auf und ließ die Frau fallen.

Sie fiel schwer zu Boden, rang verzweifelt nach Luft, während sie gleichzeitig auf Händen und Knien Richtung Wohnzimmer zu kriechen begann. Sie versuchte zu schreien, doch kein Ton drang aus ihrer Kehle.

Barnard schloss die Tür. Dann ließ er sich mit seinem ganzen Gewicht auf sie fallen, seine Knie bohrten sich in ihren Rücken, drückten sie auf den Boden. Er packte ihren Kopf mit beiden Händen, und mit einer schnellen Drehung brach er ihr das Genick, als wäre sie ein Huhn. Er beeilte sich, um den Urinschwall nicht abzubekommen, der sich jetzt unter ihr ausbreitete, stand auf und registrierte, dass er jetzt auf einen kleinen Jungen hinabschaute.

Der Kleine, er trug einen Schlafanzug mit Disney-Figuren darauf, stand da und starrte Barnard an. Dann öffnete sich sein Mund, um einen mordsmäßigen Schrei herauszulassen.

Barnard war in Windeseile bei ihm, seine Handfläche hielt dem Jungen den Mund zu. Mit einer Hand hielt Barnard das Gesicht des Jungen und zog mit der anderen den Reißverschluss seiner Hüfttasche auf. Er nahm den Stoff und das Klebeband heraus. Er nahm die Hand vom Gesicht des Jungen, erlaubte ihm, nach Luft zu schnappen, dann stopfte er dem Kleinen den Stofflappen in den Mund und klebte den Mund fest zu.

Der Junge hyperventilierte, saugte Luft durch die Nase ein, die blauen Augen weit aufgerissen vor Angst. Barnard drehte ihn auf den Bauch, riss ihm grob die kleinen Hände auf den Rücken und zog einen der Kabelbinder fest um seine Handgelenke zusammen, fest genug, dass sie sich in seine Haut einschnitten. Das Gleiche machte er mit den nackten Knöcheln.

Dann packte Barnard den Jungen, klemmte ihn sich unter einen seiner massigen Arme wie einen Beutel Orangen und machte einen großen Schritt über die tote Frau zur Tür.

KAPITEL 17

Eine Sache, von der Benny Mongrel etwas verstand, war das Warten. Wenn man mehr als ein halbes Leben im Gefängnis verbringt, entwickelt man eine zenähnliche Fähigkeit, in der Gegenwart zu leben. Die, die das nicht können, bringen sich um oder werden verrückt. Oder sie werden umgebracht.

Benny kramte die Blättchen und den Tabak aus der Tasche und begann, sich eine Zigarette zu drehen. Er würde Isaacs eine Stunde geben. Wenn der Dreckskerl bis dahin nicht zurück war, würden er und Bessie ihre Reise beginnen.

Isaacs war ein Angeber, der nur Show machte. Nie im Leben würde er die ganze Nacht auf den Hängen des Berges herumfahren. Nein, zuhause erwarteten ihn ein Topf Curry auf dem Herd und eine Kopftuch tragende Frau, deren fette Schenkel in einem Pandschabi-Hosenanzug lockten, ihm zu Diensten.

Benny Mongrel unterbrach sich beim Drehen und streichelte Bessies verfilztes Fell. Die alte Hündin schaute zu ihm auf, und ihr Schwanz schlug wedelnd auf den Boden. Dann stöhnte sie tief, legte sich auf die Seite und seufzte zufrieden. Sie war immer noch an ihrer Kette. Benny Mongrel löste sie.

Sollte sich das alte Mädchen entspannen, es lag noch ein langer, weiter Weg vor ihr.

Benny Mongrel drehte seine Zigarette zu Ende, ließ die Zunge am Papier entlanggleiten und drückte die Klebestelle mit den

Fingern an. Er spuckte einen Tabakkrümel aus, schirmte die Zigarette gegen den Wind ab, der wieder aufzufrischen begann, und gab sich Feuer.

Er nahm einen tiefen Zug, spürte den Rauch in der Lunge und ließ ihn dann langsam aus Mund und Nase entweichen. Rauchen war auch so ein Gefängnisritual. An einer Zigarette saugen und Zeit verstreichen lassen. Das war das Leben im Gefängnis. Minuten, Stunden, Tage, Jahre flossen dahin wie ein trüber Strom.

Benny Mongrel stand auf, ging an den Rand des Balkons, rauchte und starrte zu den Flammen hinauf, die vom Wind angefacht wurden und sich in einem Zickzack über den Lion's Head zogen.

Dann erstarb der Wind. Urplötzlich. Wie ein Fernseher, der ausgeschaltet wurde. Er konnte das entfernte Rauschen des Verkehrs unten in Sea Point hören, die Alarmanlage eines Autos, die irgendwo da unten losheulte, und dann das ferne Schlagen der Hubschrauberrotoren, die den Berg umkreisten wie Libellen.

Und er hörte das Klicken und Summen der Tür im Nachbarhaus. Was ihn veranlasste, sich sofort wieder in den Schatten zurückzuziehen. Scheiße. Den fetten Bullen hatte er völlig vergessen. Da war der Mistkerl ja, steckte seinen massigen Kopf heraus, schaute die Straße hinauf und hinunter, bevor er herauskam und die Tür hinter sich zuschlug. Er hatte etwas unter seinem Arm.

Der Bulle ging die Straße hinauf, seine Beine scheuerten gegeneinander und sein Arsch wackelte wie der einer Bauchtänzerin. Das Ding unter seinem Arm zappelte. Benny Mongrel schaute zu, wie der Bulle stehen blieb und seinen Griff änderte, genau unter einer Straßenlaterne. In diesem Augenblick erkannte

Benny Mongrel, was der fette Bulle da trug. Einen Jungen mit blonden Haaren.

Das Kind des Amerikaners.

Verpisster kleiner Wichser. Er war zwar klein, kämpfte aber wie eine Katze im Sack. Barnard umklammerte ihn mit beiden Armen, drückte das Gesicht des Jungen fest an seine Brust, schnürte ihm die Luft ab. Was den Jungen zumindest etwas zu bändigen schien. Zusätzlich ließ ihm Barnard brutal eine Hand in die Seite krachen. Er spürte sein Zucken, wie sich seine Knie in sein Fett gruben, dann bewegte sich nichts mehr.

Barnard erreichte den Ford, er hielt den Jungen inzwischen wieder mit nur einem Arm und kramte in seiner Tasche nach dem Autoschlüssel. Während er noch mühsam versuchte, die Schlüssel an den Fettrollen vorbeizubekommen, die an seiner Hüfte über der Hose hingen, trat der Kleine mit nackten Füßen gegen Barnards Wanst und riss sich aus dem Griff des Bullen los. Der kleine Scheißer fiel auf den Asphalt und schlug hart mit dem Kopf auf. Barnard sah das Blut dunkel vor dem Hintergrund der blonden Haare.

Keuchend öffnete Barnard den Kofferraum. Dann beugte er sich vor, die Beine weit gespreizt wie ein Sumoringer, der die Anfangsposition einnimmt, schnappte sich den Jungen und warf ihn in den Kofferraum. Er hörte ihn nach Luft schnappen und sah die Tränen und den Rotz auf seinem Gesicht.

Scheiß auf ihn!

Barnard knallte den Kofferraum zu und lehnte sich auf die Klappe, versuchte, wieder zu Atem zu kommen. Schweißperlen liefen ihm von der Stirn in die Augen. Das Hemd klebte ihm am Rücken, und die Schenkel juckten und brannten, als hätten tausend Moskitos ihn erwischt.

Als er wieder gleichmäßiger und ruhiger atmete, richtete er sich auf und nahm die Baustelle in Augenschein. War da irgendwo dieser Mischlingsdreckskerl mit seinem Köter und verfolgte alles? Barnard musste aufpassen, er konnte es nicht riskieren, dass man ihn mit dieser Entführung in Verbindung brachte.

Er war sich sicher, dass der Amerikaner seine Klappe halten würde. Sollten allerdings die Bullen Wind davon bekommen, dass ein ausländisches Kind entführt worden war, dann wäre die Hölle los. Sehr schlecht für die Tourismusbranche. Das hier waren nicht die Flats, wo das Leben eines Kindes nichts galt. Es würde eine großangelegte Fahndung anlaufen, mit Berichten im Fernsehen und in den Zeitungen. Belohnungen würden ausgesetzt. Und alles zusammen würde Barnards Pläne ernsthaft durchkreuzen.

Er stieg in den Wagen, ließ aber den Motor nicht an, sondern das Auto einfach im Freilauf rollen, bis es auf einer Höhe mit dem Zugang zur Baustelle war, und zog dann die Handbremse. Er wischte sich die schwitzigen Hände an der Jeans ab, zog sein durchnässtes Hemd zur Seite und die .38er aus dem Holster.

Dann stieg er aus dem Wagen.

Das Messer lag in Bennys Hand. Mongrel wartete am Kopfende der Treppe hinter der halb fertigen Wand und lauschte. Er hörte das Knirschen schwerer Schritte, als der fette Bulle über den Sand und Kies der Baustelle ging.

Benny Mongrel hatte sich an einen Ort zurückgezogen, an dem er schon oft gewesen war, seit er als kleiner Junge diesen American-Gangster umgebracht hatte. Es war ein Ort völliger Konzentration, alle Sinne waren geschärft, jeder Muskel und jede Sehne warteten auf den Befehl, die Klinge tief ins Fleisch zu versenken.

Der Bulle hatte die Baustelle betreten. Er machte nicht mal den Versuch, sich leise zu bewegen. Von dort, wo er stand, zwei Treppenabsätze weiter oben, konnte Benny Mongrel den pfeifenden Atem des fetten Bullen hören, wenn Luft durch den Schleim gesaugt wurde wie durch einen verstopften Pool-Filter. Der Bulle hustete und spuckte aus.

Der fette Mann ging über die beiden Bretter, die über einen Graben mit Versorgungsrohren und Hausanschlüssen gelegt worden waren und in das Erdgeschoss des Hauses führten; die Bretter knarrten und federten unter seinem Gewicht.

Benny Mongrel hörte die Stimme des Bullen. »Hey, Wächter. Bist du da?«

Bessie knurrte. Das Knurren war leise und tief. Sie hatte sich zusammengerollt und versuchte jetzt aufzustehen, die Krallen ihrer hinteren Pfoten scharrten über den Betonboden, als sie verzweifelt versuchte, ihre Hüften hochzuwuchten. Benny Mongrel starrte sie an, damit sie Ruhe gab. Er hob warnend eine Hand. Sie schien zu verstehen, und das Knurren in ihrer Kehle verklang. Sie hob ihre lange Schnauze und schnupperte. Doch sie blieb, wo sie war.

»Nachtwächter? Ich hab was für dich, Mann. Bisschen Bares. Will, dass du mir bei was hilfst.« Der fette Bulle kam den ersten Treppenabsatz herauf, seine Stiefel schwer auf dem Beton.

Benny Mongrel rührte sich nicht. Sollte der Bastard doch zu ihm kommen. In dem Augenblick, wenn er den Treppenabsatz im obersten Stock betrat, würde Benny Mongrel zuschlagen.

Er hörte, wie der Bulle den Absatz eine Etage tiefer erreichte. Er keuchte, als wäre er auf den Tafelberg geklettert, sein Atem kam in kurzen Stößen. »Nachtwächter? Lass mich dich gottverdammt nicht suchen müssen …«

Der Bulle setzte seinen Stiefel auf die erste Stufe, die zur obersten Etage führte. Nicht mehr lange. Benny Mongrel war bereit für ihn.

Und dann, bevor er Bessie zurückhalten konnte, schoss der alte Hund an ihm vorbei, rief Muskelerinnerungen ab und fand einen letzten Nachhall der Geschwindigkeit und Stärke, die er einst gekannt hatte. Benny Mongrel machte einen Satz nach Bessie, versuchte, in ihr dichtes Fell zu greifen, doch seine Hände erwischten nur Luft, und er schlug hart auf den Betonboden auf, sein Messer flog durch die Luft und von ihm fort.

Barnard befand sich auf der zweiten Stufe, keuchte der obersten Etage des Hauses entgegen, als er den dunklen Schatten von oben auf sich zufliegen sah. Der scheiß Köter. Er hob die .38er und drückte ab und wusste gleich, dass er danebengeschossen hatte.

Die Pfoten des Hundes erwischten ihn an der Brust. Ein kleinerer Mann wäre jetzt wahrscheinlich zu Boden gegangen, Barnard lehnte sich lediglich ein Stück zurück, bevor er sich wieder aufrichtete. Der Hund prallte von ihm ab und schlug mit dem Rücken auf die Treppe auf. Er hörte das Knacken, als ihr linker Hüftknochen brach. Der Hund stöhnte, versuchte aber weiter anzugreifen, knurrte ihn an, die gelben Reißzähne leuchteten im einfallenden Licht der Straßenlaterne.

Barnard schoss dem Tier aus kürzester Entfernung in die Brust.

Der Schuss machte ihn fast taub, prallte von den nackten, harten Betonwänden ab, hallte durch die unfertigen Räume und verschwand dann hinaus in die Nacht. Unglaublich, der Hund machte immer noch weiter, ein Laut, irgendwo zwischen einem Knurren und einem Schrei, löste sich aus seiner blutigen Schnauze. Er verpasste ihm einen weiteren Schuss.

Bessie rührte sich nicht mehr.

Die Hunde in der Nachbarschaft begannen zu bellen, ein Chor, dem sich immer weitere Stimmen anschlossen, während er über den Vorort hinwegbrandete.

Benny Mongrel rannte gerade hinüber, um das Messer aufzuheben, das ihm aus der Hand geflogen und vor einem Zementsack gelandet war, als er den ersten Schuss hörte. Er schnappte sich das Messer, spürte die beruhigende Form des Griffs, als er seine Finger darum krümmte.

Dann der zweite Schuss.

Benny Mongrel rannte zur Treppe.

Von dort, wo er stand, konnte Barnard durch die unfertigen Räume und über die Straßen und Häuser hinwegsehen.

Drei Blocks entfernt raste der Streifenwagen eines privaten Sicherheitsdienstes die Straße hinunter. Die Schüsse waren gehört worden.

Barnard musste nach oben und das hier zu Ende bringen.

Er schaute zurück zu dem Streifenwagen, sah, dass er bremste, schleuderte, mit dem Heck seitlich ausbrach, als er einem SUV auswich, der aus einer Zufahrt zurückgesetzt hatte.

Der eine Augenblick, den er brauchte.

Benny Mongrel stand am Kopfende der Treppe. Er wusste, er würde deutlich in dem Licht von draußen zu erkennen sein. Er wusste, dass er dem Bullen ein perfektes Ziel bieten würde. Es war ihm gleichgültig.

Er stürmte zur Treppe, und die Kugel krachte in seine Schulter. Es war sein Messerarm, und er hörte das Messer klappern, als es ihm aus der Hand fiel. Er war auch früher schon angeschossen worden, doch es war kein Gefühl, an das man sich gewöhnte, eine Kugel, die sich ins Fleisch bohrt. Das taube Gefühl. Zuerst kein Schmerz. Aber man wusste genau, er würde kommen.

Er schaffte es, sich zu drehen und seitlich zurückzuspringen, so dass er ein Stück von der Treppe entfernt landete, geschützt durch eine niedrige Mauer. Benny Mongrel lag auf der Seite und wartete, dass der fette Bulle die Treppe heraufkam. Sein rechter Arm war nicht mehr zu gebrauchen. Er spürte, wie das Blut aus seiner Schulter floss, den Arm hinunter, sich auf seinen Fingern sammelte.

Er streckte die linke Hand aus, fand einen halben Ziegelstein. Wenigstens etwas.

Irgendwo in der Ferne hörte er ein Auto, es fuhr schnell, wurde energisch hochgeschaltet. Er hörte den Bullen eine weitere Stufe heraufkommen. Dann noch eine.

Barnard stieg die Treppe hinauf. Er schaute zur Straße hinunter. Der Streifenwagen hinterließ Gummi auf dem Asphalt, als er wieder in seine Richtung kam. Noch zwei Blocks entfernt. Barnard traf eine Entscheidung. Er drehte sich um und lief los, bewegte sich so schnell, wie es bei seinen enormen Ausmaßen möglich war.

Er rannte aus dem Haus, stürmte über die Bretter und weiter zur Straße, die Beine immer auf und ab, während das Herz drohte, in seiner Ummantelung aus Fett und Cholesterin zu explodieren.

Da stand der Ford. Nicht mehr weit.

Er warf einen Blick über die Schulter. Der Streifenwagen war noch nicht da, war noch nicht zu sehen. Aber er konnte ihn hören, konnte hören, wie die Gänge mit Gewalt geschaltet wurden, vielleicht hinter der nächsten Ecke.

Er hatte seinen Wagen erreicht. Schloss ihn auf, ließ sich hineinfallen, spürte, wie er unter seinem Gewicht durchsackte.

Schlüssel ins Zündschloss. In den Rückwärtsgang und weg, weg von diesem Haus, weg von dem Streifenwagen, mit brennender Kupplung.

Dann war er über die Anhöhe und verschwand im Rückwärtsgang außer Sicht.

Als der fette Bulle verschwunden war, schleppte Benny Mongrel sich hoch, den Backstein noch in der linken Hand. Er ging die Treppe hinunter.

Bessie lag auf dem Absatz darunter. Sie rührte sich nicht. Benny Mongrel stand neben dem Hund, ließ den Ziegel fallen und ging langsam in die Knie. Er wusste, dass sie tot war, noch bevor er sie berührte. Ein Strahl der Straßenlaterne fiel auf den Treppenabsatz, und er konnte sehen, wie die Lefzen in der starren Grimasse des Todes von den blutverschmierten Zähnen zurückgezogen waren. Blut tränkte ihr Fell und breitete sich wie ein dunkler Fleck um ihren Körper aus.

Benny Mongrel kniete sich in das Blut und hob den toten Hund mit seinem unverletzten Arm auf und hielt ihn. Dann tat er etwas, das er nicht mehr getan hatte, seit er vor vielen Jahren auf die Müllkippe geworfen worden war.

Benny Mongrel weinte.

KAPITEL 18

Als Burn die blitzenden Blaulichter des Polizeiwagens sah, überkam ihn kurz blinde Panik. Im ersten Moment wollte er einfach an seinem Haus vorbeifahren und dann zusehen, dass er so schnell wie möglich verschwand.

Dann sah er, dass die Cops auf der Baustelle nebenan waren. Ein Krankenwagen stand vor dem Streifenwagen, und auf dem Bürgersteig stand das Fahrzeug eines privaten Sicherheitsdienstes. Er sah den Nachtwächter, den Mann mit dem entstellten Gesicht, der zum Krankenwagen geführt wurde. Das Hemd des Nachtwächters stand offen, und Burn konnte sehen, dass sein Arm in einer Schlinge steckte und seine Schulter verbunden war. Die Cops schauten desinteressiert herüber, als Burn vor seinem Garagentor hielt und die Fernbedienung betätigte.

Langsam fuhr er den Wagen hinein, das Tor senkte sich hinter ihm. Er blieb noch einen Moment sitzen und genoss das Gefühl großer Erleichterung. Er war in Sicherheit. Vorläufig. Und er würde noch nicht morgen abreisen. Vielleicht, nur vielleicht, überlegte Susan es sich doch noch anders, wenn ihre Tochter erst einmal geboren war, überwältigt von mütterlichen Gefühlen. Und gab ihm – ihnen – eine weitere Chance.

Burn erinnerte sich an Matts Geburt, wie Susan ihm da ihre Fingernägel in die Handfläche gebohrt hatte, so fest, dass es blutete. Er hatte das überhaupt nicht gemerkt, so gebannt und fasziniert war er gewesen vom Drama dieses neuen Lebens.

Jetzt erschien es ihm völlig unvorstellbar, dass er auch nur daran gedacht hatte, seinem Sohn für immer Lebewohl zu sagen.

Er stieg die Treppe von der Garage hoch und betrat das Haus durch die Küche. Das vertraute akustische Chaos des Cartoon Network plärrte ihm aus dem Wohnzimmer entgegen, und auf der Theke in der Küche war für zwei gedeckt.

»Matt?« Burn ließ seine Schlüssel auf die Küchentheke fallen und ging zum Fernseher. Dort fand er Mrs. Dollie ausgestreckt auf den Fliesen neben der Haustür liegen, ihr Kopf in einem unmöglichen, unnatürlichen Winkel, die Augen ins Nichts starrend. Das Wohnzimmer war leer.

Burn rannte los. »Matt!«

Er lief durch jedes einzelne Zimmer des Hauses, sah unter den Betten nach, in den Kleider- und Wandschränken. Er wusste, dass sein Sohn nicht mehr da war.

Schließlich kehrte er zu Mrs. Dollie zurück, tastete sinnlos und vergeblich nach ihrem Puls. Er ließ ihre leblose Hand zu Boden fallen. Burn sah auf die Uhr. Er war keine Stunde weg gewesen. Wer immer seinen Sohn hatte, würde jetzt bereits in der weitläufigen Stadt untergetaucht sein.

Mit dem Wind auf und davon.

Draußen waren Cops. Er könnte einfach hinausgehen und sie um Hilfe bitten. Sie ihre Arbeit machen lassen. Er wusste, dabei würde höchstwahrscheinlich seine Tarnung auffliegen. Egal. Ihn interessierte einzig und allein sein Sohn.

Aber er wusste, zu den Cops zu gehen könnte auch das Todesurteil für seinen Sohn bedeuten.

Jemand hatte Matt mitgenommen, weil er etwas wollte. Das hier war kein Einbruch. Nichts war gestohlen worden. Mrs. Dollie war getötet worden, damit sie den Entführer seines Sohnes nicht identifizieren könnte. Burn war überzeugt, dass sich jemand mit einer Forderung an ihn wenden würde. Darauf würde er warten.

Das war Matts Chance.

Vielleicht war es seine einzige.

Sie brachten Benny Mongrel runter ins Somerset Hospital. Keine schicke Privatklinik für ihn, einfach nur das öffentliche Krankenhaus. Zu wenig Geldmittel, zu wenig Personal, überbelegt.

Die Sanitäter ließen ihn in der Notaufnahme sitzen, zwischen Unfallopfern, nach Schlägereien blutenden Männern, kranken Obdachlosen und, äußerst bemerkenswert, einem Mann, der mit einer Axt im Schädel hereinkam. Selbst das ansonsten recht abgestumpfte Personal der Notaufnahme schaute zweimal hin.

Die diensthabende Schwester schenkte Benny Mongrels Verletzung einen eher desinteressierten Blick, sah sofort, dass es nicht lebensbedrohlich war, und sagte, er müsse warten.

Benny Mongrel wartete. Er hatte nichts Besseres vor.

Als er Ishmael Isaacs die Treppe heraufkommen hörte wie Clint Eastwood, die Pistole im Anschlag, hatte er aufgehört zu weinen, Bessies Kopf behutsam auf den Boden gelegt und war aufgestanden. Er hatte sich die Tränen aus dem gesunden Auge gewischt. Isaacs stand auf dem Treppenabsatz, die Waffe in der Hand, und fuchtelte damit in der Gegend herum, als wäre er beim Casting für einen dieser scheiß Actionfilme, die man ihnen immer im Knast gezeigt hatte.

»Die sind weg«, sagte Benny Mongrel.

Isaacs senkte die Pistole, gerade so, als sei er enttäuscht, niemanden erschießen zu können. »Was zum Teufel ist hier passiert?« Als wäre das alles allein Benny Mongrels Schuld, welche Scheiße auch immer sich hier abgespielt hatte.

»Zwei Typen sind reingekommen.« Benny Mongrel drückte seine Finger auf die Wunde in seiner Schulter. Fühlte sich nicht zu schlimm an. Er versuchte, Bessie zu ignorieren. Er wollte nicht, dass Isaacs sah, wie er weinte.

»Wer war das?«

Benny zuckte mit der gesunden Schulter. »Zwei Nichtsnutze. *Lighties*, Hellhäutige, kleine Scheißwichser. Wollten Werkzeuge stehlen und sich von der Kohle wahrscheinlich Tik kaufen.«

»Mit dir ist aber alles in Ordnung?«, fragte Isaacs ausgesprochen widerwillig.

Bennie nickte. »Mein Hund hat sie angegriffen. Die haben sie abgeknallt.«

Isaacs grunzte und verpasste Bessie einen gleichgültigen Tritt. »Erspart dem Tierarzt die Arbeit.«

Das war der Moment, als Benny Mongrel ihm eine verpasste, einen linken Haken auf die Nase. Benny war kein großer, kräftiger Mann, aber es gab nicht viel, was man ihm noch hätte beibringen können über das Kämpfen. Er spürte, wie die Nase des Vorarbeiters unter seinen Knöcheln brach.

Isaacs' Hände schossen zu seinem Gesicht hoch, Blut tropfte zwischen seinen Fingern heraus. »Du scheiß Dreckskerl«, ließ er sehr gedämpft hören. Benny Mongrel trat ihm in die Eier.

Das war der Moment, als die beiden Cops hereinkamen, mit gezogenen Waffen. Es verursachte Verwirrung, dass sie auf zwei blutende Mitarbeiter eines Sicherheitsdienstes und den toten Hund stießen.

Es war einiges an Erklärung erforderlich. Einer der beiden machte sich sogar Notizen.

Dann war der Krankenwagen da, und Benny Mongrel wurde

verbunden. Der Sanitäter, der ihn versorgte, sagte, er habe Glück gehabt, es sei ein glatter Durchschuss.

Der andere Sanitäter untersuchte Isaacs, sagte ihm, seine Nase sei gebrochen.

»Scheiße, das weiß ich auch«, fauchte Isaacs, der richtig stinksauer war. Dann sah er Benny Mongrel an. »Du kommst dir nächste Woche dein Gehalt holen, Niemand.«

»Schieb's dir in den Arsch«, erwiderte Benny Mongrel, als er zum Krankenwagen gebracht wurde. Er hatte noch einen Blick zurück über die Schulter zu dem Hund geworfen.

Er wollte weder ihr Geld noch ihren scheiß Job. Er wollte diesen fetten Bullen. Er würde ihn wie ein Schwein aufschlitzen, von den Eiern bis zur Kehle, würde seine Innereien rausfallen lassen; sollte doch der fette Dreckskerl mal versuchen, alles zusammenzuhalten, während Benny Mongrel ihm beim Sterben zusah.

Schließlich nähten sie ihm die Wunde. Benny Mongrel musste sich bis zur Hüfte ausziehen. Im harten Neonlicht des Krankenhauses waren seine Knast-Tattoos ein recht beeindruckendes Statement. Die Kugel hatte einen Brocken aus seiner rechten Schulter gerissen und einen Teil seines tätowierten Rangabzeichens entfernt.

Es war eine junge Ärztin, wahrscheinlich gerade frisch von der Uni. Benny Mongrel machte sie nervös. Ihre Hände zitterten, und mit ihren Nähten würde sie auch keinen Schönheitspreis gewinnen. Sie sah, dass er sich ihre Arbeit anschaute. »Es wird besser aussehen, wenn es erst mal verheilt ist.«

Er sagte nichts.

Sie sagten Benny Mongrel, dass leider kein Bett für ihn frei sei. Er könne aber die Nacht auf einer Bank in der Notaufnahme schlafen. Vielleicht konnte man irgendwo eine Decke für ihn auftreiben?

Aber er machte sich bereits auf den Weg.

Ein weiterer Tag in Kapstadt.

Carmen Fortune stand in der Tür ihrer Wohnung, starrte Gatsby an, dann den kleinen blonden Jungen, der schlaff in seinen Armen lag, verschnürt wie ein Weihnachtstruthahn. »Hey, was für'n Scheiß ist das denn?«

»Das ist ein Junge. Wie sieht's denn aus?«

Gatsby drängte sie mit der Schulter beiseite und betrat die Wohnung. Er warf den Jungen aufs Sofa neben Onkel Fatty, der nur mit einer Unterhose bekleidet und weggetreten war.

»Ist er tot?«

»Wenn er tot wäre, würde ich den Balg in einen scheiß Graben schmeißen und nicht herbringen.« Gatsby keuchte und verstänkerte den Raum noch mehr als gewöhnlich.

Carmen schloss die Wohnungstür und ging zu dem Kind hinüber. Ein weißes Kind mit hellen Haaren. An einer Seite seines Kopfes klebte geronnenes Blut. Seine Hände waren hinter dem Rücken gefesselt, die Füße zusammengeschnürt.

Das Kind war bewusstlos.

Carmen schaute zu Gatsby auf. »Warum bringen Sie ihn her?«

»Du wirst dich für mich um ihn kümmern.«

»Einen Scheiß werd ich!«

»Für ein oder zwei Tage.«

Er zog ein Bündel Geldscheine aus der Gürteltasche und warf es ihr zu. Carmen fing das Geld mit überraschendem Geschick auf.

Sie sah das Geld gierig an, ließ einen Daumen über die Scheine gleiten, die mit einem Gummiband umwickelt waren. Das mussten so an die fünfhundert sein. »Ich will keinen Ärger.«

Er lachte einen seiner saugenden Lacher. »Ihr Leute kennt doch gar nichts anderes als Ärger. Ihr habt das im Blut.«

Er setzte sich auf die Sofalehne, ließ die Arme schlaff zwischen seinen Beinen baumeln, als wäre er ein großer Affe. Carmen stopfte das Geld in ihren BH, umkreiste das Sofa misstrauisch. »Wem gehört das Kind?«

»Das musst du nicht wissen. Du behältst ihn hier, sorgst dafür, dass er bis morgen nicht gesehen wird, oder besser bis übermorgen, und ich geb dir einen weiteren Riesen.«

Sie starrte ihn an. »Erzähl mir keinen Scheiß.«

Er wischte sich mit seiner riesigen Pranke übers Gesicht, schob sich den Pony beiseite. »Ist mein Ernst.«

»Und ich muss mich nur um ihn kümmern?«

»Das ist alles. Gib ihm was zu essen. Sorg dafür, dass er ruhig ist.«

»Und dann?«

»Und dann komme ich zurück und hol ihn wieder ab. Und du kannst dir Tik kaufen gehen und 'ne scheiß Party schmeißen.«

»Meine Fresse, hey! Ich nehm kein Tik.«

Gatsby wuchtete seinen massigen Leib vom Sofa, zog sein Hemd hoch und die Jeans runter. Einen schrecklichen Moment lang befürchtete sie schon, er werde sich vor ihr entblößen, aber er zeigte ihr lediglich die Pistole an seiner Taille, umhüllt von einem Meer aus marmoriertem rosa Fleisch.

»Wenn du ein liebes, braves kleines Mädchen bist, kriegst du deinen Tausender. Lässt du irgendwen wissen, dass dieser Junge hier ist, leg ich dich um. Hast du das verstanden?« Die Schweinsaugen fixierten sie. Sie verspürte dabei den dringenden Wunsch zu baden.

»Ja. Hab verstanden.«

Er ließ das Hemd fallen und trottete zur Tür.

»Hey«, rief sie ihm nach, als er gerade nach der Türklinke griff.

Er drehte sich um. »Was?«

»Wie heißt er?«

»Woher zum Teufel soll ich das wissen?«

»Darf ich ihn losschneiden? Seine Füße sind schon ganz blau.«

»Hey, Scheiße, mach doch, was du willst. Sorg nur dafür, dass ihn keiner sieht.«

Und dann war der fette Bure fort, nachdem er die Tür hinter sich zugeknallt hatte.

Carmen kehrte zum Sofa zurück und betrachtete das Kind. Zögernd streckte sie eine Hand aus und berührte seinen Hals. Sie spürte den Puls, flatternd wie ein Vogel. Seine Lider zuckten, blieben aber geschlossen.

Vorsichtig entfernte sie das Klebeband von seinem Mund, zog dann den Lappen heraus. Gierig schnappte er durch den Mund nach Luft, kam aber noch nicht wieder zu Bewusstsein. Er war ein hübscher kleiner Junge, das sah sie sofort, in seinem putzigen Disney-Schlafanzug. Ein kuscheliger, süßer Kerl, dessen nettes kleines Leben gerade vor die Hunde ging. Nicht ihr scheiß Problem. Für sie war er ein Geschenk des Himmels.

Sie ging in die Küche und holte ein Messer, um ihm die Fesseln abzuschneiden.

Burn saß vor dem Fernseher. Lokalnachrichten. Bilder einer Kinderleiche, die draußen auf den Cape Flats in einem Abflussrohr gefunden worden war. Das Kind war zuerst vergewaltigt und dann ermordet worden.

Burn griff nach der Fernbedienung und wechselte den Kanal. MTV, irgendeine schmalzige Latina sang von einer Liebe, die nicht mehr lief. Mein Gott, wie sehr wünschte er sich, wieder in den Staaten zu sein, wo er die Codes verstand. In diesem verschissenen Land gab es tausend Sachen, von denen er nicht die geringste Ahnung hatte. Die Pistole des toten Gang-Mitglieds lag neben ihm. So fühlte er sich besser. Vielleicht weil er wusste, dass er sie auch gegen sich selbst richten konnte, falls alles schief lief.

Er musste glauben, dass sein Sohn noch lebte. Matt war aus irgendeinem Grund entführt worden. Hier ging es um Geld. Um Habgier. Es musste so sein.

Sein Mobiltelefon klingelte, und als er Mrs. Dollies Namen auf dem Display sah, glaubte er für einen Sekundenbruchteil, dass sie ihn von zuhause aus anrief und nicht nebenan tot auf dem Boden lag.

Er nahm den Anruf an.

»Burn?« Der Mann kannte seinen richtigen Namen. Die Stimme am anderen Ende, mit einem starken kehligen Akzent, klang verzerrt. Als würde der Anrufer die Freisprecheinrichtung benutzen und seine Stimme zusätzlich dämpfen, um nicht erkannt zu werden.

»Wer spricht da?«

»Unwichtig. Ich habe deinen Jungen.«

»Wo ist er?«

»Dem Jungen geht's gut. Und so wird es auch bleiben, wenn du genau das tust, was ich dir sage. Verstanden?«

»Ja. Was wollen Sie?«

»Ich will eine Million. In bar. Morgen Abend.«

»So eine Summe liegt hier nicht einfach so herum.«

»Pass auf, Burn, wenn du mich verarschen willst, fange ich an, ihm einen Finger nach dem anderen abzuschneiden, und stopfe sie dann in deinen Briefkasten. Haben wir uns verstanden?«

»Ja. Bitte, ich mache alles, was Sie verlangen. Aber tun Sie meinem Sohn nichts. Ich muss das Geld aus dem Ausland auf eine hiesige Bank überweisen. Ich werde mehr Zeit brauchen.«

»Wie viel?«

»Bis übermorgen.«

Burn hörte nur ein pfeifendes Atmen, dann sprach der Mann wieder. »Okay, aber nicht länger. Verstanden?«

»Ja.«

»Also, ich weiß, wer du bist. Ich weiß, dass die US Marshals es auf deinen Arsch abgesehen haben. Deshalb ziehst du auch keinen dummen Scheiß ab, richtig? Wie zum Beispiel zu den Bullen zu laufen.«

»Nein, mache ich nicht.«

»Okay. Denn falls du das tust, mach ich den Kleinen kalt.«

»Ich gebe Ihnen mein Wort.«

»Ja, klar.« Der Mann lachte. »Und jetzt sieh zu, dass du die Kohle ranschaffst, und dann wartest du, bis ich mich wieder bei dir melde, verstanden?«

»Kann ich kurz mit meinem Sohn sprechen?«

»Jetzt nicht. Besorg einfach das Geld.«

Und der Mann war weg. Wenigstens ging's um Geld. Habgier konnte Burn nachvollziehen, es bedeutete auch, dass noch eine Chance bestand, seinen Sohn lebendig zurückzubekommen.

Irgendetwas an dieser Stimme erinnerte ihn an den fetten Bullen. An Barnard. Das ergab auch Sinn. Der Mann spionierte herum, zeigte ihnen Fotos. Vielleicht hatte er ja sogar Susans Fingerabdrücke gesichert. Mies genug war dieser Barnard. Aber ganz sicher war sich Burn noch nicht. Dennoch verspürte er den Drang, etwas zu tun, die Sache in die Hand zu nehmen. Zu versuchen, den fetten Cop ausfindig zu machen. Herauszufinden, ob er seinen Sohn entführt hatte.

Burn wurde wieder ruhiger. Alles, was er in dieser Richtung unternahm, könnte ziemlich schnell damit enden, dass Matt getötet wurde. So schwer zu ertragen es war, er würde abwarten müssen. Einen Schritt nach dem anderen.

Burn durchquerte das Wohnzimmer, versuchte, nicht dorthin zu schauen, wo Mrs. Dollie unter einer Decke lag. Er ging ins Gästezimmer, fuhr seinen Laptop hoch und loggte sich in sein anonymes Schweizer Bankkonto ein.

Der Kidnapper wollte eine Million in südafrikanischer Währung. Das entsprach ungefähr hundertfünfzigtausend US-Dollar. Keine besonders hohe Summe, aber immerhin das Doppelte dessen, was sich in dem Safe im Schlafzimmer befand. Er führte die Transaktionen aus, überwies Geld auf Konten bei zwei verschiedenen Banken in Kapstadt. Das war unauffälliger. Er loggte sich aus und stand auf. Er musste sich wegen Mrs. Dollie etwas einfallen lassen.

Zum zweiten Mal in dieser Woche musste Burn sich eine Leiche vom Hals schaffen.

KAPITEL 19

Disaster Zondi kämpfte entschieden gegen seine Enttäuschung an. Er streifte ruhelos durch das beengte Büro im Hauptquartier Bellwood South. Die Leuchtstoffröhren der Neonbänder summten wie hungrige Insekten. Weit nach Mitternacht war das Gebäude leer und verlassen.

Der fette Mann, der einzige Grund, warum er sich überhaupt in dieser verfluchten angemalten Hure von Stadt befand, war spurlos verschwunden. Rudi Barnard, bislang so sichtbar, so präsent mit diesem Gestank, so sehr Teil jener Ecke der Cape Flats, die er kontrollierte, war nirgendwo aufgetaucht. Er kehrte nicht in seine Wohnung zurück. Er setzte sich nicht mit denjenigen seiner Informanten in Verbindung, bei denen man sich darauf verlassen konnte, dass sie mit der Polizei zusammenarbeiteten. Selbst die Frau, die ihn mit seinem bevorzugten Junkfood versorgte, hatte mit einiger Erleichterung festgestellt, ihn schon eine ganze Weile nicht mehr gesehen zu haben.

Verschwunden.

Zondi hatte mit Hilfe von Peterson, den er wie eine Marionette benutzte, so viel Manpower wie nur möglich mobilisiert, um die Flats nach dem skrupellosen Bullen abzusuchen. Herausgekommen war dabei nichts.

In der Zwischenzeit hatte Zondi sich ablenken müssen, indem er die beiden anderen korrupten Bullen auf seiner Liste verhörte.

Sie waren nichts, kleine Niemande, die ihre Finger in ein paar fremde Taschen gesteckt hatten. Alltäglicher Kleinkram, nichts Besonderes. Langweilig.

Seine eigentliche Beute hieß Barnard. Und der war verschwunden.

Er wusste, er musste Geduld haben. Barnard war es gewohnt, seine eigenen Regeln zu machen, er würde Scheiße bauen, und dann hatten sie ihn.

Zondi stand am Fenster und schaute hinaus auf die Lichter Kapstadts in der Ferne. Er bekämpfte den Drang, in die Nacht hinauszugehen und nach Sex zu suchen, je unpersönlicher die Begegnung, umso besser.

Zondi hatte nie geheiratet und hatte auch keine Partnerin. Er war recht geschickt darin geworden, die sexuellen Annäherungsversuche der weiblichen Jäger und Sammler aus dem wohlhabenden schwarzen Johannesburg abzuwehren. Tatsächlich sogar so geschickt, dass viele ihn für schwul hielten.

Was er nicht war. Gleichzeitig tat er aber auch nichts, um diesem Gerücht zu widersprechen.

Zondi hatte keine Verwendung für die Gesellschaftsspielchen, die eine Beziehung oder auch nur eine Affäre nach sich ziehen würden. Der ganze Paarungstanz, der Austausch von Intimitäten, die endlosen Gespräche über Karriere und Status und, Gott bewahre, darüber, wohin die Beziehung führe. Die Vorstellung, neben einer Frau in seinem Bett aufzuwachen, ihr Körper entspannt von Schlaf und Sex, ihr teures Parfum vermischt mit durchdringenderen Gerüchen, ekelte ihn einfach an.

Zondi war ein Mann, der zuschlug und wieder verschwand. Wenn er den Trieb nicht länger unterdrücken konnte, wenn dieser zu hartnäckig wurde, ging er auf die Jagd. Schleppte eine Frau in einer Bar ab oder auch an einer Straßenecke – er hatte kein Problem damit, für Sex zu bezahlen, mochte es genau genommen sogar –, ein schneller, brutaler Koitus auf dem Rücksitz seines Autos oder in einem anonymen Hotelzimmer und dann nichts wie weg. Zurück in seine Wohnung zum Duschen, dann einen Fingerhut Glenmorangie, und mit dem rauchigen, intensiven Geschmack von Gerste und Torffeuer im Mund ins Bett, um friedlich allein zu schlummern, nachdem sein Appetit gestillt war. Für den Augenblick.

Doch bevor er Johannesburg verließ, hatte er mit sich selbst ein Abkommen getroffen. Keinen Sex, keine Ablenkungen, bis seine Arbeit in Kapstadt erledigt war.

Er musste diszipliniert sein.

Sein Mobiltelefon klingelte. Es war der Computertechniker aus dem kriminaltechnischen Labor. Der Mann, ein Afrikander frisch von der Universität, überraschte Zondi mit seiner Tüchtigkeit. »Äh, Mr. Zondi, ich habe diese IP-Adresse zurückverfolgt, über einen ISP in den Staaten.«

»Im Klartext, bitte!«

»Okay. Ich habe die Yahoo-Adresse zu einer Person in den USA zurückverfolgt.«

»Ja. Und?«

»Er ist ein Deputy US Marshal in …« Der Techniker unterbrach sich, Zondi hörte Finger über eine Tastatur fliegen. »… in Arlington, Virginia.«

Das interessierte Zondi. »Woher wissen Sie das?«

»Die IP-Adresse ist auf das Hauptquartier der US Marshals registriert.«

Zondi griff nach seinem Notizblock. »Hat dieser Marshal auch einen Namen?«

»Torrance, Dexter Torrance.« Der Techniker buchstabierte Zondi den Namen.

Zondi bedankte sich und unterbrach die Verbindung. Alle Gedanken an seine tobende Libido waren verschwunden, als er sich vor Barnards Laptop setzte. Der Rechner befand sich im Ruhezustand, und Zondi zog mit einem Finger über das Touchpad. Dann wischte er sich den Finger an seinem seidenen Taschentuch ab, in der unbewussten Angst vor einer möglichen Ansteckung.

Das Bild des Fingerabdrucks erschien auf dem Monitor. Warum hatte Barnard ihn an einen Deputy US Marshal in den Staaten geschickt? Und wessen Abdruck war das überhaupt, zum Teufel? Die Beantwortung der ersten Frage könnte noch eine ganze Weile dauern, die Antwort auf die zweite Frage war jetzt in greifbare Nähe gerückt.

Sein eigener Laptop kündigte mit einem dezenten Glockenklang das Eintreffen einer neuen Mail an. Sie kam von Archibald Mathebula, seinem Vorgesetzten. Sein Chef hatte für Zondi ein verschlüsseltes Passwort besorgt, ein Passwort, mit dem er sich in die Fingerabdruck-Datenbank des FBI einloggen konnte.

Burn bremste den Jeep ab und parkte zwischen zwei Straßenlaternen. Bevor er die Tür öffnete, schaltete er die Innenbeleuchtung des Wagens aus. Einen Augenblick stand er in der ruhigen Straße, die Häuser glichen seinem. Er ließ seinen Blick wandern und lauschte. Es war nach zwei Uhr morgens, und die Welt schlief. Alles war ruhig, bis auf einen irgendwo in der Ferne bellenden Hund und ein Auto, das sich einige Blocks entfernt eine Steigung hinaufmühte.

Burn umrundete den Jeep und erreichte eine steile Treppe, die die Straße mit der darunterliegenden verband. Sie wurde von Joggern, Hundebesitzern und Hauspersonal benutzt, um den Weg zur High Level Road und zu den Minibus-Taxis abzukürzen. Außerdem nutzten Obdachlose sie als Schlafplatz. Burn ging die

Treppe bis zur Hälfte hinunter. Er stieß auf kein heruntergekommenes Bündel Mensch.

Burn kehrte zum Auto zurück und schaute sich um, weil er sich ein letztes Mal vergewissern wollte, tatsächlich allein und unbeobachtet zu sein, bevor er die Heckklappe des Jeeps öffnete. Mrs. Dollie lag an genau derselben Stelle, wo er bereits die letzten beiden Leichen verstaut hatte. Sie war in eine Decke gewickelt. Er beugte sich vor und hob sie heraus. Sie war klein und schmal, leicht zu tragen.

Burn lief die Treppe hinunter. Er legte sie behutsam auf die Betonstufen und wickelte sie aus der Decke. Es fiel genug Licht von der Straßenbeleuchtung bis hierher, dass er ihren panischen Gesichtsausdruck erkennen konnte. Einen Moment lang glaubte er, es doch nicht tun zu können, diese Frau, die sich so liebevoll um seinen Sohn gekümmert hatte, hier einfach liegen zu lassen. Dann nahm Burn die Decke und kehrte zum Auto zurück. Er vergewisserte sich noch einmal, dass er nicht beobachtet worden war, und fuhr weg.

Er wusste, wenn die Leiche morgen früh auf der Treppe gefunden wurde, dann würde das Ganze unter Straßenraub verbucht. Wenn dann die Polizei kam, würde er diese Annahme untermauern, indem er ihnen erzählte, dass sie gegen sieben das Haus verlassen und sein Angebot, sie zu fahren, abgelehnt habe mit der Begründung, gern das Stück runter bis zu den Taxis zu Fuß zu gehen. Ein bisschen Bewegung tue ihr gut. Es würde ihm leichtfallen, den Dialog zu wiederholen, den sie so tatsächlich viele Male zuvor gehabt hatten.

Als er den Wagen wieder in die Garage setzte, fühlte Burn sich beschissen. Seinetwegen war Mrs. Dollie ahnungslos in etwas hineingeraten, das sie das Leben gekostet hatte. Burn hatte ihren Mann kennengelernt, einen schüchternen, zurückhaltenden Mann, der sich nicht davon abbringen ließ, ihn *Mr. Jack* zu nennen. Er hatte auch ihre Tochter Leila kennengelernt, eine junge Frau, kaum zwanzig, das Ergebnis jahrelanger selbstloser Hingabe ihrer Eltern, die eine Karriere in der Wirtschaft anstrebte.

Burn wusste, dass er sich den Luxus von Schuldgefühlen nicht leisten konnte. Er musste stets ein Ziel, und dieses eine Ziel allein, im Auge behalten.

Matt.

Carmen Fortune wachte an diesem Morgen mit einem Verlangen nach Tik auf, das direkt heftig an ihren Nerven zerrte. Scheiße, sie brauchte unbedingt was. Dann fiel ihr der weiße Junge wieder ein, das kleine Geschenk des Himmels. Sie setzte sich auf, das schmierige Laken rutschte von ihren nackten Brüsten. Wo war er?

Am Abend zuvor hatte sie ihn ins Bett neben sich gelegt und die Schlafzimmertür von innen abgeschlossen. Er war nicht aufgewacht, als sie ihm die Fesseln von den Händen und Füßen abnahm. Wahrscheinlich hatte er eine Gehirnerschütterung. Sie hatte sich nicht wirklich große Mühe gegeben, das Blut aus seinen blonden Haaren zu waschen. Die Haare waren so fein und weich unter ihren Fingern, ganz anders als Sheldons Haare, die hart und drahtig gewesen waren, eher wie Stahlwolle.

Sie sah den Jungen in seinem Schlafanzug auf dem schmutzigen Linoleumboden sitzen, mit leerem Blick am Daumen lutschend. Als sie aus dem Bett stieg, zum Schrank hinüberging und sich ein T-Shirt anzog, sah er sie nicht an.

Sie hockte sich vor ihn. »He«, sagte sie.

Er reagierte nicht. Sie sah, dass er in einer Pfütze aus Pisse saß. Himmel, war es ihr Fluch, von Männern umgeben zu sein, die ihre scheiß Blase nicht im Griff hatten?

Sie schüttelte ihn an den Schultern. »He, kleiner Mann.«

Langsam wanderte sein Blick zu ihrem Gesicht hinauf. Selbst in ihrem Zustand noch milder Tik-Entzugserscheinungen konnte Carmen sehen, dass er sehr schöne Augen hatte. Blau mit etwas darin, das beinahe Violett war. Wie ihre inzwischen einige Wochen alten blauen Flecke von Rikkis Schlägen.

»Wie geht's deinem Kopf?« Sie streckte die Hand aus und strich vorsichtig sein Haar auseinander, um zu sehen, ob die Platzwunde heilte. Der Junge zuckte zusammen und wich zurück.

Er nahm den Daumen aus dem Mund und sprach zum ersten Mal. »Ich will zu meiner Mami.«

Der Akzent war amerikanisch, so wie bei diesen kleinen Klugscheißer-Kids in den Sitcoms. Am liebsten hätte Carmen jetzt gelacht. War das hier alles echt? »Du kommst später zu deiner Mami, okay?«

Der kleine Junge fing an zu weinen, sein Mund zuckte und diese schönen Augen wurden riesengroß. Himmel, mit einem plärrenden Balg wurde sie im Moment nicht fertig.

Sie stand auf und hielt ihm eine Hand hin. »Komm, lass uns was frühstücken.« Der Junge starrte sie einfach nur an. »Willst du fernsehen?« Keine Reaktion.

Sie packte seine Hand und zog ihn hoch auf die Füße. Er schwankte ein wenig, fand dann sein Gleichgewicht und zog die Hand zurück. »Wie heißt du überhaupt?«

»Matt.«

»Okay, Matt. Du kannst mich …« Sie unterbrach sich. Sie konnte dem Jungen ja wohl schlecht ihren richtigen Namen sagen, oder? »Nenn mich Jenny.« Wie in J. Los »Jenny from the Block«. Immer noch einer von Carmens Lieblingssongs.

»Bist du Leilas Freundin?« Er schaute zu ihr auf, versuchte verzweifelt, zu verstehen, was mit ihm geschah.

Wer zum Teufel war Leila? Vielleicht so eine Moslemtusse, die sich um den Kleinen kümmerte. »Ja, klar. Ich und Leila sind dicke Freundinnen. Sie hat mir gesagt, ich soll auf dich aufpassen, okay?«

Er nickte. Als sie wieder ihre Hand ausstreckte, ergriff er sie, sie schloss die Tür auf und ging mit ihm in die Küche.

Onkel Fatty saß auf dem Sofa, er war offensichtlich gerade wach geworden. Seine Hände zitterten, als er vergebens versuchte, noch einen Tropfen Wein aus einem leeren Beutel zu drücken. Dann bemerkte er den weißen Jungen und sah ihn an, als wäre er eine Halluzination.

»Du hältst einfach deine Klappe wegen dem hier, alles klar?«, sagte sie und zeigte auf den Jungen. »Ich gehe jetzt und besorg dir Wein.«

Onkel Fatty nickte, leckte sich über seine trockenen und schmutzigen Lippen. Carmen wusste, wie er sich fühlte. Sie würde etwas von Gatsbys Geld nehmen und sich einen Globe reinziehen. Anschließend konnte Onkel Fatty sich die Kante geben und sie konnte high werden, während der amerikanische Junge sich Cartoons ansah.

Leben auf den Flats.

Burn fand sich in Matts Zimmer wieder, saß auf dem Etagenbett mit der leuchtend bunten Steppdecke. Ein Kinderbuch von Dr. Seuss lag auf dem Teppich. *Ein Kater macht Theater*. Burn hob es auf, blätterte darin, jede einzelne Seite hatte sich ihm an den endlosen Abenden, an denen er seinem Sohn daraus vorgelesen hatte, ins Gedächtnis eingeprägt. Er legte das Buch wieder fort.

War sein Sohn noch am Leben?

Burn verdrängte diese Gedanken, ging zum Festnetztelefon im Wohnzimmer und rief die Klinik an. Nach einer Weile hatte er die Oberschwester vom Abend zuvor dran – war es wirklich erst gestern Abend gewesen? –, die ihm sagte, Susans Einleitung sei um einen Tag verschoben worden. Es würde morgen sein, Susans Arzt sei auf einer Tagung in Johannesburg aufgehalten worden. Das war Burn recht. Je länger Susan dem Haus fernblieb, desto besser.

Sein Mobiltelefon klingelte. Er ging sofort ran. »Ja?«

Es war eine junge Frau, ihre Stimme kam ihm vage bekannt vor. »Mr. Hill?« Ganz eindeutig nicht der Entführer.

»Ja. Worum geht es?«

»Leila am Apparat. Leila Dollie.«

O Himmel, Mrs. Dollies Tochter. Burn atmete tief durch und versuchte, das Schuldgefühl zu unterdrücken, das ihn beinahe lähmte. »Ja, hi, Leila. Was kann ich für Sie tun?«

»Ist meine Mom vielleicht bei Ihnen?«

»Nein, sie ist gestern Abend gegangen. So etwa gegen sieben, halb acht.«

Es folgte ein kurzes Schweigen. Ein besorgtes Schweigen. »Ich verstehe. Ich dachte, sie sei die Nacht bei Ihnen geblieben?«

»Nein, ich glaube, das war wohl ursprünglich so geplant, weil Susan in die Klinik musste. Aber dann war ich recht früh wieder zurück, und Ihre Mutter wollte lieber nach Hause.«

»Wirklich? Jetzt mache ich mir aber echt Sorgen. Wie wollte sie denn nach Hause gehen?«

Burn erzählte seine Geschichte, von dem Angebot, sie zu fahren, das jedoch abgelehnt wurde, von Mrs. Dollies festem Entschluss, ein bisschen Bewegung könne nicht schaden.

Das Mädchen hatte hörbar Schwierigkeiten, ihre Besorgnis unter Kontrolle zu halten. »Ja, das klingt ganz nach meiner Mutter. Okay, ich mache dann jetzt besser Schluss. Ich glaube, ich werde die Polizei kontaktieren und die Krankenhäuser anrufen.«

»Gibt es irgendetwas, das ich tun kann, Leila?« Dir zum Beispiel sagen, dass ich den Leichnam deiner Mutter auf der Treppe oberhalb der High Level Road abgeladen habe?

»Nein, nein, vielen Dank, Mr. Hill.«

»Falls Sie irgendetwas benötigen, egal was, dann lassen Sie es mich bitte wissen, ja?«

»Vielen Dank. Mach ich.«

Das Mädchen hatte aufgelegt. Im Begriff, ihren schlimmsten Albtraum zu erleben.

Zunächst war es nur ein Gerücht auf der Straße. Gatsby wurde polizeilich gesucht. Gegen ihn war ein Haftbefehl erlassen worden. Auf seinen Kopf war sogar eine Belohnung ausgesetzt worden. Er hatte ein Kind umgebracht, Ronnie September aus der Tulip Street in Paradise Park. Hatte ihn erschossen und mit zwei anderen Männern verbrannt. Und jetzt waren die Bullen hinter Gatsby her, machten Jagd auf einen von ihnen, auf den Straßen der Flats.

Die Klügeren schüttelten die Köpfe, als sie das hörten. Keine Chance. Musste eine Lüge sein. Gatsby hatte mit eiserner Faust über sein Revier geherrscht – wie lange, fünfzehn, zwanzig Jahre? Er hatte mehr Blut an seinen Händen als ein Halal-Metzger, und von der Polizei war nie auch nur ein Wörtchen des Protests zu hören gewesen.

Wer in der Vergangenheit dumm genug gewesen war, ihn zu beschuldigen, den fand man später in irgendeinem Graben mit einem großen Loch im Schädel. Hingerichtet. Eine klare Botschaft des fetten Mannes. Legt euch mit mir an, und das bekommt ihr. Also, warum sollte das jetzt anders sein?

Es gab Gerüchte über einen Schwarzen, einen großen Mann in einem schwarzen Anzug, der den weiten Weg von Jo'burg gekommen war, nur um Gatsby hochzunehmen. Die hohen Tiere oben im Norden trauten den Bullen am Kap wohl nicht zu, sich selbst darum zu kümmern. Einige Leute schworen, sie hätten diesen Schwarzen im Fond eines Streifenwagens gesehen, der seine Runde durch die Flats machte, er habe versucht, Leute zum Reden zu bewegen.

Zuerst taten das nur wenige.

Dann hatten ein oder zwei mutig ein bisschen von dem erzählt, was sie wussten. Die einheimischen Bullen, braunhäutige Männer, hatten die Fragen gestellt. Der Schwarze hatte einfach nur dabeigestanden und zugehört, die Augen hinter seiner Sonnenbrille verborgen, schweigend.

Und so geschah ein kleines Wunder.

Gatsby stand auf der schwarzen Liste.

Nachdem sie Berenice Septembers Sohn unter die Erde gebracht hatten, versammelten sich die Nachbarn in ihrem Haus. Die Frauen und Mädchen waren drinnen, servierten Kuchen und Tee.

Donovan September stand mit den Jungs und Männern in dem beengten Garten. Die Gruppe unterhielt sich mit gedämpften Stimmen, sie schworen Donovan, dass sie diesen menschlichen Abschaum in die Finger bekommen würden, der seinem kleinen Bruder das angetan hatte. Und dann würden sie den fetten Buren zur Hölle schicken.

Berenice stand am Küchenfenster, füllte in der Spüle den Kessel, schaute zu ihrem Sohn hinaus, der bei den Männern stand. Donovan bemerkte sie und wendete den Blick ab.

O mein Gott, bitte, lass das aufhören.

KAPITEL 20

Ein weiteres Hotelzimmer.

Dieses hier befand sich in Retreat, am Arsch von Kapstadt. Eine heruntergekommene Gegend, die Rudi Barnard fremd war, weit entfernt von seinem angestammten Revier. Die Ironie, die in diesem Ortsnamen lag, entging ihm nicht. *Schlupfwinkel.* Er hasste es, sich verstecken zu müssen. Das war nicht seine Art. Ganz und gar nicht. Er lag auf dem Bett, der Schweiß tropfte ihm von der nackten Brust. Es gab keine Klimaanlage in diesem Zimmer, nur einen Tischventilator, der die dicke, abgestandene Luft bestenfalls quirlte, sie aber kein bisschen kühler machte.

Barnard griff nach seinem Mobiltelefon und tippte mit dem Daumen eine Nummer ein. Zeit für einen Kontrollanruf bei der kleinen Mischlingsschlampe mit dem Jungen. Als er die automatische Frauenstimme bekam, die ihm mitteilte, die Nummer sei derzeit nicht erreichbar, hätte er das Telefon beinahe gegen die gottverdammte Wand geschleudert. Die Schlampe hatte ihr Prepaid-Guthaben nicht aufgefüllt, die Kohle wahrscheinlich für Tik ausgegeben.

Scheiße.

Er musste sich sehr zurückhalten, um nicht runter zu seinem Ford zu gehen, zu dem Loch rüberzufahren, in dem diese Schlampe hauste, und ihr links und rechts eins aufs Maul zu geben. Nein, das wäre genau die Art Fehler, durch die alles den

Bach runtergehen könnte. Sie waren irgendwo da draußen, Zondi und Peterson, sein abgerichtetes Äffchen, und warteten nur darauf, dass er eine Dummheit beging. So schwer es ihm fiel, er musste Geduld haben. Zumindest bis Einbruch der Dunkelheit.

Die Aussicht auf mehr Geld würde die kleine Nutte schon davon abhalten, irgendetwas abzuziehen. Achte einfach darauf, dass sie keinen Unsinn macht, bis es an der Zeit ist, sie zu töten.

Sie und das Kind.

Neben dem Bett fand er eine Bibel des Gideonbundes und schlug sie auf. Vielleicht würde es ihn beruhigen, wenn er ein wenig im Alten Testament las. Als er jedoch sah, dass die meisten Seiten herausgerissen und wahrscheinlich von verfluchten Heiden dazu benutzt worden waren, um daraus Joints zu drehen, wurde er stinksauer.

Er knallte die Bibel zurück in die Schublade des Nachttischs, wuchtete sich vom Bett hoch und ging zum Fenster. Das Zimmer bot einen prächtigen Ausblick auf einen Innenhof voller Mülltonnen und altem Gerümpel. Eine dürre Obdachlose in einem zerrissenen Kleid und mit Turnschuhen, die nicht zugebunden waren, sowie einem Baby, das sie sich auf den Rücken gewickelt hatte, wühlte im Abfall. Hinter ihr stand ein zerlumpter Mann, der sich auf den Füßen wiegte, während er beobachtete, wie sie in den Tonnen grub.

Der Mann sagte etwas, das Barnard nicht verstand. Die Frau drehte sich zu ihm um, die Hände immer noch in der Tonne. Ihre Stimme war schrill, hart nach den Jahren des Lebens auf der Straße. »Leck mich am Arsch!«

Der Mann brabbelte irgendwas. Die Frau fand zwei leere Flaschen und wollte offenbar gehen. Der Mann griff nach den Flaschen. Die Frau wich seinen rudernden Händen aus und holte mit einer der Flaschen weit aus, schwang sie fest auf seinen Kopf. Der Mann sackte zusammen, Blut lief ihm übers Gesicht.

Die Frau schmiss den abgeschlagenen Flaschenhals nach ihm. »Jetzt sieh dir nur an, wozu du mich wieder gebracht hast, du beschissener Wichser!«

Sie zog ab, den Rest der Flasche in der Hand. Sie hatte diesen unkoordinierten, krebsartigen Seitwärtsgang, den man bekam, wenn man jahrelang seine Gehirnzellen in billigem Alk frittierte. Der Mann war inzwischen auf allen vieren und schüttelte den Kopf. Leuchtend rote Blutstropfen fielen auf den Beton.

Barnard wandte sich ab und schob seine Wampe direkt vor den Ventilator. Der Wind bewegte den Pelz aus rötlichem Flaum, der seinen Bauch bedeckte wie einen abgewetzten Teppich, aber eine echte Abkühlung war das nicht.

Tja, Beziehungen. Ehe. Was auch immer. Funktionierte verdammt noch mal nie. Nicht, wenn man ein obdachloser Mischling oder was zum Teufel sonst war.

Seine hatte ein Jahr gehalten.

Er hatte seine Frau bei der Army of God Church kennengelernt, einer heruntergekommenen Pfingstkirchengemeinde in Goodwood unter der Leitung von Pastor Lombard. Als der Pastor wegen Pädophilie ins Gefängnis wanderte, brach die Gemeinde auseinander, und Rudi Barnard hatte allein mit Gott Zwiesprache gehalten, in seinem eigenen Heim.

Also, nicht ganz allein. Er hatte Sanmarie Botha in der Kirche kennengelernt. Erstaunlicherweise sah Sanmarie, obwohl nicht mit einem überwältigenden Intellekt gesegnet, auf eine blonde, dralle Art ausgesprochen gut aus. Noch erstaunlicher war, dass sie meinte, sich in Rudi Barnard verlieben zu müssen. Barnard stellte nicht in Frage, warum eine vollbusige Blondine sich ausgerechnet in einen alternden, stinkenden, fettleibigen Sack wie ihn verliebte. Er vermutete, dass er sie an ihren Vater erinnerte. Sie kochte das cholesterinhaltige Essen, das er so liebte, sie wusch seine Kleider, und ihre sexuellen Wünsche lagen auch nicht außerhalb seiner eher begrenzten Fähigkeiten.

Sie verlobten sich, sie heirateten. Tagsüber terrorisierte und mordete Barnard, abends kehrte er dann nach Hause zurück zu einer warmen Mahlzeit, ein paar Stunden vor dem Fernseher mit seiner Frau und dem zweifelhaften Vergnügen des ehelichen Bettes. Glück wäre ein zu großes Wort, um diesen Abschnitt seines Lebens zu umschreiben, aber er erlebte durchaus eine gewisse Art von Zufriedenheit und Erfüllung.

Dann schloss sich Sanmarie der Gemeinde der Living Joy of God in Monte Vista an. Eine neue Kirche mit einem jungen Pastor, strahlendes Lächeln und immer frisch geföhntes Haar. Sie versuchte Barnard zu überzeugen, mit ihr zum Gottesdienst zu gehen, doch die gemischtrassige Gemeinde und die verwässerte Variante des Christentums, die Pastor Marius zu bieten hatte, ließen Barnard kalt.

Während Sanmarie immer mehr Zeit in der Kirche verbrachte, verbrachte er immer mehr Zeit damit, im Golden Spoon Gatsbys zu verdrücken. Sanmaries sexuelle Wünsche waren völlig verkümmert. Als sie ihn wegen Pastor Marius verließ, hatte Barnard kurz darüber sinniert, welche Form des biblischen Zorns er über die beiden ausschütten könnte, hatte dann aber beschlossen, dass es ihm im Grunde völlig gleichgültig war.

Ein einsamer Mann war der perfekte Soldat im Krieg Gottes.

Er kehrte ans Bett zurück, holte das Telefon der toten Frau aus der Hüfttasche und schaltete es ein. Er ging ihre Kontakteliste durch, drückte dann eine Nummer.

Der Amerikaner meldete sich sofort. Eifrig, besorgt. »Ja?«

»Wie sieht's aus mit dem Geld?« Barnard benutzte die Freisprecheinrichtung, wodurch seine Stimme ganz bewusst noch schärfer klang als ohnehin schon. Außerdem senkte sie seine Stimmlage.

»Morgen Mittag werde ich alles zusammenhaben.«

»Gut. Und du hältst auch schön die Fresse, ja?«

»Ja. Wie versprochen. Wie geht's meinem Sohn?«

»Dem geht's gut.«

»Ich will mit ihm reden.«

»Nein. Nicht jetzt.«

»Und woher soll ich dann wissen, dass er überhaupt noch lebt?« Der Amerikaner gab sich Mühe, knallhart zu klingen, so als hätte er alles im Griff. Doch Barnard konnte deutlich die Panik hören.

»Nimm mich einfach beim Wort, ihm geht's gut. Und so wird es auch bleiben, wenn du keine Scheiße baust!« Barnard unterbrach die Verbindung.

Er setzte sich aufs Bett, mit den Ellbogen auf den Knien, ließ die Arme baumeln, Schweißperlen platschten auf den Holzfußboden. Dann entschied er, Hunger zu haben. Auf der anderen Straßenseite gab es einen Kentucky Fried. Ein Eimer Chicken Wings und ein Colonel Burger.

Es war zwar kein Gatsby, aber das musste genügen.

Benny Mongrel lag auf der Matratze in seiner Hütte, das Hemd ausgezogen, den rechten Arm noch in der Schlinge. Der Verband an seiner Schulter war blutbefleckt. Er starrte an das Blechdach und zeichnete mit dem Zeigefinger seiner linken Hand die unbeholfene Gravur auf seiner Brust nach: *Ich grabe mein Grab, ich schreie nach Blut.*

Das Versprechen, das er sich selbst gegeben hatte, ehrlich und sauber zu bleiben, war vergessen. Er würde diesen fetten Bullen umbringen. Und Schluss. Es war ihm gleichgültig, was sie anschließend mit ihm machten. Sie konnten ihn zurück nach Pollsmoor schicken und ihn dort verrotten lassen.

Es war ihm scheißegal.

Er hatte in der Nacht zuvor zwei Dinge verloren: seinen Hund und sein Messer. Er bedauerte, dass er das Messer hatte zurücklassen müssen, es war ein gutes Messer gewesen. Aber er besaß ein zweites, fast genauso gutes. Bessie war nichts, was er jemals würde ersetzen können. Als sie starb, starb auch die leise Stimme der Hoffnung und des Glaubens, die unerwartet aus seinem Herzen gesprochen hatte. Jetzt war sein Herz kalt. Jetzt war er wieder ein Mongrel.

Er richtete sich auf und nahm den Arm aus der Schlinge. Er zuckte leicht zusammen, als er seine Schulter bewegte, aber nur leicht. Schmerz war von Geburt an ein fester Bestandteil von Benny Mongrels Leben gewesen. Er wusste, wie er ihn ausblenden konnte. Er bewegte den Arm noch ein wenig, dann zog er sich die Schlinge über den Kopf und warf sie auf den Boden.

Den Verband würde er dranlassen, solange er nicht störte.

Er griff unter die Matratze und fand das andere Messer und das Schleifpapier. Er klappte das Messer auf und begann sein Ritual des Klingenschleifens. Mit jedem Streichen des Sandpapiers stellte er sich vor, wie die Innereien des fetten Bullen aus ihm herausquollen.

Barnard. Der Name war mit dem Wind zu Benny Mongrel herübergeweht worden, als er an der Tür des Amerikaners geklingelt hatte.

Benny Mongrel hatte keine Ahnung, wo er ihn finden könnte. Aber er kannte Männer, die das wussten, Männer, denen er seit seiner Haftentlassung bewusst aus dem Weg gegangen war. Männer, die die gleichen Tattoos trugen wie er, die sich in Kneipen und beengten Häusern in Lotus River herumtrieben. Sie würden ihm sagen, was er wissen musste.

Dann würde er in die Mountain Road zurückkehren, zum Haus dieses amerikanischen Kerls. Würde ihm erzählen, was er gesehen hatte in jener Nacht, als der fette Bulle das Kind in den Kofferraum des Wagens geworfen hatte. Ihm sagen, dass er helfen würde, den fetten Mann aufzuspüren und den Jungen zu finden. Das Kind interessierte ihn überhaupt nicht. Es war ihm egal, ob es lebte oder starb. Es war bloß ein Mittel zum Zweck. Nicht mehr.

Der Amerikaner würde ihn zu dem fetten Bullen führen. Und falls der Amerikaner nicht mehr nützlich sein sollte, würde Benny Mongrel auch ihn umbringen.

Er wusste, wie man Amerikaner tötete.

Burn beäugte die Flasche Scotch. Es war gerade Mittag, aber er könnte sich doch bestimmt einen Drink erlauben, nur einen, um die Nerven zu beruhigen. Dann nahm er die Flasche von der Arbeitsfläche in der Küche, legte sie in eine Schublade und schloss sie weg.

Er war sich nicht sicher, ob es bei einem Drink bleiben würde.

Er ging hinaus und ließ sich vor den Fernseher fallen, ein Kricket-Match. Das Spiel ergab für ihn überhaupt keinen Sinn. Es schien sich über Tage hinzuziehen. Ganz in Weiß gekleidete Spieler warfen schier endlos Bälle, die ihnen von behelmten Schlagmännern zurückgeworfen wurden.

Er hasste diese Passivität. Dieses hilflose Herumsitzen und Abwarten, den Spielball in den Händen des Kidnappers zu wissen, das machte ihn regelrecht wahnsinnig. Seine gesamte Ausbildung, all die Jahre bei den Marines drängten ihn zur Tat. Schnapp dir die Kanone. Geh raus. Finde deinen Sohn.

Immer und immer wieder spielte er die Stimme des Mannes in seinem Kopf ab. Hart und kehlig. Er versuchte, sich die Stimme des fetten Cops in Erinnerung zu rufen, von diesem Barnard. War er es? Das ergab durchaus Sinn, aber sicher war sich Burn keineswegs.

Die Türklingel rief ihn zum Bildschirm der Gegensprechanlage. Zwei uniformierte Cops standen am Tor, ein Mann und eine Frau.

Auf ein Neues.

Burn nahm den Hörer der Gegensprechanlage ab, und Sekunden später standen die beiden Bullen in seinem Wohnzimmer. Der Mann war weiß, die Frau braun. Beide trugen blaue Uniformen, schwarze Stiefel und kugelsichere Westen. Musste höllisch sein bei diesem Wetter. Sie stellten sich vor, einheimische Namen, die durch Burns Gedächtnis fielen wie Wasser durch ein Sieb.

Am Morgen war die Leiche einer Frau gefunden worden, und zwar auf der Treppe oberhalb der High Level. Die Tochter des Opfers hatte die Leiche als ihre Mutter identifiziert, eine gewisse Mrs. Adielah Dollie. Die Tochter sagte aus, ihre Mutter hätte dieses Haus am Abend zuvor verlassen, wäre zu Fuß zu den Taxis gegangen.

Adielah. Burn hatte sie immer nur unter dem Namen Mrs. Dollie gekannt.

Burn spielte Bestürzung, musste sich sogar setzen. Es war nicht sehr schwer, so wie er sich fühlte. »Mein Gott, das ist ja schrecklich. Was ist ihr zugestoßen?«

Die meiste Zeit redete der Mann. »Ihr, äh, Genick war gebrochen. Entweder hat das jemand getan, hat sie geschlagen, oder sie ist gestürzt, als sie versuchte zu entkommen. Wir gehen momentan von einem Raubüberfall aus. Diese Treppe ist gefährlich. Es hat schon sehr viele Zwischenfälle gegeben.«

Burn nickte. »Ich habe ein schrecklich schlechtes Gewissen. Ich hätte darauf bestehen sollen, sie nach Hause zu fahren.«

»Mr. Hill, könnten wir bitte Ihren Ausweis sehen?«

Burn ging ins Schlafzimmer und kehrte mit seinem auf John Hill ausgestellten Pass zurück. Der Cop warf einen Blick darauf, dann notierte er sich die Nummer, bevor er ihn Burn zurückgab.

»Gibt's ein Problem?«, fragte er, als er den Pass einsteckte.

»Nein, reine Routine. Wir werden Ihre Aussage tippen. Vielleicht könnten Sie in den nächsten Tagen runter zum Polizeirevier in Sea Point fahren und sie dort unterschreiben?«

Burn nickte. »Natürlich.«

Dann waren sie fort. Es hatte funktioniert. Die Polizei würde nur sehr wenig Zeit darauf verwenden, Mrs. Dollies Mörder zu finden.

Llewellyn Hector streichelte die Brieftaube, die in seiner hohlen Hand saß. Behutsam setzte Hector den Vogel auf eine Stange in einem Drahtkäfig. Es war Nacht, und die an einem Kabel baumelnde Glühbirne warf Schatten über den engen Hinterhof des Hauses in Lotus River. Hector schob den Riegel des Käfigs vor und drehte sich um. Und dann sah er Benny Mongrel. Hector war selbst ein zu harter Typ, um Emotionen zu zeigen, aber an dem winzigen Zögern, bevor er sprach, erkannte Benny Mongrel, dass der Gangster überrascht war.

»Hey, Bruder. Wo kommst du denn her?« Er ging auf Benny Mongrel zu. Hector war ein gedrungener Mann, fast genauso breit wie hoch. Sein großer Kopf balancierte direkt auf seinen abfallenden Schultern, wie ein Felsblock auf einem Berg, und seine muskulösen Arme, übersät mit Tattoos, waren unnatürlich kurz. Er streckte die Hand aus zum Handshake.

Benny Mongrel ergriff sie. »Ach, von hier und da.«

»Aber du bist nicht vorbeigekommen, uns besuchen.«

Benny Mongrel schüttelte den Kopf.

»Komm rein, Bruder.«

Benny Mongrel folgte Hector in die Kneipe, dem Hauptquartier der Mongrels. Hector war ein paar Jahre älter als Benny Mongrel. Sie kannten sich, seit sie Teenager waren, hatten zusammen viele Männer getötet und hatten über Jahrzehnte eine Gefängniszelle miteinander geteilt. Hector war bereits einige Jahre länger wieder draußen als Benny Mongrel, und er war ein General, mittlere Hierarchieebene der Organisation. In Zeiten von Bandenkriegen mobilisierte er Mitglieder und kümmerte sich um die wirtschaftlichen Angelegenheiten der Gang. Fungierte als Hehler und verkaufte Drogen.

Die Kneipe war ganz klar kein Ort, in den man einfach so hineinspazierte, sofern man nicht ein Mongrel war oder unter ihrem Schutz stand. Sie befand sich im vorderen Teil eines kleinen Hauses, war vollgestellt mit Tischen und Spielautomaten. Der Raum wimmelte von jungen Leuten, manche noch Teenager, das Kanonenfutter der Gang.

Hector führte Benny Mongrel zu einem Tisch, an dem ein Mann von Ende dreißig saß. Rufus Jordan. Er war Vollstrecker und Bodyguard der mittleren Ebene. Hector zog sich einen Stuhl heran und bedeutete Benny Mongrel, sich zu setzen. »Sieh mal, was uns der Wind reingeweht hat.«

Benny Mongrel saß kaum, da wurde auch schon von einem jungen Mädchen in einer knallengen Jeans eine Flasche Whiskey mit drei Gläsern gebracht. Hector schenkte ein und hob dann sein Glas. Benny Mongrel tat es ihm gleich. Rufus Jordan nicht.

Hector brachte den Trinkspruch aus. »Keine Ausreden, keine Erklärungen, keine Entschuldigungen, niemandem gegenüber, niemals.«

Rufus brummte zustimmend. Benny Mongrel sagte nichts. Rufus schob den Whiskey beiseite und griff nach einer Bierflasche. Damit es auch nur ja jeder mitbekam, öffnete er den Deckel der Flasche mit dem Visier seiner .38er Special. Er ließ die Waffe auf dem Tisch liegen.

»Und?«, fragte Rufus und nuckelte an dem Bier. »Warum hast du dich rar gemacht, Bruder? Sind wir nicht mehr gut genug, oder was?« Er war ein großer, kräftiger Mann, der seine 28er-Tätowierungen voller Stolz trug.

Benny Mongrel schenkte ihm nur diesen ausdruckslosen Blick, den er im Gefängnis perfektioniert hatte. Den Blick, der besagte, hier bin ich, ich gehe nicht weg. Mach, was du willst.

Rufus versteckte sich hinter einem dämlichen Grinsen, genau wie Benny Mongrel es erwartet hatte. Er hob die Flasche. »Egal, willkommen daheim, Bruder.«

Benny Mongrel sprach zu Hector. »Ich muss etwas über einen fetten Bullen namens Barnard wissen.«

Rufus beugte sich vor. »Gatsby?« Benny Mongrel zuckte die Achseln, fixierte Rufus mit seinem gesunden Auge. »Ein großer, fetter Bure mit Schnurrbart? Stinkt wie ein Scheißhaufen?« Benny Mongrel nickte. »Was willst du von dem?«

»Wir haben Geschäfte.«

Hector trank ein paar Schluck Whiskey, wischte sich mit dem Handrücken über den Mund. »Hauptsächlich operiert der in Paradise Park. Er steckt da mit den Americans unter einer Decke, noch aus der Zeit der Apartheid, Anfang der Neunziger.«

»Und wo wohnt er?«

»Goodwood. Er ist ein mieser Bastard. Hat mehr Farbige umgebracht als Aids. Es heißt, er wäre ein Wiedergeborener Christ.«

Rufus lachte. »Er tut's für Jesus.«

Hector füllte Benny Mongrels Glas nach. »Wie ich höre, wird

Gatsby steckbrieflich gesucht. Anscheinend ist er diesmal zu weit gegangen, hat einen Jungen umgebracht.«

Benny Mongrel beugte sich vor. »Einen weißen Jungen?«

Hector schüttelte den Kopf. »Nein, einen farbigen. Drüben in Paradise. Die Bullen stellen überall auf den Flats Fragen. Du bist nicht der Einzige, der ihn finden will. Er ist gerade ziemlich gefragt, der Typ.«

Da verstand Benny Mongrel, warum der fette Bulle all die Risiken einging. Er stand mit dem Rücken zur Wand. Gut. Das gefiel ihm.

Irgendetwas veränderte sich in Llewellyn Hectors Gesicht, als er jetzt über Benny Mongrels Schulter blickte. Benny Mongrel trank einen Schluck Whiskey, spürte, wie der Alkohol seine Kehle hinunterbrannte, und dann drehte er sich um. Und sah Fingers Morkel, den Mann, den er vor einem Jahr in der Gefängniszelle operiert hatte.

Fingers stand in der Tür der Kneipe und starrte Benny Mongrel an. Er sah aus, als durchlebe er gerade die Qualen der Amputation noch einmal. Benny Mongrel verzog keine Miene, drehte sich einfach wieder zu Hector und Rufus Jordan um.

Hector ließ den Alkohol auf seiner Zunge kreisen. »Du musst auf dich aufpassen.«

»Mit Barnard komme ich schon klar.«

Hector schüttelte den Kopf. »Das fette Arschloch meine ich nicht. Ich meine den da. Fingers.«

Benny Mongrel ließ ein kleines Lächeln um seinen Mund spielen. »Das Stück Scheiße?«

»Er hat Macht und Einfluss hier draußen. Seine Drogen bringen eine Menge Geld ins Viertel.«

Benny Mongrel zuckte die Achseln. »Er hat mich bestohlen. Das musste bestraft werden.«

Rufus Jordan trank einen ordentlichen Schluck von seinem Bier. »Behauptet, du wärst nicht zuerst bei den Wolkenmännern gewesen, bevor du an ihm herumgeschnippelt hast.«

Die Wolkenmänner, die Veteranen, normalerweise Lebenslängliche, die im Gefängnis das Gesetz machten. Sie schlichteten bei Streitereien und entschieden über Strafen.

»Reine Zeitverschwendung.« Benny Mongrel warf einen Blick über die Schulter. Fingers saß an einem Tisch in der Nähe der Tür, ließ Benny Mongrel keine Sekunde aus den Augen. Er behielt die Hände auf dem Tisch, die Stümpfe der Finger gezeichnet durch die Kochplatte, die Daumen auf dem Holz in permanenter, nervöser Bewegung.

Benny Mongrel empfand gar nichts. »Das nutzlose Arschloch kann froh sein, dass ich ihn nicht umgelegt habe.«

Rufus Jordan schaute zu, als amüsierte ihn die ganze Geschichte über alle Maßen.

Benny Mongrel stand auf. Hector ebenfalls. »Seine Jungs werden dich hier drinnen nicht anrühren, aber draußen, das ist eine völlig andere Geschichte. Er will dein Blut.«

Hector rief einen Jungen herüber, einen pickligen Burschen mit dem schütteren Ansatz eines Schnurrbarts. Gab ihm Autoschlüssel. »Ashraf, fahr Benny Mongrel, wohin immer er will.«

Benny Mongrel schüttelte den Kopf. »Ich komm schon alleine klar.«

»Nimm die Fahrt an, okay? Ich will keine Schweinerei auf meiner Straße. Es war ruhig und friedlich in letzter Zeit.«

Benny Mongrel zuckte die Achseln, und der Junge verschwand, um das Auto zu holen. Hector streckte die Hand aus, sie verabschiedeten sich mit Handschlag. »Viel Glück, Bruder.«

Benny Mongrel ging zur Tür, die jungen Kerle machten ihm den Weg frei. Man wusste noch, wer er war. Er ging an Fingers vorbei, warf nicht mal einen flüchtigen Blick in die Richtung dieses nutzlosen Pissers. Als er die Tür erreichte, spürte er, wie sich ein Daumen in seine Rippen bohrte.

Er drehte sich um und sah Fingers direkt in die Augen. »Du weißt, dass ich hier nichts gegen dich tun kann, du Arsch.« Benny Mongrel fixierte ihn kalt. »Aber wir sehen uns wieder, schon bald. Und dann leg ich dich um.« Fingers stieß ihm erneut den Daumen in die Rippen.

Benny Mongrel schnappte sich diesen Daumen und bog ihn zurück, sah den Schmerz in den Augen des Amputierten. »Bring deine Mutter mit. Das spart mir die Mühe, dich zu ihr zu schicken.«

KAPITEL 21

Es war nach zwei Uhr morgens, und Barnard konnte nicht schlafen. Er hatte jede Stunde versucht, die Mischlingsschlampe anzurufen, erfolglos. Nummer zurzeit nicht erreichbar. Das ging ihm ganz gewaltig auf die Eier. Was, wenn sie ihn verraten hatte? Was, wenn er mit jeder verstreichenden Sekunde immer weiter in die Falle tappte?

Er setzte sich auf, hatte nichts an außer seiner Unterhose. Er schnaufte ins Bad des Hotels, setzte einen Strahl Pisse in die Klosettschüssel und wusch sich das Gesicht am schmutzigen Becken. Das Wasser war lauwarm, und als er den Fehler machte, einen Schluck aus seiner hohlen Hand zu trinken, musste er es sofort wieder ausspucken.

Er kehrte in das stickige Zimmer zurück und stellte sich ans Fenster, versuchte, wenigstens eine Brise einzufangen. Nichts, null. Das Hotel verdiente im Wesentlichen an der Nuttenbar im Erdgeschoss; Niggermusik drang durch die Bodendielen herauf.

Um sich zu beruhigen, dachte Barnard an die Million, die seine Zukunft darstellte, und an das neue Leben, das er damit beginnen würde. Er würde Kapstadt und das Gewimmel der gottlosen Horden hinter sich lassen und die Ostküste hinaufziehen, mit einem neuen Namen und einer neuen Identität. Einer seiner alten Kontakte aus der Zeit bei der Sicherheitspolizei, der einzige, zu dem er noch in Verbindung stand, hatte ein Sportfischerboot in

St. Lucia liegen, nördlich von Durban. Das Angebot an Barnard stand, raufzukommen und einzusteigen. Der Augenblick war gekommen. Jetzt musste er nur an das Geld kommen.

Er schnappte sich sein Handy und tippte erneut die Nummer der Schlampe ein. Nicht erreichbar. Scheiß drauf.

Minuten später war er angezogen, packte seine Ausrüstung in den Seesack und sah zu, dass er so schnell wie möglich wegkam. Er wusste, dass es riskant war, die Flats nach Paradise Park zu durchqueren. Aber es war spätnachts, und er musste herausfinden, was vor sich ging.

Er stopfte die .38er in ihr Holster und ging zur Tür.

Carmen schaute zu, wie Leroy das Streichholz unter den Globe hielt. Das Tik fing an zu brutzeln, Rauch wirbelte in dem Glaskolben und machte ihn undurchsichtig.

Sie legte ihren Mund an die Öffnung des Globe und sog das Tik tief in die Lunge. Der Rush kam postwendend, dieses Gefühl, das besser war als alles andere, was sie je gekannt hatte, und sie streckte sich auf dem Bett aus. Ihr Kopf pochte, als würde er jeden Moment platzen. Aber auf eine angenehme Art. Sie fühlte sich strahlend und glänzend, die ganze Scheiße in ihrem Leben wie mit dem Rauch weggeblasen.

Leroy griff sich den Globe und nahm einen Hit. Ein träges Lächeln überzog sein Gesicht, als er eine Rauchwolke zur Decke ausstieß. »Ja. Das ist es, häh?« Er war ein echter Cape-Flats-Romeo, mit seinen Designerklamotten, den gegelten Haaren und den muskulösen Armen mit 28er-Tattoos. Er hielt sich für den Traum aller Massagesalons.

Carmen schloss die Augen. Sie trug ein enges Top und einen kurzen Rock. So wie sie dort auf dem Bett lag, waren ihre Oberschenkel unbedeckt, und als sie die Augen öffnete, sah sie, dass

Leroy die Aussicht bewunderte. Sie schloss die Beine und setzte sich auf, schlug ihm auf die Schulter. »Hey. Ich bin eine verheiratete Frau.«

Leroy reichte ihr den Globe für einen letzten Zug. »Wo ist er überhaupt? Rikki meine ich.«

Sie atmete aus, zuckte die Achseln. »Die Küste rauf. Scheiße, woher soll ich das wissen?«

»Wenn der mich hier erwischt, bin ich tot.« Leroy streckte eine Hand aus und packte ihr Bein oberhalb des Knies.

Sie wischte seine Hand fort. »Hey, hör auf damit.« Sie stand auf. »Keine Angst, so schnell wird er schon nicht zurückkommen.«

Nur weil sie genau wusste, dass Rikki knuspriger gebraten war als ein McNugget, konnte sie Leroy hier haben. Leroy war ein Mongrel, ein 28er, der natürliche Feind von Rikki und den Americans. Aber, hey, er dealte echt gutes Tik. Und er war bereit, mehr zu liefern. Sie wusste, das lag nur daran, weil er sie vögeln wollte, aber na und? Sollte er doch weiterträumen.

Carmen ging zum Fenster, ihr Kopf drehte sich immer noch nach dem Rush. Sie schaute in die Nacht hinaus. Ihr fiel ein, dass sie noch nie weiter von hier fort gewesen war als einmal in der Innenstadt von Kapstadt, als kleines Mädchen, um die Weihnachtsbeleuchtung zu sehen. Sie hatte ihr ganzes Leben in einem Umkreis von ein paar Blocks von hier gelebt, und wahrscheinlich würde sie auch hier sterben.

Sie gab sich Mühe, diese Gedanken abzuschütteln und sich wieder auf Leroy zu konzentrieren. Er war auf dem Weg ins Bad, und bevor sie ihn daran hindern konnte, öffnete er die Tür. Es fiel genug Licht aus dem Schlafzimmer hinein, um den amerikanischen Jungen auf dem Badezimmerboden schlafen zu sehen.

Der Junge war den ganzen Tag lang die absolute Nervensäge gewesen. Jammernd und rotznäsig hatte er immer wieder nach

Mami gebrüllt. Als der Abend kam, hatte Carmen die Schnauze voll gehabt. Sie hatte ihm einen halben Downer in einem Glas warmer Milch aufgelöst, und er war praktisch auf der Stelle eingeschlafen.

Leroy starrte die blonden Haare an. »Wem zum Teufel gehört denn das Kind?«

Carmen schob seine Hand von der Tür fort und schloss sie wieder. »Ich babysitte.«

»Ich muss mal pissen.«

»Dann piss in der Küche in die Spüle.«

Er starrte sie an. »Das ist ein weißes Kind, hey?«

Sie schüttelte den Kopf. »Never. Der gehört meiner Freundin.«

»Affenscheiße.«

»Echt. Der Vater ist von irgendeinem Schiff gewesen.«

»Sieht für mich aber weiß aus.«

»Ja, und wenn schon, bist du auf einmal ein scheiß Experte, oder was?« Sie verpasste ihm einen Schubs Richtung Wohnungstür. Dieser Unsinn reichte ihr jetzt. »Wird Zeit, dass du gehst.«

»Vorher will ich aber noch was.«

Er schob eine Hand unter ihren Rock und packte ihr zwischen die Beine. Vorspiel à la Cape Flats. Carmen gab ihm keinen Klaps, sie schlug richtig zu. Für eine Frau hatte sie einen ziemlich harten Schlag, legte ihr ganzes Gewicht hinein, daher spürte er es deutlich, als sie ihn zwischen die Rippen traf. Und todsicher spürte er auch ihr Knie in seinen Eiern. Er riss die Hände zwischen die Beine, schnappte nach Luft. Die Scheiße hatte sie sich von Rikki gefallen lassen, weil er der Vater ihres Kindes war, aber kein anderer Mann würde sie so anpacken.

»Komm schon. Zisch ab.« Sie schob ihn Richtung Wohnzimmer.

Leroy dachte nicht daran, hier, mitten im Gebiet der Americans, eine große Szene zu machen. Er schlich zur Tür wie ein geprügelter Hund, vorbei an dem auf dem Sofa schnarchenden und furzenden Onkel Fatty. Sie öffnete die Tür, und Leroy ging hinaus.

»Ich würde meinen Schwanz sowieso nicht in deine dreckige Fotze stecken.«

»Ja, steck ihn lieber deiner Mutter rein.«

Nachdem die Nettigkeiten nun ausgetauscht waren, knallte sie die Tür zu. Was passiert war, machte sie sauer. Damit meinte sie nicht seinen primitiven Versuch, sie flachzulegen, sondern die Tatsache, dass sie ihn sich vom Hals geschafft hatte, bevor sie einen weiteren Globe bei ihm kaufen konnte.

Scheiß drauf. Bis morgen würd's schon gehen.

Leroy hing in seinem aufgemotzten Honda und starrte auf den dunklen Ghettoblock hinaus. Alte Schlampe. Er hatte nicht übel Lust, zurückzugehen und ihr eine Lektion zu erteilen. Was zum Henker ging hier überhaupt ab? Was machte der weiße Balg da?

Während er über all diese verwirrenden Dinge sinnierte, waren seine Finger damit beschäftigt, einen weiteren Globe vorzubereiten. Die Scheinwerfer eines Autos bestrichen die Vorderseite des Blocks und beleuchteten das in weißer Farbe hingeschmierte Wort *Gangsterleben*. Leroy zog den Kopf noch weiter ein, als er den Ford anhalten sah. Er wusste, dass Rikki einen roten BMW fuhr, aber trotzdem. Er befand sich in Feindesland.

Er sah einen großen, schweren Kerl aus dem Wagen steigen. Der trug eine Jacke, hatte sich eine Schirmmütze tief ins Gesicht gezogen und einen Seesack dabei. Der Kerl ging zu der Treppe hinüber, die Leroy gerade heruntergekommen war. Eine Lampe brannte noch auf der Treppe, und Leroy erkannte, dass er Gatsby dabei zuschaute, wie der gerade die Treppe hinaufging.

Leroy lachte leise in sich hinein. In dem Moment, als er den weißen Jungen sah, hatte er gewusst, dass irgendwas los war. Jetzt wusste er es. Scheiß Gatsby. Leroy hatte gehört, dass der fette Bure steckbrieflich gesucht wurde, aber auf gar keinen Fall würde er den Bullen irgendwas stecken.

Außerdem wusste er, dass so ein Gangster der alten Schule, ein gewisser Benny Mongrel, in Lotus River gewesen war und sich nach Gatsby erkundigt hatte. Und dass Fingers Morkel scharf darauf war, Benny Mongrel zu finden, weil er sich rächen wollte. Wenn Gatsby hier war, dann würde Benny Mongrel womöglich auch bald aufkreuzen.

Leroy war nur zu gern bereit, bei dem Mann ohne Finger Pluspunkte zu machen. In der labyrinthischen Welt der Gangsterpolitik auf den Cape Flats war er ein mächtiger Verbündeter. Leroy griff nach seinem Mobiltelefon und tippte. Er bekam nur den Anrufbeantworter und hinterließ eine kurze, nicht durchgängig präzise Nachricht, erzählte Fingers, was er gesehen hatte.

Dann beging er den Fehler, ein Streichholz anzureißen und an den Globe zu halten.

Barnard befand sich auf dem Treppenabsatz und schnappte nach Luft, als er das Streichholz in dem Honda aufflammen sah. Instinktiv zog er sich in die Schatten zurück, glitt hinüber zur Feuerleiter und wuchtete dort seinen massigen Leib hinunter auf Straßenhöhe. Er blieb im Schatten, näherte sich von hinten dem Wagen.

Er sah den Fahrer hinter dem Steuer kauern, und an dem Glühen erkannte er, dass der Mann Tik rauchte. Barnard konnte das

Risiko nicht eingehen, von dem Mann gesehen worden zu sein. Er wusste, dass er ihn nicht erschießen konnte, viel zu laut. Nicht mal auf den Flats würde ein Schuss unbemerkt bleiben. Barnard schlich über den unebenen, aufgebrochenen Straßenbelag. Er stellte den Seesack ab, bückte sich und hob einen Betonbrocken auf. Er näherte sich weiter dem Honda.

Der Mischling hörte ihn, ließ den Globe fallen und schaute mit einem dümmlichen Gesichtsausdruck auf. Rauch zog sich aus seinem geöffneten Mund. Barnard griff durch die offene Seitenscheibe hinein und ließ den Betonbrocken auf den Kopf des Mischlings krachen, was ihn erst mal benommen machte. Barnard öffnete die Tür und riss ihn auf die Straße. Dann beendete er das Werk, schlug den Kopf des Mischlings mit dem Betonbrocken zu Brei, bis er aussah wie ein plattgefahrenes Tier.

Dann zog er den Schlüssel aus dem Zündschloss, ging zum Heck und öffnete den Kofferraum. Er schleppte den Mischling zum Heck und zwängte ihn in den Kofferraum. Die Wagenschlüssel warf er zu ihm hinein, knallte die Klappe zu und vergewisserte sich, dass sie auch geschlossen war. Er schaute sich um. Alles ruhig.

Zeit, endlich nach der Schlampe und dem amerikanischen Kind zu sehen.

KAPITEL 22

Als die Mischlingsschlampe endlich die Tür aufmachte, packte Barnard sie an der Kehle und trieb sie rückwärts vor sich her zurück in die Wohnung. Er trat die Tür hinter sich zu, während er sie gleichzeitig in eine kniende Haltung auf den Boden drückte. Mit der gleichen Bewegung zog er die .38er aus dem Holster und stopfte ihr den Lauf in den Mund, während er mit der linken Hand eine Faustvoll von ihrem krausen Haar packte. Er neigte den Lauf der Kanone und zwang Carmen, ihm in die Augen zu sehen.

»Okay. Hör mir zu, und hör mir sehr genau zu. Wenn ich diese Kanone aus deinem Mund nehme, werde ich dir eine Frage stellen. Und du wirst nicht lügen. Verstanden?«

Sie nickte, würgte an der Kanone. Er zog den Lauf langsam aus ihrem Mund, und sie hustete.

»Wer war dieses kleine Arschloch, das vorhin hier war?«

Sie schüttelte den Kopf. »Es war keiner hier.«

Er holte aus und schlug sie mit dem Lauf. Das Visier grub sich tief in ihren Wangenknochen, Blut lief in einem roten Band über ihr bleiches Gesicht. Sie stöhnte und hob eine Hand an ihre Wange, versuchte, das Blut zum Stillstand zu bringen, das zwischen ihren Fingern durchsickerte.

»Als er herauskam, hat exakt ein Licht in diesem Haus gebrannt. Deines. Ich werde dich nur noch ein Mal fragen. Wer war das?«

»Mein Dealer.«

»Hat er den Jungen gesehen?«

Sie wollte schon lügen. Er wusste es und zog seine Schusshand zurück, war bereit, sie wieder zu schlagen. Er sah, dass die Wahrheit in ihren Blick trat. »Ja. Er hat ihn gesehen.«

»Was hast du ihm gesagt?«

»Dass es das Kind von meiner Freundin ist.«

»Ein weißer Junge?«

»Hab ihm gesagt, Daddy wäre ein Matrose gewesen.«

»Das hat er geschluckt?«

»Ja. Ich glaube schon.«

»Hat noch irgendwer den Jungen gesehen?«

Sie schüttelte den Kopf. Er glaubte ihr. Er senkte die Waffe. »Wo ist der Junge jetzt?«

»Im Bad.«

Er polterte an dem alten Alki vorbei, der auf dem Sofa schnarchte, tief und fest schlief, und öffnete die Badezimmertür. Der Junge lag neben der widerlich schmutzigen Kloschüssel, regungslos, wie tot. Barnard beugte sich herab und befühlte mit seinen Wurstfingern den Hals des Jungen. Er spürte einen Puls. Der Junge rührte sich nicht.

Barnard ging in den anderen Raum und fand die Mischlingsfrau an der Küchenspüle, wo sie ein feuchtes Tuch auf ihr Gesicht drückte. Das Tuch wurde bereits rosa.

»Hast du ihm irgendwas gegeben, damit er schläft?«

Sie nickte. »Eine halbe Mogadon.«

»Und was, wenn du ihn damit umgebracht hast?«

Sie starrte ihn an, das Blut sickerte durch den Stoff. »Du wirst ihn doch sowieso umbringen, stimmt's?«

»Wie kommst du darauf?«

Sie zuckte die Achseln. Blut tropfte durch den Stoff.

Dann kam er auf sie zu. Sie wich gegen die Spüle zurück, doch er überraschte sie, indem er seinen Daumen an der Stelle auf den Stoff legte, wo sich die Platzwunde befand, und Druck ausübte. So hielt er es fast eine Minute fest, starrte sie an, wobei sein fauliger Mundgeruch über sie hinwegkroch wie die Ausdünstungen eines septischen Tanks.

»Ich werde heute Nacht hierbleiben.«

»Du kannst nicht mit mir schlafen!«

»Du kannst von Glück reden.« Er lachte und löste den Griff auf ihrem Gesicht. Der Druck hatte das Blut verlangsamt.

Barnard drehte sich um und ging zu dem abgewetzten Sessel, schob ihn so, dass die Rückenlehne zur Wand und genau gegenüber der Wohnungstür stand. Als er sich setzte, quoll sein Fett über die Armlehnen. Er zog den Reißverschluss des Seesacks auf und wickelte die Mossberg aus.

Er schaute zur Tür, sah sie nicht an, als er sprach. »Ich werde nicht schlafen. Ich werde hier sitzen und darauf warten, ob jemand durch diese scheiß Tür hereinkommt.«

Die Hubschrauber weckten Burn erneut. Diesmal wusste er jedoch ganz genau, wo er sich befand. Und die Lage, in der er steckte, ließ Desert Storm vergleichsweise einfach erscheinen. In jenem Krieg hatte es gewisse Regeln gegeben, das heißt, sofern man Amerikaner war. Man erhielt Befehle, man rückte vor und man tötete Menschen. Nachts pisste man in die Lebensmittelration, um das Aufwärmpäckchen zu aktivieren, und aß eine Truthahn-Mahlzeit, während der Rauch der brennenden Ölfelder einen wie eine Decke umhüllte.

Jetzt aber, hier in Kapstadt, waren die Regeln irgendwie abhandengekommen. Vielleicht hatte es sie auch nie gegeben.

Burn warf einen Blick auf die Uhr. Kurz nach sechs Uhr morgens. Er hatte einen schweren Schädel von dem Scotch, den er getrunken hatte, um einschlafen zu können. Er griff nach dem Telefon, tippte Mrs. Dollies Nummer. Er hörte ihre Stimme sagen, ein wenig gehemmt, unsicher im Umgang mit moderner Technik, er solle eine Nachricht hinterlassen. Burn legte auf, kämpfte gegen das Gefühl an, für ihren Tod verantwortlich zu sein. Und gegen die panische Angst, der Kidnapper könnte Matt bereits getötet haben.

Mrs. Dollies Tochter Leila hatte ihn am Abend zuvor erneut angerufen. Trauer hatte in ihrer Stimme gelegen, aber sie war auch gefasst und höflich. Sie nahm seine Anteilnahme voller Würde entgegen und bat ihn, zur Beerdigung zu kommen. Mrs. Dollie war Muslimin, und entsprechend muslimischen Bräuchen musste sie so bald wie möglich beigesetzt werden. Die Polizei hatte eine Obduktion durchgeführt und den Leichnam zur Beerdigung freigegeben. Burn hatte sich sagen hören, natürlich werde er kommen.

Das würde heute sein, irgendwann am Nachmittag.

Er schleppte sich vom Bett unter die Dusche, drehte das Wasser immer wieder abwechselnd von heiß nach kalt, versuchte so, einen einigermaßen klaren, wachen Kopf zu bekommen. Er rasierte und kämmte sich, entschied sich für lässig-teure Kleidung, die für die Bankgeschäfte des Vormittags angemessen war.

Er betrachtete sein Gesicht im Spiegel; erst jetzt fiel ihm ein, dass er an diesem Tag zum zweiten Mal Vater werden würde.

Barnard wachte von dem Geräusch an der Tür auf. Scheiße, er hatte nicht einschlafen wollen. Er kämpfte sich aus dem Sessel hoch, ließ die Schrotflinte stehen, begriff dann, dass er Männerstimmen auf dem Flur gehört hatte, Arbeiter der Frühschichten auf dem Weg zum Taxistand. Es war bereits hell. Er hatte eigentlich noch bei Dunkelheit wieder verschwinden wollen.

Er schaute zu dem alten Säufer hinüber, der auf dem Rücken lag, mit offenem Mund und ohne Gebiss. Die Decke war vom Sofa gerutscht und enthüllte seinen ausgezehrten Körper, nackt bis auf die schmutzige Unterhose. Barnard sah, dass der alte Alki einen Ständer hatte, der seine Unterhose vorn ausbeulte wie eine Zeltstange. In seinem scheiß Alter!

Barnard hob die Decke mit dem Fuß auf und warf sie dem alten Mann über die Eier, dann ging er zum Fenster hinüber. Das Glas war mehrfach gesprungen und mit Klebeband repariert worden. Barnard schob die speckige Spitzengardine vorsichtig beiseite und linste auf die Straße hinunter. Sein Ford war da, auch der Honda. Von seiner Position aus konnte er das Blut des Arschlochs nicht sehen, dessen Hirn er zu Brei geschlagen hatte, aber er wusste, dass es früher oder später jemandem auffallen würde.

Er beugte sich über die Spüle und spritzte sich Wasser ins Gesicht, dabei legte er die Remington auf einen Stapel schmutziger Teller. Er wischte sich das Gesicht mit der Hand ab, hatte kein Zutrauen zu einem der schmutzigen Geschirrtücher. Er schnappte sich die Schrotflinte wieder und schleppte sich ins Schlafzimmer.

Die Mischlingsschlampe schlief unter einem grauen Laken. Er konnte ihre nackten Schultern sehen, den geschwungenen Bogen einer Brust, das krause Haar auf dem Kopfkissen. Er stand über ihr, schaute auf ihr Gesicht hinab. Ihre linke Wange war angeschwollen, die Platzwunde von dem Schlag mit dem Pistolenlauf blutverkrustet. Schon jetzt breitete sich ein prächtiges Veilchen über die Wange Richtung Auge aus. Cape-Flats-Mascara, hatte er mal einen farbigen Bullen bei einem nächtlichen Einsatz zu einem Ehekrach trocken kommentieren hören.

Diese scheiß Leute machten sich über einfach alles lustig in ihrem komischen Kauderwelsch, einer komplizierten Sprachmischung aus Afrikaans, Gefängnisslang und Gosse. Nach all den Jahren draußen auf den Flats verstand Barnard es inzwischen. Und auch wenn er es sich niemals eingestehen würde, fühlte er sich unter diesen braunhäutigen Leuten, die er verachtete, erheblich heimischer als in der weißen Welt, zu der er ja angeblich gehörte.

Die Mischlingsfrau drehte sich im Schlaf, das Laken rutschte weg, und er konnte ihre Titten sehen. Abgesehen von den Schwangerschaftsstreifen waren sie gar nicht mal übel. Ja, wenn man anfing, Tik-Huren attraktiv zu finden, war es höchste Zeit, Kapstadt zu verlassen. Barnard nahm die Schrotflinte hoch und legte den Lauf seitlich an ihren Kopf. Sie rührte sich nicht, ein leises Schnarchen drang über ihre verklebten Lippen. Vielleicht sollte er sie jetzt erledigen, ein Zeuge weniger, ein Junkiemaul weniger, um das er sich Gedanken machen musste. Und den Jungen ebenfalls, und auch den alten Penner auf dem Sofa, dann das Lösegeld schnappen und aus diesem Sodom und Gomorrha verschwinden.

Sein fetter Finger legte sich um den Abzug, spannte sich an. Dann löste er sich. Nein, vielleicht war es noch zu früh. Schon möglich, dass er sie und den Jungen noch brauchte. Den Dreck konnte er später immer noch beseitigen.

Er verließ das Schlafzimmer und ging ins Bad. Der Junge schlief immer noch in fötaler Haltung auf der Decke, den Daumen im Mund. Barnard ließ sich auf den Deckel der Kloschüssel sinken, saß da und betrachtete den Jungen. Er konnte Kinder nicht leiden. Vielleicht lag es daran, dass er nur zu gut wusste, wozu sie heranwachsen würden. Noch ein weiteres kleines Arschloch, das haben wollte, was dir gehörte.

Barnard beugte sich vor und stieß den kleinen Balg mit dem Lauf der Schrotflinte an. Keine Reaktion. Er stieß wieder zu, fester diesmal, und der Junge sah ihn an. Voller Angst riss er die Augen auf.

KAPITEL 23

Burn saß an der Küchentheke vor einer Tasse Kaffee, die er noch nicht angerührt hatte. Er konnte sich nicht erinnern, wann er das letzte Mal etwas gegessen hatte. Allein bei dem Gedanken an Essen wurde ihm speiübel. Er wartete darauf, dass die Minuten verstrichen, damit er endlich hinunter nach Sea Point fahren und das Lösegeld abheben konnte. Wenigstens konnte er sich so vormachen, dass er etwas tat. Nicht nur herumsitzen und warten.

Sein Mobiltelefon klingelte und vibrierte, veranstaltete ein langsames Tänzchen auf der Holztheke. Als er Mrs. Dollies Namen auf dem Display sah, ging er sofort ran. »Ja?«

»Will mich nur vergewissern, dass du keine Dummheiten machst.«

»Ich fahre jetzt gleich das Geld holen. Sobald die Banken öffnen.«

»Gut. Ich rufe später an. Mit den Einzelheiten.«

Burn versuchte, seiner Stimme eine gewisse Autorität zu verleihen. »Allerdings werde ich das Geld nicht übergeben, bevor ich meinen Sohn habe.«

»Ach ja, ist das so?« Es folgte eine Pause, das Telefon schlug gegen etwas, dann hörte er aus einiger Entfernung die Stimme des Mannes. »Sag deinem Daddy Hallo.«

Dann Matts Stimme. »Daddy?«

Er hörte die panische Angst in der Stimme seines Sohnes, und er konnte nur antworten.

»Matty, alles wird wieder gut. Daddy kommt und holt dich.« Dann stieß Matt einen Schrei aus. Einen durchdringenden Schrei, gefolgt von Schluchzen. Burn brüllte ins Telefon. »Hör auf, du Bastard! Tu ihm nicht weh!«

Der Mann war zurück. »Ganz ruhig, nur ein kleines Zwicken, das bringt ihm ein bisschen Farbe auf die Wangen. Aber du gibst hier keine Befehle, die kommen allein von mir. Verstanden?«

»Ja. Verstanden.«

»Und jetzt hol das scheiß Geld, ich rufe nachher wieder an.«

Die Verbindung wurde unterbrochen.

Susan wachte in dem Glauben auf, ihr Baby verloren zu haben. Sie schwitzte und atmete stoßweise, während sie sich aus ihrem Albtraum befreite. Sie brauchte etwa eine Minute, bis ihr wieder einfiel, wo sie war. Auf der Privatstation in der Klinik, strahlender Sonnenschein hinter den Vorhängen. Sie legte eine Hand auf den Bauch und spürte ihre Tochter treten.

Sie lehnte sich zurück, versuchte, ihre Atmung zu beruhigen, atmete lang und tief durch die Nase ein, so wie sie es beim Yoga gelernt hatte. Ihrem Baby ging es gut. Dann begriff sie, dass es bei diesem Traum, bei diesem Albtraum nicht um ihr ungeborenes Kind gegangen war. Es war um Matt gegangen. Und eine namenlose Furcht nahm ihr den Atem. Irgendetwas war mit ihrem Sohn nicht in Ordnung.

Sie zwang sich zur Ruhe. Sie hatte ein schlechtes Gewissen, weil sie sich Matt gegenüber so distanziert verhalten hatte. Sie versuchte sich zu überzeugen, dass sie im Lauf der letzten paar Tage ihre Beziehung mit ihm wieder in Ordnung gebracht hatte. Ihn wieder in ihr Herz geschlossen hatte. Aber die Wahrheit ließ sich nicht leugnen. Wenn sie ihren Sohn ansah, dann sah sie immer auch seinen Vater.

Susan lag da und erinnerte sich, wie sie Jack Burn kennengelernt hatte. Wie er sie umworben hatte, ihr unaufhörlich hinterhergelaufen war. Sie war jung gewesen, hatte nur die Unbeholfenheit von Männern, eigentlich noch Jungs, ihres eigenen Alters gekannt und war diesem fast vierzigjährigen Mann nicht gewachsen.

Kurz vor ihrer Hochzeit hatte es einen Moment gegeben, da hatte sie gefröstelt, als hätte sich eine Wolke vor die Sonne geschoben. Sie wurde nervös. Alles ging viel zu schnell. Konnte sie diesem so viel älteren Mann vertrauen, den sie eigentlich kaum kannte?

Jack hatte getan, was er immer tat: hatte sie in den Arm genommen und beruhigt. Hatte ihr gesagt, er liebe sie. Also hatten sie geheiratet, und Matt war auf die Welt gekommen, und sie fand Erfüllung und war glücklich wie noch nie zuvor in ihrem Leben.

Als sie von Jacks Leidenschaft fürs Glücksspiel erfuhr, hatte sie gedacht, ihre Vorahnung würde sich bewahrheiten. Aber er schwor ihr, nie wieder zu spielen.

Sie hatte ihm geglaubt.

Dann kamen Milwaukee und die Ereignisse, die sie schließlich nach Kapstadt gebracht hatten. Inzwischen empfand sie eine abergläubische Furcht, fast eine Vorahnung, dass ihr Glück lediglich geborgt gewesen war, etwas, das ihr nie wirklich gehört hatte und das sie nur auf Kosten anderer hatte erfahren dürfen.

Und dass dafür noch ein Preis gezahlt werden musste.

Burn befand sich gerade an der Haustür, als das Festnetztelefon klingelte. Er wollte es erst ignorieren. Er wusste, dass es nicht der Kidnapper war. Aber was, wenn es die Klinik war? Was, wenn es Komplikationen gegeben hatte?

Er ging zurück und nahm den Hörer ab. Susans Stimme, aufgelöst, verzweifelt.

»Susan, ist alles in Ordnung? Mit dem Baby?«

»Alles bestens, Jack. Ich möchte mit Matt sprechen.«

Burn musste sich die größte Mühe geben, seine Stimme ruhig zu halten. »Er ist nicht hier.«

»Wo ist er?« Sofort klang ihre Stimme noch angespannter als vorher.

Er hörte sich lügen. »Er ist mit Mrs. Dollie spazieren. Sie ist runter zum Laden, um Milch zu kaufen, und er ist mit.« Das war auch früher schon oft genug passiert.

»Geht's ihm gut, Jack?«

»Natürlich geht's ihm gut. Warum fragst du?«

Sie zögerte. »Ich hatte einen schlechten Traum. Keine Ahnung. Ich hatte einfach nur auf einmal Angst um ihn.«

»Ihm geht's gut. Du machst dir einfach nur … Sorgen, eben, das ist alles. Susan, wann sind … wann bekommst du das Baby?«

»Irgendwann heute. Irgendwann nach dem Mittagessen.«

Er hörte deutlich, wie sie wieder distanzierter wurde. Sie zog die Mauern wieder hoch. »Schwör mir, Jack, dass mit Matty alles okay ist.«

»Ich schwöre es dir.«

Sie legte auf.

Burn verabscheute sich mehr als je zuvor.

Disaster Zondi frühstückte auf seinem Zimmer, er hatte dem ausladenden Panorama des leuchtenden Tafelbergs, des Hafens und der Waterfront den Rücken zugewandt. Während er Schnitze der rubinroten Grapefruit mit einer kleinen silbernen Gabel aß, dachte er über den Fingerabdruck und seinen Besitzer nach, beides zu sehen auf dem Bildschirm seines Laptops.

Im April 1997 war Susan Ford, Studentin an der UCLA, wegen Besitzes von zehn Gramm Marihuana verhaftet worden. Sie hatte sich eines schweren Vergehens für schuldig befunden und eine Geldstrafe in Höhe von eintausend Dollar gezahlt.

Das war alles, was er der FBI-Datenbank entnommen hatte.

Zondi wischte sich die Finger an einer Leinenserviette ab, bevor er sich in die Polizeifotos des Mädchens einzoomte. Blond. Hübsch. Machte nicht den Eindruck, als brächte sie sehr aus der Fassung, was da mit ihr passierte. Auf der Frontalansicht schien sie mit einiger Mühe ein Lächeln zu unterdrücken, fast als hätte sie gerade mit dem Cop, der die Aufnahmen machte, über einen Witz gelacht.

Woher hatte Barnard ihre Fingerabdrücke? Machte sie Urlaub in Kapstadt, angelockt von den Bergen und Stränden und Weingütern, wie so viele ausländische Touristen? Sie dürfte jetzt Ende zwanzig sein, dieses jugendliche Leuchten ließ vielleicht gerade erst nach, aber sie war mit Sicherheit immer noch sehr attraktiv, darauf ging er jede Wette ein. Er mochte dieses gesunde, blonde Aussehen.

Es erinnerte ihn an ein Burenmädchen, das er kennengelernt hatte, als er die Karriere eines korrupten Polizeichefs auf dem Land beendete. Sie konnte im Bett ihrer Eltern, wenn die zum sonntäglichen Kirchgang aus dem Haus waren, gar nicht genug bekommen von Zondi. Immer wenn sie kam, brüllte sie *Disaster*. Ihr Vater hätte dem voll beigepflichtet, wenn er hätte sehen können, was da zwischen seinen Laken abging.

Zondi schob diesen Gedanken beiseite, biss in die Grapefruit und zuckte angesichts des bitteren Geschmacks leicht zusammen. Er würde den amerikanischen Strafverfolgungsbehörden via Interpol ein offizielles Hilfeersuchen schicken, darum bitten, ihn bezüglich Susan Ford auf den aktuellen Stand zu bringen. Er wusste, dass das mindestens eine Woche dauern würde. Wenn er Glück hatte.

Zondi hatte Deputy US Marshal Dexter Torrance überprüft, den Mann, dem Barnard die Fingerabdrücke von Susan Ford geschickt hatte. Torrance war vor einigen Jahren in Kapstadt gewesen, um einen amerikanischen Flüchtling nach Hause zu holen. Der Flüchtling hatte sich in seiner Zelle erhängt, und so hatte Torrance am Ende einen Sarg begleitet. Der Selbstmord ereignete sich in einer Arrestzelle des Polizeireviers Bellwood South. Wo sich zweifellos Barnard und Torrance begegnet waren und sich so sehr angefreundet hatten, dass der US Marshal Barnard einen Gefallen tat. Zondi dachte darüber nach, was für ein Mensch wohl Zuneigung für Rudi Barnard empfinden könnte. Wahrscheinlich irgendein Redneck, der der Waffe das Reden überließ. Und davon gab es nicht wenige.

Zondi öffnete ein anderes Fenster auf seinem Bildschirm und hatte die Aufnahmen von Barnards Barbecue vor sich. Zwei unbekannte Männer. Und der Junge, Ronaldo September. Ronnie. Zumindest hatte Mrs. September ihr Kind beerdigen können. Die verkohlten Überreste der zusammen mit ihm verbrannten Männer lagen im Leichenschauhaus der Polizei und warteten auf ihre zwangsläufige Entsorgung auf einem Armenfriedhof.

Die Spurensicherung und Kriminaltechnik hatten ihm nur sehr wenig liefern können außer der Bestätigung, dass die Opfer männlich und, basierend auf zahnmedizinischen Erkenntnissen, wahrscheinlich zwischen zwanzig und dreißig Jahre alt waren. Man hatte eine Kugel vom Kaliber .32 in dem gefunden, was vom Unterleib des großen Mannes noch übrig war. Sie passte nicht zu der .38er-Kugel, die man in Ronnie September fand.

Zwei Männer zwischen zwanzig und dreißig. Höchstwahrscheinlich aus den Cape Flats. Höchstwahrscheinlich Gangster, wenn man berücksichtigte, in was für einer Welt Barnard sich bewegte. Zondi fiel etwas ein, er öffnete ein weiteres Fenster und ließ seine Finger geschickt über die Tastatur tanzen. Da. Zwei Nächte bevor Barnard verschwand, hatte er eine Fahndung nach einem Auto herausgegeben, einem roten BMW der 3er-Serie, Baujahr '92, mit einem CY-Nummernschild. Das reiche Kapstadt und der Innenstadtbereich hatten CA-Nummernschilder; die Arbeitervororte und die Cape Flats, die sich im Norden und Osten der Stadt ausdehnten, hatten CY-Nummernschilder.

Also suchte Barnard einen BMW, Baujahr um 1990, das Lieblingsauto der Gangster auf den Flats. Offenbar hatte er ihn gefunden.

Mit zwei Männern darin.

Burn fuhr den Jeep den Berg hinauf zum Haus, auf dem Rückweg von der Bank in Sea Point. Der Lion's Head lag rechts über ihm, prangte deutlich vor dem Hintergrund des blauen Himmels. Die Hänge waren geschwärzt, und Rauch stieg auf wie von einem Scheiterhaufen. Die Hubschrauber waren weg, doch der Wind frischte wieder auf und trug erneut Funken ins trockene Unterholz. Die Hubschrauber würden bald wieder Einsätze fliegen.

Burn hatte das Geld in einen Sportbeutel gestopft, der jetzt auf dem Beifahrersitz neben ihm lag. Es war bereits nach zehn, und er hatte noch nichts von dem Entführer gehört. Er bremste vor seinem Haus ab, drückte mit dem Daumen auf die Fernbedienung des Garagentors und fuhr den Jeep in die Garage. Er stieg aus dem Auto und griff über den Fahrersitz nach der Tasche mit dem Geld.

Aus dem Augenwinkel bemerkte er die Silhouette eines Mannes, der sich unter dem schließenden Garagentor hindurchduckte und hereinkam. Mit einem dumpfen Schlag berührte das Tor den Betonboden. Der Mann war mit ihm eingesperrt.

KAPITEL 24

Instinktiv riss Burn den Sportbeutel herum. Der Mann war schnell. Er packte die Tasche mit der linken Hand, fälschte sie ab und drückte Burn gegen den Wagen zurück.

Ein Lichtstrahl fiel aus dem kleinen Fenster über dem Garagentor aufs Gesicht des Mannes und Burn sah die purpurrote Narbe und die leere Augenhöhle. Der Nachtwächter von der Baustelle nebenan. In diesem Augenblick ergab für Burn alles einen Sinn. Dieser hässliche Freak hatte ihnen nachspioniert. Er war eingebrochen und hatte Mrs. Dollie umgebracht und Matt gekidnappt.

All die aufgestaute Angst und Wut explodierten in Burn, und er ging auf die Kehle des Drecksacks los. Seine Fingerspitzen hatten den Hals des Nachtwächters gerade mal gestreift, als er einen gewaltigen Schlag in den Unterleib bekam und auf die Knie sackte. Jetzt wusste er, dass der Nachtwächter das Geld nehmen und verschwinden würde. Und seinen Sohn würde er nie wiedersehen. Als er dann verzweifelt nach Luft schnappte, sah er, dass der Nachtwächter sich vor ihn hockte. Ihre Gesichter befanden sich fast auf einer Höhe. Der dunkelhäutige Mann sah ihn an, als wäre er eine außerirdische Lebensform.

»Wo ist er?«, fragte Burn mit erstickter Stimme.

»Wer?«

»Mein Sohn. Was haben Sie mit meinem Sohn gemacht?«

Der Nachtwächter schüttelte den Kopf. »Ich hab Ihren Sohn nicht.«

Burn atmete heftig, versuchte wieder hochzukommen. Der Nachtwächter stand ebenfalls auf, half ihm. Burn schob seine Hände fort. »Hören Sie auf, scheiß Spielchen mit mir zu spielen. Sagen Sie mir einfach, was Sie wollen.«

»Ich hab Ihren Sohn nicht. Aber ich hab gesehen, wer.«

Burn starrte ihn an. Der Nachtwächter fuhr langsam fort, sein starker Akzent tat Burn in den Ohren weh. »Ich hab nebenan gearbeitet, auf der Baustelle da.«

»Ich weiß, wer Sie sind.«

»Diese Nacht, da hab ich ihn gesehen. Er kommt und holt Ihren Jungen, dann kommt er rüber und erschießt meinen Hund. Und schießt auf mich.«

Burn erinnerte sich, wie er in der Nacht nach Hause kam, als Matt entführt wurde. Sah den blutenden Nachtwächter, der zu einem Krankenwagen geführt wurde. »Wer war's? Wer hat meinen Sohn entführt?«

»Der fette Bulle.«

Da wusste Burn, dass der Nachtwächter die Wahrheit sagte. »Tut mir leid.«

Der Nachtwächter schüttelte seinen entstellten Kopf. »Schon okay.«

»Bitte, kommen Sie doch mit ins Haus. Erzählen Sie mir, was passiert ist.«

Burn nahm den Sportbeutel mit dem Geld und ging zur Treppe, fühlte sich immer noch flau im Magen. Der Nachtwächter war zwar nicht besonders kräftig gebaut, aber er schlug zu wie ein Schwergewichtler.

Sie gingen in das offen angelegte Wohnzimmer, viel Glas und Licht und skandinavisches Design. Der Nachtwächter ließ den

Blick wandern. Er hatte keine Uniform an, trug eine Jeans, die für einen erheblich stämmigeren Mann bestimmt war, von einem Gürtel oben gehalten, die Hosenaufschläge hochgekrempelt über ziemlich abgenutzten Halbschuhen. Sein kariertes, kurzärmeliges Hemd war ausgefranst, ließ eine Menge Knastkunst auf den Armen erkennen. Er trug eine Mütze, die er allerdings im Haus absetzte, stand da, hielt sie in der linken Hand, als wäre es ihm so gesagt worden. Es war schwer, die eingedrückte, verwüstete linke Hälfte seines Gesichts nicht anzustarren.

Burn stellte den Beutel ab. »Wie heißen Sie?«

»Benny.«

»Nur Benny?«

»Nur Benny is schon okay.«

»Ich bin Jack.«

»Ja, hatten Sie schon mal gesagt.«

Burn bot ihm an, Platz zu nehmen, was er dann auch zögernd tat, er setzte sich auf die Stuhlkante, die Ellbogen auf den Knien, die Hände nervös an der Kappe spielend. Ohne eine Miene zu verziehen, erzählte er Burn, was er gesehen hatte, keine Gefühlsregung zeigte sich, als er die Details schilderte.

»Er hat ihn in den Kofferraum gesperrt?«

»Ja.«

»Aber er hat noch gelebt?«

»Er hat so, ja, getreten eben. Ja.«

Burn mühte sich ab, das alles zu verarbeiten. Sein vierjähriger Sohn versuchte, sich gegen den riesigen Cop zu wehren. »Der Polizei haben Sie aber nichts davon erzählt?«

Ein Lächeln huschte kurz über das narbige Gesicht des Nachtwächters. »Ich und die Bullen reden nicht miteinander.« Dann war er wieder völlig ernst, sein gesundes Auge fixierte Burn. »Der fette Bulle. Hat er Ihnen gesagt, was er will?«

»Geld«, antwortete Burn.

»Und wann werden Sie ihm das geben?«

»Wenn er mich anruft. Irgendwann heute.«

»Ich will dabei sein.«

»Warum?«

»Er hat meinen Hund umgebracht. Ich werde ihn umbringen.« So als habe er gerade gesagt, er nehme seinen Tee mit Milch. Ohne besondere Betonung. Ohne Gefühl. Und zweifellos meinte er es auch genau so.

»Hören Sie, ich kann das ja alles verstehen. Aber ich muss meinen Sohn zurückhaben. Lebend.«

»Glauben Sie, der gibt Ihnen das Kind zurück?«

»Ja. Wenn ich ihn bezahle.«

Der Nachtwächter schüttelte den Kopf. »Männer wie der, die nehmen Ihr Geld, aber Ihren Sohn kriegen Sie dafür trotzdem nicht.«

Burn hörte, wie der schwer gezeichnete Mann seine geheimsten Befürchtungen aussprach. Im Augenblick hatte der fette Cop sämtliche Trümpfe in der Hand.

»Ja. Ich habe so das eine oder andere über diesen Bullen rausgefunden. Über ihn, was er so macht, so Sachen. Wo er verkehrt und so. Er ist gefährlich.«

»Okay, das hab ich schon gemerkt«, sagte Burn. »Haben Sie eine Idee? Einen Plan?«

»Ich komme mit, wenn Sie das Geld übergeben. Halte Ihnen den Rücken frei, so quasi.«

Burn nickte, verdaute das alles. Versuchte herauszufinden, ob er diesem Mann vertrauen konnte, ob er Matts Leben aufs Spiel setzte oder rettete, indem er den Nachtwächter ins Boot holte.

Der Wind heulte über die Flats, riss Sand und Staub mit und beschoss Zondi damit wie mit einer kleinkalibrigen Schrotflinte. Er spürte es in den Ohren und in seiner Nase, es drang unter die Sonnenbrille und fand den Weg in seine Augen. Den Mund behielt er fest geschlossen und die Hände in den Anzugtaschen, während er dem uniformierten Sergeant durch die langen Reihen von Autos auf der Verwahrstelle der Polizei folgte.

Zu Schrott gefahrene Autos, endlose Reihen von Minibus-Taxis und eine überraschende Menge Luxusautos verteilten sich über das Gelände. Der Cop trug ein Klemmbrett und schien genau zu wissen, wohin er ging. Er blieb stehen. »Das da ist Ihr Wagen.«

Ein viertüriger roter BMW mit allen Extras, die Gangster so schätzten: verkürzte Radaufhängung, Breitreifen mit verchromten Felgen, Lüftungsschlitze, Spoiler und getönte Scheiben. Zondi sah, dass die Seitenscheibe auf der Fahrerseite eingeschlagen war, und die Kofferraumklappe schlug im Wind. Das Schloss war aufgebrochen worden.

»Ist der Wagen so reingekommen?«

»Genau, Sir.« Diesen Schwarzen *Sir* zu nennen, schien dem farbigen Cop offenbar ausgesprochen schwer zu fallen.

»Das Fenster da auch?«

»Ja.«

Zondi öffnete den Kofferraum und schaute hinein. Ein Ersatzreifen und ein Wagenheber. Ein paar leere Bierflaschen und Lappen. Eine alte Zeitung und eine leere Dose Bremsflüssigkeit. Er ging zur Fahrerseite, öffnete die Tür und sah hinein.

»Was sagten Sie noch, wer als Eigentümer dieses Autos ermittelt wurde?«

Der Sergeant warf einen Blick auf sein Klemmbrett. »Eine Mrs. Wessels aus Tableview. Sie hat ihn vor zwei Jahren als gestohlen gemeldet. Würde ihn jetzt nicht mehr wiedererkennen.«

»Ja, jede Wette. So eine Karre würde nicht in ihrer Garage stehen.«

Zondi setzte sich auf den Fahrersitz. Er öffnete das Handschuhfach: ein paar Joints und eine halb leere Flasche Wodka. Er schob die Flasche zur Seite und sah ein benutztes Kondom.

»Geben Sie mir mal bitte Ihren Schreiber, Sergeant.«

Der Cop entsprach seinem Wunsch, Zondi hob das Kondom mit der Spitze des Kugelschreibers heraus und hielt es gegen das Licht. Den Teufel würde er tun und für so etwas seinen Montblanc benutzen. In der Spitze des Kondoms befand sich eine gute Ladung Sperma. Er nahm eine zusammengefaltete Beweismitteltüte aus Papier aus seiner Jackentasche und schüttelte sie auf. Er ließ das Kondom in die Tüte fallen und gab dem Cop den Schreiber zurück.

»Danke.«

Der Sergeant zögerte, dann schüttelte er den Kopf. »Den können Sie behalten.«

Zondi ließ den Schreiber auf den Wagenboden fallen. Er schaute sich im Inneren kurz um, sah nichts weiter von Interesse, glitt aus dem Wagen und stand wieder im heulenden Wind. »Dann wurde der Wagen hier also oberhalb von Sea Point gefunden?«

Der Cop wischte sich Sand aus den Augen und blinzelte dann sein Klemmbrett an. »Ja, wir haben ihn aus der Mountain Road vor der Hausnummer achtunddreißig abgeschleppt.«

»Würden Sie mir die Adresse bitte aufschreiben?«

»Jawohl, Sir.« Der Sergeant brummte leise etwas vor sich hin, als er sich bückte, um seinen Kugelschreiber aus dem Wagen zu nehmen.

Zondi war bereits auf dem Rückweg in den Schutz des Büros. Wie konnten Menschen an diesem verdammten Ort nur leben?

Der Wind peitschte über den Friedhof, wehte den arabischen Singsang des Imam in Richtung der Maitland-Eisenbahnlinie. Burn stand im hinteren Teil einer kleinen Gruppe von Trauergästen – ausnahmslos Männer –, einige in traditionellen muslimischen Gewändern, andere trugen *Kufis*, weiße Häkelmützen, zu ihrer westlichen Kleidung. Man hatte Burn eine *Kufi* gegeben, als er zu der Gruppe trat, und er musste sie mit einer Hand festhalten, damit der Wind sie ihm nicht vom Kopf riss. Den Sportbeutel mit einer Million in Scheinen hatte er sich zwischen die Füße geklemmt. Seine andere Hand lag auf dem Mobiltelefon in seiner Tasche, um den Vibrationsalarm zu spüren, wenn Barnard anrief.

Mrs. Dollies Leichnam, in ein weißes Tuch gehüllt, lag neben dem offenen Grab, während der Imam die Gebete herunterleierte. Mr. Dollie, klein und bärtig, sah in der traditionellen Kleidung ziemlich verloren aus. Sein Gesicht war verhärmt und ausgezehrt, und ein junger Mann in Anzug hielt seinen Arm, als könnte der Wind ihn sonst forttragen.

Burn war sich nicht sicher, warum er gekommen war. Er hätte sich eine Ausrede einfallen lassen können, hätte sagen können, dass Susan praktisch jeden Moment ein Baby erwarte. Es wäre eine berechtigte Entschuldigung, denn der Kaiserschnitt würde an diesem Nachmittag durchgeführt. Er wusste, es war lächerlich, hatte aber das Gefühl, durch seine Teilnahme an der Beerdigung und indem er Mrs. Dollies Mann gegenübertrat, zumindest für manche seiner Handlungen Buße zu tun.

Burn war katholisch erzogen worden, hatte aber schon als Jugendlicher nichts mehr mit Religion am Hut gehabt. Er war überrascht festzustellen, dass jetzt, mit Mitte vierzig, Vorstellungen von Schuld und Sühne so eine Rolle für ihn spielten. Wie er dort stand und den arabischen Gebeten lauschte, gerichtet an einen Gott, mit dem er nichts anfangen konnte, hörte er eine Stimme, die einen Pakt mit einer unsichtbaren Macht dort draußen einging: Ich werde mich meiner Schuld stellen, ich werde mein Schicksal annehmen, aber rette bitte das Leben meines Sohnes. Es war seine eigene Stimme. Er wusste, dass es reiner Aberglaube war. Er wusste, dass es irrational war. Es war ihm gleichgültig.

Es war alles, was er im Moment hatte.

Das und einen entstellten braunhäutigen Mann mit Gefängnistätowierungen, der in seinem Jeep saß und wartete. Der Nachtwächter hatte unmissverständlich klargestellt, dass er wie ein Schatten an Burn heften würde, bis diese Sache vorbei war, bis er an den fetten Bullen herankam.

Und ihn tötete.

Burn hatte keinerlei Veranlassung, dem Nachtwächter zu vertrauen, deshalb hatte er auch die Tasche mit dem Geld bei sich und die .38er des toten Gangsters unter dem Hosenbund. Er wusste, dass der Nachtwächter ein Mörder war, aber zumindest für den Augenblick wollten beide denselben Mann tot sehen: Barnard.

Ein paar Männer traten vor. Sie legten den Leichnam auf die rechte Seite, mit dem Gesicht nach Mekka. Die Gebete raunten mit dem Wind.

Burn spürte das Vibrieren seines Telefons; er warf einen Blick auf die Nummer des Anrufers und tat einen Schritt von den Trauergästen weg. Mrs. Dollie. Er hätte beinah hysterisch aufgelacht.

Dann nahm er den Anruf des Entführers seines Sohnes an.

KAPITEL 25

Benny Mongrel saß neben dem Amerikaner, der am zersiedelten Stadtrand durch Salt River Richtung Woodstock raste. Burn war angespannt, sah immer wieder in die Rückspiegel, setzte den Jeep in Lücken im Verkehrsfluss. Dann versuchte er spürbar, sich zu beruhigen, und drosselte das Tempo bis auf die erlaubte Höchstgeschwindigkeit.

Benny Mongrel hielt ein Mobiltelefon in der Hand, sah es an, als könnte es ihn beißen. Klar, er hatte schon gesehen, wie Leute sie benutzten, die Wärter in Pollsmoor, viele Leute eigentlich, seit er entlassen worden war. Aber er hatte noch niemals selbst eins in der Hand gehalten. Geschweige denn eins benutzt. Burn hatte es ihm mit den Worten gegeben, es sei ein Zweittelefon, das er in Reserve habe. Mit dessen Hilfe könnten sie während der Geldübergabe in ständiger Verbindung bleiben.

Sie hatten an einer Ampel gehalten. Burn sah ihn an. »Sie wissen, wie man das Ding benutzt?«

»Ja.«

»Rufen Sie mein Telefon an. Nur um zu sehen, dass es funktioniert.«

»Es ist okay.«

»Tun Sie's. Bitte. Wir können uns nicht leisten, dass es in die Hose geht.«

Benny Mongrel zuckte mit den Achseln und stach mit einem

Finger auf das winzige Telefon. Burn hatte ihm gezeigt, dass er nur diese eine Zahl drücken musste, die Drei, und es würde sein Telefon anrufen. Burns Mobiltelefon, das auf dem Sitz zwischen ihnen lag, zirpte und blinkte.

»Okay, drücken Sie den roten Knopf.«

Benny Mongrels Finger suchte, fand den roten Knopf und drückte ihn heftig. Das Zirpen hörte auf. Sie fuhren weiter.

»Ist Ihnen klar, wie wir das hier durchziehen werden?«

Burn überholte ein Minibus-Taxi, das plötzlich auf ihre Spur ausscherte, und er musste blitzschnell ausweichen, wobei er um Haaresbreite mit einem entgegenkommenden Lastwagen zusammengestoßen wäre, der wie verrückt hupte.

»Mein Gott!« Als sie an dem Taxi vorbei waren, warf Burn ihm einen Blick zu. »Alles klar bei Ihnen?«

Benny Mongrel nickte. »Ja.«

Bei ihm war alles klar. Burn würde ihn absetzen, kurz bevor sie die Waterfront erreichten. Benny Mongrel würde dann zu der Stelle gehen, von wo aus er den Übergabepunkt im Auge behalten konnte. Burn hatte ihm eine Karte gezeichnet. Er würde beobachten, wie der fette Mann das Geld holte, und ihm dann folgen. Falls der Bulle den Jungen nicht mitbrachte und zurückließ, wollte Burn wissen, wo der fette Mann war, und ihm dann folgen. Benny Mongrel zweifelte keine Sekunde daran, dass der Junge nicht übergeben würde. Der fette Bulle würde das Geld nehmen und zu seinem Auto zurückgehen. Benny Mongrel würde ihm folgen und ihn töten. Er hatte keinerlei Verwendung für dieses alberne kleine Telefon.

Burn redete, bat ihn, die Einzelheiten des Planes nochmals durchzugehen. Benny Mongrel grunzte und nickte. Seine Hand befand sich in der Tasche. Sie umklammerte das Messer, dessen Klinge perfekt geschliffen war.

Die Waterfront, Kapstadts sanierte Hafengegend, zog jedes Jahr zweiundzwanzig Millionen Besucher an, und es hatte den Anschein, als wären die meisten von ihnen genau an diesem Tag vor Ort. Teils Einkaufszentrum, teils Vergnügungspark, zog sich die Waterfront um den Gewerbehafen. Restaurants, Straßenmusiker, Bootsausflüge und spektakuläre Aussichten auf die Stadt lockten Massen von Menschen an.

Burn, den Sportbeutel locker über die Schulter gehängt, drängte sich durch Scharen europäischer Touristen, deren Haut durch die afrikanische Sonne krebsrot gebraten worden war. Sie schlenderten in Shorts und Sandalen herum, die Digitalkameras um die sonnenverbrannten Hälse, die Brieftaschen von Euros nur so überquellend. Burn warf einen Blick auf die Uhr. Er hatte noch fünf Minuten bis zur Übergabe.

Barnards Anweisungen waren eindeutig gewesen: Burn sollte die Tasche auf der Treppe des Mandela Gateway und gegenüber der Fußgängerbrücke Richtung Einkaufszentrum abstellen. Wenn das Geld dort lag, würde Barnard sein Mobiltelefon anrufen und ihm mitteilen, wo im Waterfront-Viertel er seinen Sohn finden konnte. Burns Bauchgefühl sagte, dass Matt nicht mal in der Nähe der Waterfront war. Barnard würde ihn als Rückversicherung behalten.

Falls er noch lebte.

Burn hatte versucht auszuhandeln, dass er sich nicht von dem Geld trennen würde, bis er seinen Sohn sah. Barnards Konter war simpel: Wenn Burn nicht endlich die Klappe hielt und seine Anweisungen befolgte, würde er Matt einen Finger abschneiden. Burn hielt die Klappe.

Burn umrundete eine Gruppe schwarzer Jungs mit nackten Oberkörpern, die Gummistiefel trugen und einen lauten, energischen Tanz aufführten. Sie bliesen in Pfeifen und klatschten in die Hände, knallten auf das Kopfsteinpflaster wie Schüsse. Er näherte sich dem Mandela Gateway. In dieser Gegend wimmelte es von Touristen, die für die halbstündige Überfahrt mit dem Schiff nach Robben Island anstanden, um zu sehen, wo Nelson Mandela siebenundzwanzig Jahre im Gefängnis gesessen hatte. Kurz nach ihrer Ankunft in Kapstadt hatten Burn und Matt diesen Ausflug gemacht. Susan hatte sich entschuldigt; sie litt an Schwangerschaftsübelkeit, und auf gar keinen Fall würde sie ihren Fuß auf ein Schiff oder Boot setzen. Als Burn sich Mandelas beengte Zelle angeschaut hatte, hatte er sich ziemlich unbehaglich gefühlt. Eine zu plastische Mahnung daran, wo er selbst leicht enden könnte.

Burn schaute auf die Uhr. Zwei Uhr neunundzwanzig. Er zwang sich, nicht zur ersten Etage – Kuriositätenläden und afrikanisch dekorierte Restaurants – aufzuschauen, wo der Nachtwächter sich postieren sollte.

Burn marschierte auf die Treppe zu. Er wusste, dass Barnard keine Zeit verlieren würde, die Tasche abzuholen. Ende der neunziger Jahre war das Waterfront-Viertel immer wieder Ziel von Bombenattentaten gewesen, und das Sicherheitspersonal hier war extrem wachsam. Eine unbeaufsichtigte Tasche würde sofort entdeckt.

Zwei Uhr dreißig. Burn stand auf der Treppe, sondierte die nähere Umgebung, dann lehnte er den Sportbeutel gegen einen Pfeiler. Er ging Richtung Fußgängerbrücke, drehte sich aber nicht mehr um.

Barnard saß unter einem Sonnenschirm vor einem deutschen Restaurant. Keine Sekunde lang wendete er den Blick vom Mandela Gateway ab. Ein unangetasteter Humpen Bier stand vor ihm. Er glaubte, damit wie ein Tourist auszusehen. Er trug Mütze und Sonnenbrille und schwitzte in ein T-Shirt. Barnard nahm die Sonnenbrille ab und wischte sich den Schweiß aus den Augen. Er sah auf die Uhr, die sich in das Fett an seinem massigen Handgelenk grub. Fast halb drei.

Dann sah er ihn. Den Amerikaner. Mit einer Tasche in der Hand ging er genau auf die Treppe zu. Barnard würde den Amerikaner die Tasche abstellen und fortgehen lassen. Dann würde er das Geld holen und nach Paradise Park fahren. Und da würde er der Mischlingsschlampe und dem amerikanischen Balg die Mossberg an den Kopf halten. Ihnen für immer das Maul stopfen.

Er bedauerte, dass er nicht auch noch den Amerikaner umbringen konnte. Er hatte seinem Freund Dexter Torrance versprochen, dass Burn würde zahlen müssen. Tja, dessen Sohn musste als Bezahlung genügen.

Der fette Mann rührte sich nicht, bis er den Amerikaner die Tasche auf der Treppe abstellen und in Richtung Fußgängerbrücke verschwinden sah. Barnard stand auf, zog die Hose hoch, rückte das Halfter unter seinem T-Shirt zurecht und ging los, das Geld holen.

Benny Mongrel wartete am Geländer der ersten Etage vor einem afrikanischen Restaurant, die Mütze tief in die Stirn gezogen. Er beobachtete die Treppe. Er sah Burn die Tasche abstellen und fortgehen. Benny Mongrel ließ die Tasche nicht mehr aus den Augen. Er registrierte, dass sich ihm jemand von rechts näherte. Instinktiv tastete er nach dem Messer, dann sah er, dass es ein junges weißes Mädchen mit blonden Haaren und Rucksack war.

»Entschuldigung, können Sie mir sagen, wo ich die Taxis finde?« Für Benny Mongrels Ohren war der deutsche Akzent nahezu unverständlich.

Er drehte sich zu ihr, gönnte ihr die schreckliche Verwüstung auf seiner linken Gesichtshälfte. »Verpiss dich.«

Sie sah sein Gesicht, wurde kreidebleich und tat wie geheißen.

Benny Mongrel schaute zurück zur Tasche. Sie war weg. Er suchte die Menge ab und sah gerade noch die fette Gestalt, die die Treppe hinauf zur Straße verschwand.

Benny Mongrel rannte los.

Als Burn sich der Fußgängerbrücke näherte, die die Fahrrinne überspannte, hörte er ein schrilles Pfeifen, und die Tore an der Vorderseite der Brücke schlossen sich. Eine Yacht mit einem hohen Mast näherte sich der niedrigen Brücke auf dem Weg zu ihrem Ankerplatz. Quälend langsam schwenkte sich die Brücke fort von der Stelle, wo Burn stand, und bewegte sich dann in einem weiten Bogen, bis sie an der gegenüberliegenden Seite einrastete.

Die Yacht glitt langsam vorbei. Ein sonnengebräunter Mann in Shorts stand am Steuer, und eine lächerlich gutaussehende Frau nippte an Deck an einem Glas Wein. Keiner von beiden ließ sich dazu herab, den Pöbel an Land auch nur eines flüchtigen Blickes zu würdigen.

Burn konnte nicht widerstehen, einen Blick über die Schulter zu werfen, hinauf zur ersten Etage. Er sah, wie der Nachtwächter losrannte, auf die zur Straße hinaufführende Treppe zulief. Barnard hinterher.

Burn konnte nicht anders. Er machte kehrt und stürzte sich in die Menge.

Der Anruf, den Disaster Zondi fürchtete, kam, als er seinen BMW in südlicher Richtung auf der N2 steuerte und sich der Stadt näherte, die sich am Fuß des Berges drängte. Zondis Ausstrahlung unerschütterlicher Ruhe täuschte über sein aufgewühltes Inneres hinweg. Er spürte, dass Barnard ganz nahe war, so nahe, dass er ihn fast riechen konnte. Er konnte das Gefühl nicht abschütteln, dass er dem fetten Mann hart auf den Fersen war. Wie weit er allerdings zurücklag, das wusste er nicht.

Zondi hatte beschlossen, Superintendent Peterson und die übrigen Cops im Hauptquartier Bellwood South nicht mehr über den aktuellen Stand seiner Ermittlungen auf dem Laufenden zu halten. Zu diesem Zeitpunkt konnte er sich eine undichte Stelle nicht leisten. Er wusste, es würde länger dauern, wenn er alles allein machte, aber er musste alles unter Kontrolle haben.

Sein Telefon, an eine Freisprechanlage angeschlossen, klingelte auf dem Beifahrersitz neben ihm los. Er warf einen kurzen Blick auf die Nummer des Anrufers. Sein Vorgesetzter. Er war versucht, den Anruf an die Mailbox weiterzuleiten, doch im letzten Augenblick ging er ran. »Zondi.«

»Guten Tag, Zondi.«

Für Archibald Mathebula war Zondi einfach immer nur Zondi. Seine anderen Ermittler nannte er beim Vornamen, aber es war wie eine Beleidigung seines Zartgefühls, den Namen Disaster auszusprechen. Er hätte bis zum letzten Blutstropfen für Zondis Recht gekämpft, diesen Namen tragen zu dürfen, aber er beschwor eine afrikanische Welt herauf, die zu ländlich, zu primitiv war für einen so vornehmen und kultivierten Mann wie ihn.

»Und wie ist es so am Kap?«

»Windig«, erwiderte Zondi.

Mathebula kicherte. »Ja, das kommt vor. Verstehe ich es richtig, dass Sie Ihre Aufgabe erledigt haben?«

»Nun, noch nicht ganz.«

»Aber gegen diesen Barnard ist doch Haftbefehl erlassen worden?«

»Das ist richtig, Sir.«

»Und was die übrigen Polizeibeamten betrifft, da haben Sie doch Empfehlungen ausgesprochen?«

»Das habe ich.«

»Dann wird es Zeit, dass sie zu Heim und Herd zurückkehren.«

»Es gibt da noch einige lose Enden, Sir, die ich gern noch zusammenknoten würde.«

Mathebula ließ den onkelhaften Tonfall. Zondis Boss konnte sehr freundlich sein, wenn er wollte, war aber ein knallharter Mann. Ein Killer. Natürlich hatte Zondi ein Dossier über seinen Vorgesetzten angelegt und wusste, dass er während der Jahre des Kampfes, als Mathebula Kommandant im bewaffneten Flügel des ANC gewesen war, höchstpersönlich neun seiner Männer hingerichtet hatte, die er in Verdacht hatte, Informationen an das Apartheidregime zu verkaufen. Ohne Gerichtsverfahren, einfach eine Kugel in den Kopf und ein anonymes Grab auf dem sambischen Veld.

»Zondi, ich weiß Bescheid über Ihre Vergangenheit mit diesem Mann, diesem Barnard.«

»Das beeinflusst mich in keiner Weise.«

»Wir halten nichts von Privatfehden, Zondi. Ich habe einige Nachsicht mit Ihnen gehabt, aber jetzt verliere ich langsam die Geduld. Mein Assistent wird sich mit Ihnen in Verbindung setzen wegen Ihres Rückflugs nach Johannesburg. Ich will Sie morgen früh hier im Büro sehen.«

»Jawohl, Sir.«

Mathebula legte auf. Zondi fluchte leise. Er kam gerade an dem Ratanga-Junction-Vergnügungspark vorbei und sah, dass eines der Karussells, die Kobra, mitten in der Luft stehen geblieben war. Menschen hingen mit dem Kopf nach unten in der Luft, während unten Männer auf einer hydraulischen Arbeitsbühne verzweifelt versuchten, an sie heranzukommen.

Zondi wusste genau, wie die sich jetzt gerade fühlten.

Sein Telefon piepte, als eine SMS hereinkam. Zondi fuhr mit einer Hand weiter und riskierte einen flüchtigen Blick auf die Nachricht. Seine Maschine ging um acht Uhr abends. Er hatte noch sechs Stunden, um das zu tun, was er tun musste.

Mathebula hatte recht. Es war Rache. Er wollte dabei sein, wenn Barnard festgenommen wurde, um Zeugnis abzulegen. Er war nicht scharf auf so ein Ende, wie es im Hausfrauenfernsehen von den Seelenklempnern angepriesen wurde, als wär's das Allheilmittel, nämlich diese Vorstellung, dass man den Tatsachen nur einmal nüchtern ins Auge blickte und dann einfach weitermachte. Er wollte Rache. So einfach war das.

Er wollte Blut sehen.

Barnard drängte sich durch die Menge, trieb seinen massigen Leib eine Treppe hinauf und überquerte eine offene Plaza. Er war so schweißgebadet, als wäre er durch eine Autowaschanlage gegangen. Er hatte die kostenpflichtigen Parkplätze gemieden und seinen Ford stattdessen in einer schmalen Gasse abgestellt, die zurück in die Stadt führte. Im Gehen zog er den Reißverschluss des Sportbeutels auf, gerade genug, um einen kurzen Blick hineinzuwerfen. Voller Geldscheine. Ihm war nach Lachen zumute. Er blickte kurz zum Himmel. Danke, lieber Gott.

Sobald er erst mal in Sicherheit war, würde er in die Knie gehen und ein Dankgebet sprechen.

Burn rannte, rannte Slalom um Touristen. Ein paar Sekunden lang verlor er den Nachtwächter aus den Augen. Dann sah er ihn die Treppe hinauflaufen. Von Barnard weit und breit keine Spur. Burn erreichte die Treppe und stürmte hinauf. Er verlangsamte erst, als er auf die Plaza hinauskam. Hier oben waren weniger

Touristen unterwegs, und er durfte es nicht riskieren, entdeckt zu werden.

Er sah, wie der Nachtwächter einen Minibus voller Touristen als Deckung benutzte und auf die Rampe zuging, die zur Hauptstraße in die Innenstadt von Kapstadt führte. Burn benutzte die Kurzwahlnummer für das Telefon, das er dem Nachtwächter gegeben hatte.

Benny Mongrel hielt sich im Schatten des Minibusses, der im Schritttempo fuhr, als ein großer Reisebus vorbeikam und auf eine andere Spur einbiegen wollte. Das Telefon in seiner Tasche begann zu klingeln und zu vibrieren. Benny Mongrel warf es in den Rinnstein und ging weiter. Der fette Bulle blickte zurück, doch er konnte Benny Mongrel nicht sehen.

Dann verschwand der Bulle von der Auffahrt und bewegte seinen fetten Arsch eine schmale Treppe hinunter, die zur darunterliegenden Straße führte. Diese Straße verlief an einem Trockendock entlang, und Benny Mongrel erblickte eine Gruppe chinesischer Matrosen, die ihren verrosteten Trawler reinigten und reparierten. Einer von ihnen sah die Fett-Titten des Bullen wippen, als dieser die Stufen heruntergehüpft kam, und er machte eine Bemerkung zu seinem Freund. Beide hörten auf, den Rost abzukratzen, und lachten. Der Bulle bekam davon nichts mit. Er lief zu einem braunen Ford, der vor dem Gebäude der alten Fischkonservenfabrik parkte.

Benny Mongrel wusste, dass er auf der Treppe deutlich zu sehen sein würde, aber ihm blieb keine andere Wahl. Wenn er jetzt nicht handelte, würde der Bulle gleich im Auto sitzen und verschwunden sein. Laufend erreichte er die Treppe und rannte zwei Stufen auf einmal hinunter.

Der fette Bulle stand hinter seinem Wagen, öffnete den Kofferraum, kehrte Benny Mongrel seinen verschwitzten Rücken zu. Er warf die Tasche in den Kofferraum, knallte die Klappe zu und drehte sich um. Und sah Benny Mongrel, der schnell näher kam. Einen Augenblick lang war der Cop erstaunt. Er musste sowohl sein Fett als auch das T-Shirt aus dem Weg bekommen, ehe er den Revolver an seiner Hüfte ziehen konnte, und das rettete Benny Mongrel das Leben.

Benny Mongrel holte den letzten Abstand auf und trat dem fetten Bullen in die Eier, als dieser noch versuchte, die Waffe zu ziehen. Der Bulle gab ein Geräusch von sich, als würde Luft aus einem Ballon entweichen, und sackte zusammen, ohne jedoch zu Boden zu gehen. Benny Mongrel trat wieder zu, in die Rippen diesmal. Und der Bulle war auf den Knien.

Die chinesischen Matrosen zwitscherten aufgeregt, beugten sich weit über die Reling ihres Bootes. Das war besser als ein Jackie-Chan-Film. Benny Mongrel hatte das Messer in der Hand und ließ die Klinge an der Tasche seiner Jeans aufspringen. Der fette Bulle schaute zu ihm auf, schnappte nach Luft, stank. Benny Mongrel hielt die Klinge so, dass sie im Sonnenlicht funkelte, griff dem Bullen in die Haare und zog ihm den Kopf zurück und entblößte so seine Kehle.

Zeit, Gute Nacht zu sagen.

Benny Mongrel spürte den kalten Lauf einer Kanone im Nacken. »Lass das Messer fallen«, sagte Burn.

KAPITEL 26

Benny Mongrel fragte sich, ob er wohl schnell genug war, dem Bullen die Kehle durchzuschneiden, bevor der Amerikaner ihn erschoss. Er hielt die Klinge an die Hängebacken gedrückt, die wie der Balg eines Akkordeons über den Hals des fetten Mannes hingen und von denen sich bereits ein feiner Blutfaden zum T-Shirt hinunterschlängelte. Eine schnelle Bewegung und die Sache wäre erledigt. Benny Mongrel war es egal, ob er starb, aber es durfte einfach nicht sein, dass er starb, ohne den fetten Bullen mit in die Hölle zu nehmen.

Er hörte, wie die Waffe entsichert wurde, ein Geräusch, das er schon viele Male in seinem Leben gehört hatte.

»Es ist mir ernst«, sagte Burn. »Lass das Messer fallen oder ich knall dich ab.«

Benny Mongrel glaubte die Verzweiflung, die er in Burns Stimme hörte. Er sah in die Augen des Bullen, sah die Angst, roch den Gestank seines Körpers. Dann wanderte die Nachricht von Benny Mongrels Gehirn seinen Arm hinunter und erreichte seine Finger, und er lockerte seinen Griff um das Messer.

Es folgte ein Augenblick absoluter Stille, der nur durch das Klappern des Messers unterbrochen wurde, als es auf die Straße fiel. Dann fingen die chinesischen Matrosen aufgeregt zu schnattern an.

Benny Mongrel spürte den Druck des Laufes nachlassen, als

Burn einen Schritt zurücktrat. Er drehte sich um und sah, wie Burn sich bückte und das Messer einsteckte. Der fette Bulle, immer noch auf einem Knie, bewegte eine Hand zu seinem Knöchel. Burns Waffe beschrieb einen Bogen und richtete sich auf den Bullen.

»Durchsuch ihn«, sagte der Amerikaner.

Benny Mongrel fand die .32er im Knöchelhalfter und legte sie auf die Straße. Er entfernte auch die .38er von der Hüfte des fetten Mannes und legte sie neben die andere Waffe.

Burn hielt die Waffe ruhig auf den Bullen gerichtet. »Wo ist mein Sohn?«

Barnard lachte höhnisch. »Leck mich.« Burns Finger krümmte sich um den Abzug. »Erschieß mich doch, dann kannst du dich gleich von seinem kleinen Arsch verabschieden.«

»Mach den Kofferraum da auf«, sagte Burn, wobei die Waffe zwischen Benny Mongrel und dem Bullen hin- und herging. Er sah, dass Burn mit dem Ding umgehen konnte.

Benny Mongrel ließ die Kofferraumklappe aufspringen. Burn richtete die Waffe wieder auf den fetten Polizisten.

»Rein da.« Als der Bulle protestieren wollte, richtete Burn die Waffe auf das Bein des Cops. »Ich schieße. Das ist mein Ernst!«

Der Bulle schüttelte wieder den Kopf. »Leck mich.«

Und Burn schoss. Die Kugel erwischte den Bullen oberhalb des linken Knies, drang in das Fleisch seines Oberschenkels und durchschlug es, ohne ernsthaften Schaden anzurichten. Der Bulle schluckte den Schmerz hinunter und umklammerte sein Bein. Die chinesischen Matrosen waren in heller Aufregung.

Burn winkte wieder mit der Waffe. »Und jetzt rein da!«

Blut lief das Bein des Bullen hinunter, und er fluchte, als er sich mühsam bewegte, das Gewicht weitgehend auf dem rechten Bein hielt. Mit einer Abfolge von Handlungen, die unter anderen

Umständen komisch gewesen wären, gelang es ihm schließlich, seinen massigen Leib in den Kofferraum zu packen.

»Zumachen«, befahl Burn Benny Mongrel.

Als er den Kofferraumdeckel zuschlug, prallte der auf den dicken Bauch und wollte nicht schließen. Benny Mongrel legte sich mit seinem gesamten Gewicht darauf. Dann rastete der Deckel ein. Der Bulle ächzte und fluchte.

»Kick mir die Kanonen rüber.«

Benny Mongrel gehorchte. Er schaute zu, wie Burn die Waffen einsteckte.

»Du fährst jetzt.« Burn gestikulierte mit seiner Waffe auf den Wagen.

Benny Mongrel schüttelte den Kopf. »Ich fahre nicht.«

Burn starrte ihn an. »Willst du mich verarschen?«

»Ich hab's nie gelernt.«

»Scheiße.« Burn schüttelte den Kopf. »Okay. Steig auf der Beifahrerseite ein. Langsam.«

Er stieg in den Ford, und Burn glitt hinter das Steuer.

»Wo fahren wir hin?«, fragte Benny Mongrel.

»Zu meinem Haus. Um ihn zum Reden zu bringen.« Burn vollführte einen Balanceakt: das Steuer, der Zündschlüssel, der Revolver.

»Ist okay.«

»Was ist okay?«

»Ich werde nichts versuchen.«

Burn sah ihn an.

»Sie wollen Ihren Jungen?«

Burn nickte.

»Ich helfe Ihnen, wenn Sie eine Sache für mich tun.«

»Was?«

»Sie überlassen es mir, ihn zu bearbeiten.« Er stieß den Kopf nach hinten zum Kofferraum. »Ihn zum Reden zu bringen. Das mache ich.«

Burn nickte. »Abgemacht.« Er ließ den Wagen an und fuhr in hohem Tempo los, hatte den Revolver zwischen seinen Sitz und die Tür geklemmt.

Benny Mongrel fand, dass vielleicht doch alles ganz okay war. Vielleicht hatte der Amerikaner ihm ja einen Gefallen getan. Dem fetten Bullen die Kehle durchzuschneiden war viel zu einfach. Jetzt hatte er die Chance, sich Zeit zu lassen, die Foltertechniken sinnvoll einzusetzen, die er im Gefängnis verfeinert hatte.

Darauf freute er sich.

Burn fuhr zu seinem Haus zurück, kämpfte mit dem Schaltknüppel und den Gängen. Seit der Ankunft in Kapstadt hatte er lediglich den Jeep mit seiner Automatikschaltung gefahren. Dann bekam er so langsam den Bogen heraus, spürte, wie Hirn und Muskeln besser kooperierten.

Als er den unauffälligen braunen Ford durch den Verkehr auf der Greenpoint Main Road manövrierte, dachte er über seinen Beifahrer nach. Der Nachtwächter saß absolut bewegungslos da, starrte stur geradeaus. Vielleicht war es das, was man im Gefängnis lernte: vollkommen im Jetzt zu leben. Die Energie für den Augenblick sparen, in dem sie gebraucht wurde, und in Standby zu gehen, wenn man eine scheinbar endlose Abfolge von Tagen vor sich hatte. Burn wusste, dass ihm genau diese Lektionen bald selbst bevorstehen konnten.

Irgendwie machte es ihm nichts mehr aus. Er fühlte sich zum ersten Mal in seinem Leben von sich selbst distanziert, von seinem Ego und seinen Wünschen. Er verstand, wie geistlos, wie unreif und wie oberflächlich die meisten seiner Bedürfnisse gewesen waren. Jetzt interessierte ihn nur noch eines: Er war ganz und gar darauf konzentriert, seinen Sohn zu retten. Falls ihm dies gelingen sollte, würde er völlig ruhig auf die ungewisse Zukunft zugehen, die ihn erwarten mochte.

Burn schaltete in den zweiten Gang hinunter, als er nach Glengariff abbog. Der Wagen war überladen, und er spürte, wie der Auspuff unter dem Gewicht des massigen Mannes im Kofferraum über den Boden schrammte. Burn musste auskuppeln und in den ersten Gang zurückschalten, damit der Wagen überhaupt bergan fuhr.

Der Nachtwächter lachte, ohne dass ein Laut über seine Lippen kam.

Vielleicht war das ein weiterer Trick, den man im Gefängnis lernte.

Barnard kämpfte um Luft. Der Auspuff des Fords war löchrig, giftige Abgase drangen in den Kofferraum, und er kam sich vor, als werde er vergast. Sein Bein pochte, er spürte deutlich, wie das Blut sich in einer Lache unter ihm sammelte. Er hatte den Amerikaner unterschätzt, hatte nicht gedacht, dass er so viel Mumm hatte abzudrücken.

Barnard verfluchte sich für seine Dummheit. Er war sich seiner Sache einfach zu sicher gewesen. Da draußen auf den Cape Flats hatte er es gewöhnlich mit Leuten zu tun, die eine Riesenangst davor hatten, sich ihm in den Weg zu stellen. Aber er schwor sich, dem Amerikaner und dem Mischling nichts zu sagen. Sie hatten eine unheilige Allianz gebildet, aber sie würden ihn nicht brechen.

Der Wagen erwischte ein Schlagloch, Stirn und Nase krachten gegen den Kofferraumdeckel. Er spürte Blut aus seiner Nase in seinen Hals laufen. Er konnte den Kopf nicht bewegen, war eingekeilt wie ein Hackbraten in seiner Form. Das Blut in Verbindung mit den Abgasen überzeugte ihn, dass es bald so weit sein würde. Er würde sterben. Die große Ironie war nur, dass ihm der Sportbeutel voller Geld, seiner Fahrkarte in ein neues Leben, schmerzhaft gegen die Rippen drückte und er im Kofferraum gefangen war.

Er versuchte, langsamer zu atmen, ruhiger, betete zu Gott. Aus irgendeinem Grund kam es ihm so vor, als sei Gott sehr weit weg.

Der Ford parkte in Burns Garage. Der fette Bulle lag immer noch im Kofferraum. Das stählerne Tor war unten, und es war sehr still in dem Raum, die Welt draußen weit weg. Nicht einmal die Rufe der Männer, die sich auf der Baustelle Backsteine zuwarfen, drangen bis in die Garage.

Benny Mongrel hatte sehr präzise Vorstellungen. Er brauchte einen Küchenstuhl, der solide genug war, um das Gewicht des fetten Bullen zu tragen, ein Stück Nylonseil, ein paar alte Lappen, Zeitungspapier, Müllsäcke und Klebeband.

Und er brauchte sein Messer.

Burn zögerte einen Moment, dachte über diesen Wunsch nach, dann griff er in seine Tasche und holte das Klappmesser heraus. Er gab es Benny Mongrel. Die beiden Männer gingen nach oben und suchten alles zusammen, was Benny Mongrel haben wollte. Dann gingen sie wieder hinunter.

Burn schaute zu, wie Benny Mongrel die Zeitung ausbreitete. Die Garage war groß genug für zwei Autos, also war neben dem Ford noch jede Menge Platz. Er ging sehr methodisch vor, achtete darauf, dass sich die Kanten der Zeitung überlappten. Dann riss er die schwarzen Müllsäcke auseinander und legte sie auf das Zeitungspapier. Erst dann stellte er den Stuhl an seinen Platz.

Er sah Burn an und nickte. Burn richtete die .38er auf den

Kofferraum. Benny Mongrel ließ die Klappe aufspringen. Der fette Bulle keuchte schwer, das Gesicht war puterrot angelaufen, um seine Nase herum und in seinem Schnauzer verkrustetes Blut. Er wuchtete sich auf.

»Fickt euch doch«, fauchte er und kotzte über sein T-Shirt. Mit dem Handrücken wischte er sich den Mund ab.

»Raus.«

Burn wies mit der Waffe auf den Stuhl. Der fette Mann benötigte mehrere Anläufe, um aus dem Kofferraum zu kommen. Schließlich schaffte er es und stand keuchend da, während ihm das Blut aus dem verletzten Bein in den Schuh floss.

»Setzen«, befahl Burn.

Barnard schüttelte den Kopf. Benny Mongrel trat ihm in die rechte Niere, fest genug, dass er für eine Woche Blut pissen würde. Der fette Bulle machte ein Geräusch wie ein kopulierendes Schwein und torkelte, versuchte verzweifelt, nicht in die Knie zu gehen. Er schwankte zum Stuhl und ließ sich mit einem Grunzlaut darauf nieder. Der Holzstuhl knarrte, hielt aber.

Während Burn die Waffe auf den Polizisten richtete, fesselte Benny Mongrel den fetten Mann an den Stuhl, legte seine Arme und Beine schnell und effizient still. Dann stopfte er Barnard einen Lappen in den Mund und fixierte den mit einem Klebeband. Er klappte das Messer auf und schnitt ihm die Jeans oberhalb des linken Knies weg. Er drückte einen Lappen auf die Wunde und klebte ihn fest. Er wollte nicht, dass der Bure womöglich noch an Blutverlust starb, bevor er ihn richtig in die Mangel genommen hatte.

Benny Mongrel legte das Messer auf den Kofferraumdeckel des Fords. Er nahm ein Stück weißen Verbandsmull und riss ihn mit den Zähnen ab, in der Länge, die er brauchte. Mit großer Sorgfalt umwickelte er die Klinge des Messers vom Griff an nach oben, bis nur noch wenige Zentimeter Klinge frei blieben.

Im Pollsmoor Prison muss ein neuer Rekrut der Banden einen Initiationsritus über sich ergehen lassen. Er muss einen Wärter niederstechen. Aber ein solcher Stich darf niemals tödlich sein, sondern gerade mal tief genug, um zu verletzen. Um das zu gewährleisten, präpariert der »Doktor« der Gang, der Mann, der eine sehr ähnliche Funktion erfüllt wie ein Sanitäter in einem Zug Marines, das Messer sorgfältig, indem er das Messer so umwickelt, dass eine definierte Länge Klinge frei bleibt.

Benny Mongrel war nie ein »Doktor« gewesen, aber er hatte Wärter abgestochen und zahllosen verängstigten jungen Männern befohlen, das Gleiche zu tun. Er hatte die Vorbereitung der Klinge überwacht. Seine Finger wussten exakt, was sie taten.

Barnard beobachtete ihn, sein Gestank begann den Raum zu füllen.

Zufrieden näherte sich Benny Mongrel dem fetten Bullen. Er zeigte ihm das Messer.

»Wo ist mein Sohn?«, fragte Burn. Er stand direkt hinter Benny Mongrel.

Barnard schüttelte den Kopf. Benny Mongrel führte das Messer in das Fleisch des rechten Oberschenkels ein. Es glitt hinein wie in Cornedbeef. Der fette Mann schrie in seinen Knebel.

Das war erst der Anfang.

Disaster Zondi fuhr mit dem gemieteten BMW den Signal Hill hinauf, einen Stadtplan von Kapstadt aufgeschlagen neben sich auf dem Beifahrersitz. Während er die Sea Point Main Road hinter sich ließ, glitt er mit jedem Höhenmeter weiter in die Welt der verfeinerten Privilegien; jeder neue Block bedeutete den Sprung in eine höhere Steuerklasse. Eine Welt hoher Mauern, SUVs und Fußballmamis mit blonden Bubiköpfen. Eine weiße Welt.

Ein Anruf bei dem Polizeirevier in Sea Point hatte eine interessante Information erbracht: Vor zwei Nächten hatte es eine Schießerei auf der Baustelle gegeben, in deren Nähe der rote BMW gefunden worden war. Möglicherweise bestand da gar kein Zusammenhang, aber Zondi hatte so eine Ahnung.

Dann war er an der Ecke zur Mountain Road und hielt den Wagen vor der Baustelle an. Die Aussicht war spektakulär. Zondi konnte Tanker sehen, die vor Robben Island ankerten, Yachten, die sich nahe dem Table Bay Harbor in den Wind legten, während sich das gesamte Panorama bis zu den Hottentots Holland Mountains in der Ferne zog. Aber Zondi war nicht wegen der schönen Aussicht hier.

Trotz der Hitze, die ihn sofort umhüllte, als er aus dem klimatisierten Wagen stieg, streifte er seine Jacke über. Er rückte die Brille zurecht und ging zu zwei Männern, die gerade eine Mauer bauten. Einer der Männer, schwarz, bis zur Taille nackt, mit einem Körper, wie man ihn nicht durch Bodybuilding formt, warf einem anderen Mann lässig Backsteine zu, der in einer Grätsche über der Oberkante der Wand stand und die Steine geschickt auffing. Dabei diskutierten sie auf Xhosa über Fußball.

Zondi war mit Zulu aufgewachsen, einer sehr ähnlichen Sprache. So begrüßte er die beiden Männer. Sie starrten ihn misstrauisch an, diesen gut gekleideten Schwarzen mit seinem schicken Auto. Er fragte, wer hier das Sagen habe, und einer der beiden zeigte auf die Baustelle.

Zondi suchte sich einen Weg durch Zement, Backsteine und Bausand. Er achtete darauf, seine Schuhe nicht schmutzig zu machen. Schließlich fand er einen jungen Weißen in Shorts und Arbeitsschuhen, mit nacktem Oberkörper, stark gebräunt, blonde Dreadlocks. Ein Werkzeuggürtel hing um seine Taille, mit einem Stahlmaßband maß er eine Tür.

»Tag«, sagte Zondi, als er sich näherte.

»Hey, hi.« Der Bursche lächelte ihn an. Zondi registrierte den durchdringenden Geruch von kürzlich gerauchtem Marihuana. »Kommen Sie von den Architekten?«

»Nein. Sonderermittler Zondi.« Er zeigte seinen Ausweis.

Der junge Bursche blinzelte, dachte wahrscheinlich an den frisch ausgedrückten Joint, der sich zweifellos noch in seiner Tasche befand. »Gibt es ein Problem?«

»Nein. Ich habe gehört, auf der Baustelle gab es neulich abends eine Schießerei.«

Der Bursche entspannte sich. »Aber voll. Ein Nachtwächter hat was abgekriegt.« Er wischte sich die Hand ab und bot sie an. »Mein Name ist Dave Judd. Bin hier der Vorarbeiter.«

Zondi schüttelte die Hand. »Könnten Sie mir vielleicht zeigen, wo die Schüsse gefallen sind?«

»Kein Problem.« Judd ließ das Maßband aufrollen und steckte es in den Beutel. Er führte Zondi in das Gebäude, über zwei Bretter, zu einem Treppenhaus. Arbeiter in Overalls verputzten die Wände. Judd, mit dem Gleichgewichtssinn eines guten Surfers, schlängelte sich zwischen den Männern hindurch und ging schnell hinauf.

Er deutete auf die Treppe, die in den noch nicht fertiggestellten obersten Stock führte. »Genau hier ist es passiert. Das Hündchen von dem Typ ist abgeknallt worden, eine Schande.«

»Sein Hund?«

»Ja. Absolut. Genau hier. Man kann immer noch die Einschusslöcher sehen.«

Er zeigte auf die Wand, und Zondi trat näher. Eine der Kugeln hatte sich in die unverputzte Wand gegraben. »Kann ich mal einen Schraubenzieher haben?«

»Kein Akt.«

Judd zog einen Schraubenzieher aus seinem Werkzeuggürtel und reichte ihn mit dem Griff zuerst. Zondi pulte in dem Loch und holte die Kugel aus der Wand. Er nahm einen Beweismittelbeutel aus seiner Tasche und steckte die Kugel hinein, dann versiegelte er die Tüte.

Er gab den Schraubenzieher zurück. »Danke.«

»Klar.«

»Ist es okay, wenn ich mich hier ein bisschen umsehe?«

»Hey, was immer Sie wollen. Ich bin unten, falls Sie mich brauchen, okay?«

Zondi nickte und schaute dem Surfer-Typen hinterher, als dieser die Treppe hinuntersprang und wahrscheinlich die Minuten zählte, bis er seinen Neoprenanzug überziehen und sich in die Wellen stürzen konnte. Zondi ging weiter ins oberste Stockwerk, das Dach noch offen zum Himmel.

Er war allein dort oben. Er trat an den Rand eines noch nicht fertiggestellten Balkons, sah einen kleinen Haufen Zigarettenkippen. Selbstgedrehte. Er war sich sicher, dass der Nachtwächter und sein Hund hier oben rumgelungert hatten. Er wollte mit dem Nachtwächter sprechen.

Zondi schaute auf die Terrasse des Nachbarhauses hinunter. Noch so ein Kasten mit hohen Mauern und großen Panoramafenstern. Ein Mann stand auf der Terrasse und starrte auf Kapstadt hinunter, während der Wind mit seinem Haar spielte.

Zondi drehte sich um und ging die Treppe hinunter.

Burn war es zu viel geworden. Der Nachtwächter zeigte keinerlei Emotionen, er ging entschlossen und konzentriert vor. Mit großer Präzision setzte er die Klinge am Körper des fetten Mannes an, stach hinein, öffnete Adern, aus denen das Blut auf die Müllsäcke und die Zeitungen lief. Er arbeitete sich von unten die Beine hinauf vor, dann begann er mit dem massigen Rumpf.

Barnard saß ohne Hemd da, sein immenser Leib war blutverschmiert und angespannt, die Adern auf seiner Stirn standen hervor. Der Mann verströmte den Gestank von Schweiß und Blut. Er hatte sich vollgepisst und eingeschissen, in der Garage roch es wie in einem Leichenhaus.

Alle paar Minuten zog der Nachtwächter den Knebel heraus, und Burn wiederholte die Frage. »Wo ist mein Sohn?«

Und der fette Bulle schüttelte seinen Kopf, sein Pony nassgeschwitzt und strähnig, und dann spuckte er zwei Worte zwischen seinen blutenden Lippen hervor. »Fickt euch.«

Der Nachtwächter schob den Knebel dann wieder hinein und verklebte den Mund. Dann wischte er die Klinge ab und setzte seine Arbeit fort, ließ das Messer in den Körper des fetten Mannes gleiten, um Schmerzen auszulösen, aber nicht tief genug, um den Tod herbeizuführen.

»Ich gehe nach oben. Mal frische Luft schnappen«, sagte Burn zu dem Nachtwächter, der kaum nickte, während er Barnards Schulter aufschlitzte. Ein klagender Laut löste sich von irgendwo in der Brust des Bullen, und Tränen und Schweiß tropften ihm vom Gesicht. Sein Körper spannte sich gegen die Seile an.

Burn ging in die Küche, wo er sich Wasser ins Gesicht spritzte und einen großen Schluck trank. Würde dieses fette Schwein denn nie einbrechen? Je länger das hier dauerte, desto geringer wurde die Wahrscheinlichkeit, dass er seinen Sohn jemals lebendig wiedersah.

Burn trat auf die Terrasse hinaus und sog die Luft ein. Selbst die rauchige Brise roch frisch nach der unreinen Atmosphäre der Folterkammer, zu der seine Garage geworden war. Es fiel schwer zu glauben, als Burn diese Szene ruhiger Schönheit betrachtete, dass die Welt einfach weiterging, unbeschwert von all dem Schmerz und der Korruption, in die er hineingestolpert war. Dann wanderte sein Blick über Stadt und Meer hinaus, dorthin, wo das Land flach war und von Smog und Rauch verhangen.

Vor Weihnachten hatte Burn mit Matt einen Hubschrauberflug unternommen. Der Chopper hatte die übliche Touristenrunde gedreht, einmal um den Tafelberg, die Küste entlang, dann in einer weiten Kurve über die Cape Flats, und Burn hatte auf die schier endlose Fläche kleiner Häuser und Ghettoblocks geschaut, planlos im Buschland verstreut. Wie er jetzt auf der Terrasse stand, erinnerte er sich an dieses Bild der zersiedelten Landschaft. Er wusste, irgendwo dort draußen war sein Sohn.

Burn hatte keine Ahnung, wie lange er dort stand, der Wind kühlte den Schweiß auf seiner Haut, ehe er die Stimme hörte. Er schaute zur Straße hinunter und sah einen Schwarzen in einem sehr gut geschnittenen Anzug, der zu ihm heraufstarrte.

»Verzeihung«, sagte der Mann vielleicht zum fünften Mal.

Burn trat an das Geländer der Terrasse. »Ja. Hi, tut mir leid.«

»Ich hätte Sie gern mal auf ein Wort gesprochen, wenn es Ihnen nichts ausmacht.« Der Mann hielt ihm irgendwas entgegen.

Burn kniff die Augen zusammen. Irgendein offizieller Ausweis. Beinahe hätte er laut gelacht. Nicht schon wieder. Nicht jetzt.

KAPITEL 27

Eine Stimme in Burns Kopf sagte ihm, er solle das Tor zur Straße öffnen, diesem schwarzen Cop flehend seine Handgelenke entgegenrecken und um Handschellen bitten. Ihn zu der Garage führen, die momentan als Hobby-Folterkammer diente. Ihn bitten, seinen Jungen zu finden.

Doch Burn öffnete die Tür nur einen Spaltbreit und machte etwas mit seinen Gesichtsmuskeln, das einem Lächeln glich. »Tag. Womit kann ich Ihnen helfen?«

Der schwarze Mann, sein rasierter Schädel schimmerte im Sonnenlicht, hielt Burn erneut seinen Ausweis hin. »Sonderermittler Zondi. Ministerium für Sicherheit.«

Burn nickte, machte aber keine Anstalten, die Tür weiter aufzumachen.

»Würden Sie mir bitte Ihren Namen sagen?«

»Hill. John Hill.«

»Sind Sie Amerikaner?«

»Ja, bin ich.« Burn warf einen betont deutlichen Blick auf seine Uhr. »Ich hab's etwas eilig …«

»Verzeihen Sie. Wissen Sie etwas über einen roten BMW, der vor einigen Tagen in der Nähe Ihres Hauses geparkt hat? Drüben, vor der Baustelle?«

Burn schüttelte den Kopf. »Nein.«

Der schwarze Cop dachte einen Moment nach, bevor er weitersprach. »War vielleicht bereits ein anderer Polizeibeamter hier und hat Fragen gestellt?«

Burn war versucht zu lügen. Was aber, wenn es irgendwelche offiziellen Vermerke darüber gab, dass Barnard hier gewesen war? Er antwortete also mit der Wahrheit. »Ja. Vor ein paar Tagen.«

»Ist das wahr? Dieser Polizeibeamte, war das vielleicht Inspector Barnard?«

Burn gab sich ganz bewusst den Anschein, unsicher zu sein, spielte den dummen Ausländer. »Diese südafrikanischen Namen verwirren mich irgendwie. Es war ein großer, kräftiger Kerl, ziemlich korpulent.«

»Ja, das klingt nach ihm. Er hat sich bei Ihnen nach dem Wagen erkundigt?«

»Ja. Wollte wissen, ob ich jemanden gesehen hätte. Irgendetwas gehört hätte. Ich habe ihm gesagt, was ich Ihnen geantwortet habe.«

»Wohnen Sie allein hier, Mr. Hill?«

»Also, momentan, ja. Meine Frau und mein Sohn sind weg.« Er trat einen Schritt zurück. »Wenn das dann alles war, ich müsste jetzt runter nach Sea Point. Zur Bank.«

»Eines noch, bitte.«

Der Mann griff in die Tasche des gut geschnittenen Jacketts und zog ein ordentlich gefaltetes Blatt Papier heraus. Er faltete es mit seinen manikürten Händen auseinander und hielt es Burn hin. »Kennen Sie diese Frau?« Er zeigte ihm einen Ausdruck des zehn Jahre alten Polizeifotos von Susan.

Irgendwie brachte Burn ein Lachen zuwege. »Ich kann erleichtert sagen, nein, kenne ich nicht. Sie sieht nach Ärger aus.«

Der Schwarze ließ eine Reihe sehr weißer Zähne aufblitzen. »Nun denn, ich danke Ihnen, Mr. Hill.«

»Klar. Gern geschehen.«

Burn schloss die Tür und lehnte sich einen Moment dagegen, während er versuchte, sein Herzrasen in den Griff zu bekommen.

Zondi kehrte zu seinem Auto zurück und drückte die Fernbedienung. Die Lampen blinkten auf und die Türen wurden mit einem Klicken entriegelt. Er zog die Jacke aus und faltete sie sorgfältig, rutschte hinter das Steuer, griff nach hinten und legte das Jackett auf die Rückbank. Er zog die Tür zu, ließ den Motor an und saß mit geschlossenen Augen da, während die Klimaanlage auf Hochtouren lief.

Ein Amerikaner. Zufall? Um diese Jahreszeit waren viele Amerikaner in Kapstadt, auf der Flucht vor Schneestürmen und, was wusste er denn, dem Krieg gegen den Terror. Der Mann, dieser Hill, hatte keinerlei Reaktion gezeigt, als er sich die Polizeifotos der Frau anschaute. Er hatte sogar einen Witz gerissen. Was bedeutete, dass er entweder ehrlich war oder ein sehr geübter Lügner. Und auf seinen Turnschuhen, waren das Blutspritzer gewesen oder war es vielleicht nur Matsch von der Gartenarbeit?

Zondi führte seinen Geist an einen Ort von großer Stille und Frieden, er spürte, wie die Klimaanlage den Schweiß auf seiner Haut verdunsten ließ. Er wusste, dass er ein Zwangsneurotiker war, das sprach durchaus für ihn. Er verstand genug von Buddhismus, um sich darüber im Klaren zu sein, dass seine Suche, sein Streben nach Ordnung und Kontrolle letztlich völlig sinnlos waren angesichts des kosmischen Witzes, den das Leben darstellte.

Zondi öffnete die Augen. Zum Teufel auch, vielleicht sollte er sich bis zu seinem Abflug noch ein wenig den Reizen Kapstadts ergeben. Der Wind hatte sich gelegt, und die Sonne schien auf das Meer. Warum fuhr er nicht hinunter nach Camps Bay, setzte sich in eines dieser Straßencafés und trank etwas mit Schirmchen darin, während er die vorbeischlendernden Frauen begutachtete?

Alternativ könnte er auch das benutzte Kondom und die Kugel, die er aus der Wand gegraben hatte, runter ins kriminaltechnische Labor bringen.

Er legte einen Gang ein. Das Polizeilabor war verlockender.

Burn war in der Küche, trank ein Glas eisgekühltes Wasser. Er wusste, dass er seine Rückkehr in die Garage hinauszögerte. Er hatte Angst vor dem, was er dort antreffen könnte.

Was, wenn der Nachtwächter die Gelegenheit genutzt hatte, Barnard zu töten? Dieses Luftbild der ausgedehnten, zersiedelten Cape Flats kam Burn wieder in den Sinn, und er stellte sich Matt vor, völlig verloren dort draußen, am zweiten Tag dieses Albtraums. Er spürte die Angst des Jungen. Was, wenn die einzige Stimme, die ihm sagen konnte, wo er seinen Sohn fand, für immer zum Schweigen gebracht worden war?

Burn stellte das Glas ab und ging zur Treppe.

Als er in die Garage kam, blieb er einen Moment stehen, um das sich ihm bietende Bild zu verarbeiten. Barnard rührte sich nicht, war vornübergesackt und fiel nur deshalb nicht zu Boden, weil er von den Seilen zurückgehalten wurde, die ihn an den Stuhl fesselten. Seine zahlreichen Kinnwülste waren auf die blutverschmierte Brust gepresst, und die Haare, nass von Schweiß und Blut, hingen ihm in die Augen. Sein nackter Oberkörper war kreuz und quer überzogen mit Schnitten, manche stark blutend, andere von bereits gerinnendem Blut umgeben.

Er ist tot, dachte Burn. Wie auch nicht?

Der Nachtwächter hockte vor dem fetten Bullen und steckte

sich eine Zigarette an. Er schaute nicht zu Burn auf. Er inhalierte tief und stieß eine Rauchwolke zur Decke hinauf aus, dann beugte er sich vor und legte die Zigarette behutsam, fast zärtlich zwischen Barnards Lippen. Eine Weile baumelte sie dort, dann sah Burn die Spitze aufglühen, als Barnard inhalierte. Er lebte noch.

Schließlich sah der Nachtwächter Burn an.

»Und?«, fragte Burn.

Der Wachmann nickte. »Er hat geredet.«

Der Junge weckte sie, zog an ihrem Arm. Carmen stöhnte und öffnete die Augen. Sie spürte sofort das Pochen in ihrer Wange, wo der fette Bastard sie erwischt hatte. Sie beachtete den Jungen nicht weiter, der irgendwas von seiner Mami jammerte, stieg nackt aus dem Bett und ging zu den Überresten ihres Spiegels hinüber. Mein Gott, ihr Gesicht sah vielleicht scheiße aus. Die Wange war stark angeschwollen und so bunt, dass daneben ein Regenbogen blass aussehen musste.

Sie wusste nicht, was schlimmer war, die pochende Wange oder die Spinnen, die über ihre Haut krochen. Sie kratzte sich fest genug, dass ihre abgebrochenen Fingernägel sofort kleine Wunden aufrissen. Sie musste sich was reinziehen, und zwar schnell. Aber sie hatte keinen einzigen verschissenen Cent mehr. Das Geld von Gatsby war weg, und er hatte sich verpisst, ohne mehr dazulassen.

Sie zog sich an, versuchte, das jammernde Gör auszublenden. Als sie das unendlich nervige Geflenne und Gejammere nicht mehr ertragen konnte, pulverisierte sie eine halbe Mogadon in einem Teelöffel. Sie schenkte einen Rest Milch in ein Glas, ließ das Pulver hineinrieseln und rührte um, bis es sich aufgelöst hatte.

Das Glas reichte sie dem Jungen. »Trink das.«

Er schüttelte den Kopf, die Augen verquollen vom vielen Weinen. Sie kniete sich vor ihn, sah ihm direkt in die Augen. »Matt, du trinkst das jetzt, und nachher bringe ich dich zu deiner Mami, okay?«

Er sah sie misstrauisch an. »Versprichst du das?«

»Ehrenwort.« Zur Bekräftigung legte sie die Hand aufs Herz, Gott vergebe ihr. Und der Junge trank einen Schluck Milch. Er verzog das Gesicht. Sie war sauer. »Nur, wenn du das ganze Glas austrinkst.«

Er zwang die restliche Milch runter, hatte anschließend einen weißen Schnurrbart. Es dauerte keine Minute, und er sah völlig benommen aus. Sie legte ihn auf ihr Bett und machte sich dann mit einer Bürste daran, ihre wilden Haare zu bändigen. Schon bald hörte sie den Jungen leise schnarchen.

Jetzt brauchte sie eine Ladung.

Auf dem Weg zur Tür kam sie an Onkel Fatty vorbei, der wie immer auf dem Sofa lungerte und Zwiesprache mit einem Schlauch Wein hielt, wie immer nur in seiner dreckigen Unterwäsche.

»Ich komme wieder, okay?«

Er nickte, starrte ins Leere.

Sie machte sich auf die Jagd nach Tik, bettelte, redete, ließ Abweisungen und Beschimpfungen über sich ergehen, bis sie schließlich den Spasti Conway fand. Sie erzählte ihm weitere dumme Lügen darüber, ihn als Dealer bei Rikki unterzubringen, und schließlich machte er ihr einen Globe.

Gierig sog sie den Rauch in ihre Lunge und fand Frieden. Zumindest für den Augenblick.

Als sie zu ihrem Wohnblock zurückeilte, versuchte Carmen sich klar zu werden, wie lange sie wohl fort gewesen sein mochte. Sie hatte keine Ahnung. Was, wenn der fette Bastard zurückgekommen war und das Kind wieder mitgenommen hatte, ohne ihr mehr Geld dazulassen? Sie begann zu laufen. Das Tik wirkte wie reine Energie. Sie lief die Treppe hinauf, schloss die Wohnungstür auf und ging hinein. Das Sofa war leer. Sie ging ins Schlafzimmer und blieb in der Tür stehen. Sie brauchte ein paar Minuten, um zu begreifen, was sie da sah.

Der amerikanische Junge lag ohnmächtig auf dem Bett. Onkel Fatty kauerte über ihm und war dabei, dem Jungen die Schlafanzughose aufzubinden. Sein Gebiss lag neben dem Kind auf dem Bett. Der alte Mann drehte sich um und sah sie an, der Sabber zog sich in Fäden von seinem zahnlosen Zahnfleisch.

Carmen schnappte sich das Erstbeste, was ihr in die Finger kam, eine Gipsfigur der Heiligen Jungfrau Maria. Sie ließ die Jungfrau auf Onkel Fattys Schädel krachen, wieder und wieder und wieder, und das Blut spritzte ihr übers Gesicht und übers T-Shirt.

Die Toten sprachen zu Barnard. Ein Chor gespenstischer Stimmen raunte ihm zu. Sie riefen seinen Namen. Er musste alle Mühe aufbringen, sich von ihnen zu entfernen und seine verkrusteten Augen zu öffnen. Ein verschwommener Fleck. Grelles Sonnenlicht blendete ihn. Er blinzelte, zwang seine Augen zu fokussieren und sah die Cape Flats an sich vorbeiziehen.

Er befand sich in einem Auto. Der Ford. Auf der Rückbank, sein Gesicht gegen die Seitenscheibe gedrückt. Obwohl die Sonne schien und er in eine Decke gehüllt war, war ihm kalt, er zitterte. Sein Fett wackelte wie Pudding. Und er hatte fürchterliche Schmerzen, jede Faser seines Körpers schien vor Schmerz und Qualen zu schreien. Sein Mund war trocken und seine Zunge geschwollen.

Er versuchte, den Kopf zu bewegen. Unbeschreiblicher Schmerz brannte durch seine Nervenenden, als es ihm schließlich gelang, den Kopf zu drehen und nach vorne zu schauen. Er hörte eine Stimme, den Amerikaner, aus weiter, weiter Ferne.

»Er ist wach.«

Barnard blickte in dieses Albtraumgesicht, das fehlende Auge, die riesige Narbe. Der Nachtwächter, der Mischling, starrte ihn vom Vordersitz aus an. Er streckte den Arm nach hinten und drückte ihn zurück in den Sitz. Barnard hörte das Jaulen eines Tieres und begriff dann, dass er selbst es war, ein Laut größter Qual, der sich aus seinem Körper löste.

Der Mischling zog ihm die Decke über das Gesicht, und Rudi Barnard sah nichts mehr außer den Toten.

KAPITEL 28

Kein Tag verging, an dem Fingers Morkel nicht mit entsetzlichen Schmerzen in seinen fehlenden Fingern aufwachte. Den Fingern, die Benny Mongrel mit seinem Messer abgetrennt hatte. Als er im Bett lag, hob Fingers seine beiden vernarbten Stümpfe auf Augenhöhe, um sich zu vergewissern, dass die Finger wirklich ab waren. Das waren sie, aber Schmerzen hatte er trotzdem. Ärzte hatten ihm gesagt, dass das Phantomschmerzen seien.

Sie machten alle möglichen klugscheißerischen Vorschläge: Hitze auf die Stümpfe anwenden, Dehnübungen für alles, was von seinen Händen noch da war, um den Kreislauf zu verbessern. So ein weißes Arschgesicht hatte ihm tatsächlich gesagt, er solle sich vorstellen, Übungen mit den fehlenden Fingern zu machen. Fingers stellte sich vor, diesem Arschloch von Arzt den Mittelfinger zu zeigen, doch damit war er weder den Schmerz noch die Wut losgeworden.

Fingers' Lösung für diese ganze traurige Scheiße bestand darin, sich so viele Drogen wie nur möglich einzuwerfen. Und sich vorzustellen, Benny Mongrel umzulegen.

Indem er ihm die Finger entfernte, hatte Benny Mongrel ihn vieler Freuden beraubt. Er konnte einem Arschloch keine Kanone mehr an den Kopf halten, konnte nicht mehr spüren, wie sich der Zeigefinger um den Abzug krümmte, wenn er ihnen die

Rübe wegpustete. Er konnte auch den Schlampen nicht mehr die Hände um den Hals legen und sie beim Ficken halb erwürgen.

Und dann waren da noch die Erdnüsse. Er mochte die scheiß Dinger so sehr, dass er früher unter dem Spitznamen *Peanuts* bekannt gewesen war. Ein Spitzname, der ihm viel lieber war als der jetzige, der ihn permanent daran erinnerte, was ihm angetan worden war und von wem. Er hatte die Nüsse erst schälen müssen. Das war ja gerade der Witz, daran: die Schale zu knacken, mit den Fingern die beiden Nüsse rauszufummeln.

Wenn er heute Erdnüsse essen wollte, musste er sich von einem seiner Jungs die Schalen knacken und die Nüsse in einem kleinen Haufen auf einen Pappteller legen lassen, damit er den Teller zwischen seine beiden Daumen nehmen und sich die Nüsse in den Mund kippen konnte. Es war erniedrigend. Er war überzeugt, dass seine Jungs hinter seinem Rücken über ihn lachten, daher hatte er aufgehört, Erdnüsse zu essen.

Benny Mongrel. Wie dieser hässliche Bastard gestern Abend ins Lotus River gekommen war, sich hingesetzt und ihn angestarrt hatte. Als besäße er immer noch die gleiche Macht wie in Pollsmoor. Draußen war er gar nichts. Ein Scheißdreck war er. Der einzige Grund, warum Fingers ihn nicht dort in der Kneipe und auf der Stelle kaltgemacht hatte, war Respekt vor Llewellyn Hector. Er wollte vor Hector keine Sauerei veranstalten.

Aber das war gestern gewesen. Heute war ein neuer Tag.

Nachdem er seine Stümpfe ausgiebig gemustert hatte, setzte Fingers sich im Bett auf. Die Sonne brannte auf das Blechdach seines kleinen Hauses, und er hatte furchtbaren Durst.

»Rashied«, brüllte er. Nach einigen Sekunden steckte ein tätowierter Mongrel mit rasiertem Schädel seinen Kopf ins Schlafzimmer. »Bring mir ’ne Coke. Die ganze Flasche.«

Rashied verschwand und Fingers hielt sein Mobiltelefon mit

dem linken Daumen fest, während er mit dem rechten Daumen seine Nachrichten abfragte. Er stellte auf Lautsprecher und hörte zu. Da waren einige Nachrichten von Mädels, die er übersprang, und eine Nachricht von Leroy, dem kleinen Punk, der für ihn Tik dealte. Dabei setzte er sich auf. Irgendwas mit Gatsby. Und Benny Mongrel.

Fingers spielte den Anruf noch einmal ab.

Dann begann er mit der mühsamen Aufgabe, mit dem Daumen Leroys Nummer zu tippen. Leroy war ein kleiner Fisch, er war eine Kurzwahlprogrammierung nicht wert. Er erreichte lediglich Leroys Anrufbeantworter, irgendeine klugscheißerische Ansage mit einem Stück von LL Cool J im Hintergrund. Fingers unterbrach den Anruf mit einer ruckartigen Bewegung seines Daumens.

Als Rashied endlich mit der Flasche Coke antanzte, war Fingers dabei, sich unbeholfen anzuziehen.

Burn fuhr den Ford durch die riesige Stadtlandschaft der Cape Flats, diese endlose Monotonie der Armut, die sich in alle Himmelsrichtungen erstreckte. Es war schon gut, dass er gezwungen gewesen war, seinen Jeep an der Waterfront zurückzulassen. Die Einzigen, die auf den Flats Cherokees fuhren, waren Drogendealer. Viel zu auffällig.

Burn hatte die Flats bereits überflogen und war auf der Autobahn dran vorbeigefahren, aber auf diese schäbigen Straßen selbst hatte er sich nie hinausgewagt. Die kleinen Häuser standen dicht gedrängt, auf unsicheren Sandboden gebaut. Die knappen Anweisungen des Nachtwächters führten sie vorbei an Reihen von Ghettoblocks, wo der nie nachlassende Wind die Wäsche an den Leinen tanzen ließ, die über asphaltierte Fußwege gespannt waren. Sie kamen an sandigen, offenen Flächen vorbei, wo junge

Männer hinter halb abgerissenen Betonmauern kauerten, die mit Gang-Graffiti überzogen waren.

Burn hatte die Mossberg-Schrotflinte aus Barnards Tasche im Kofferraum des Fords genommen und neben seinen Sitz geklemmt. Er hatte beim Militär eine Mossberg benutzt und freute sich über die zusätzliche Feuerkraft. Er merkte, dass er die Waffe berührte, um ihre beruhigende Wirkung zu spüren.

An einem Stoppschild bremste Burn ab. Ein kleiner Junge, etwa in Matts Alter, stand an der Ecke vor einer verblichenen blauen Moschee. Er wirbelte ein selbstgemachtes Spielzeug herum, ein Stück Kordel, an dessen Ende ein Stein geknotet war. Seine Nase war mit Rotz verschmiert. Er starrte Burn in verblüffter Faszination an.

Als er weiterfuhr, warf Burn einen kurzen Blick in den Innenspiegel. Der fette Bulle war unter der Decke kaum erkennbar.

»Lebt er noch?«, fragte Burn.

Der Nachtwächter griff nach hinten und hob die Decke an, nickte, starrte dann wieder nach vorn. Burn brauchte den fetten Mann lebendig, bis er seinen Sohn gefunden hatte. Dann konnte der Nachtwächter mit ihm tun, was immer er tun musste.

Sie fuhren tiefer in die Flats, bewegten sich in die Sandwolke, die der Wind über das Labyrinth kleiner Häuser und schmaler Straßen warf.

Manchmal wünschte sich Zondi, er würde rauchen, damit er in Augenblicken wie diesem etwas zu tun hätte. Er saß im Polizeilabor, schaute zu, wie eine Technikerin an einem Vergleichsmikroskop arbeitete und versuchte, Ähnlichkeiten zwischen der Kugel, die er aus der Wand auf der Baustelle gegraben hatte, mit jener anderen festzustellen, die Ronnie September getötet hatte.

Die Technikerin war eine aufregend schöne Frau, sie hatte

Haut wie poliertes Kupfer. Ihr Haar, schwarz wie Tintenfischtinte, fiel ihr ins Gesicht, als sie sich vorbeugte und in das Mikroskop schaute. Zondi sah vor seinem geistigen Auge, wie dieses schwarze Haar sich wie Seegras auf einem weißen Kissen ausbreitete.

Zondi war erleichtert, als das Mobiltelefon in seiner Tasche piepste. Er ging auf den Korridor hinaus, um den Anruf anzunehmen. Er hörte dem Polizisten vom Revier Sea Point zu, nickte und stellte einige Fragen und schrieb eine Telefonnummer in sein Notizbuch. Er beendete das Gespräch und fand sich am Ende des Ganges wieder, wo er aus einem schmutzigen Fenster auf die Stadt hinunterschaute.

Er hatte das Polizeirevier Sea Point angerufen und gebeten zu überprüfen, ob es irgendeine Verbindung zu diesem Amerikaner gab. Es war weit hergeholt, klar. Er wusste, dass er ein analfixierter Kontrollfreak war, der keine Eventualität unberücksichtigt lassen konnte. Aber er hatte einen Volltreffer gelandet.

Eine Frau, eine Hausangestellte, war am Tag zuvor ermordet auf der Treppe in Greenpoint aufgefunden worden. Ihr Name war Adielah Dollie. Sie hatte für Mr. und Mrs. Hill, Mountain Road Nummer sechsunddreißig, gearbeitet.

»Ermittler Zondi?«

Er drehte sich um und sah die Technikerin, die ihm vom anderen Ende des Korridors aus zuwinkte. Ihre langen Fingernägel waren blutrot lackiert. Zondi verdrängte das Bild, wie diese Nägel Hautproben von seinem nackten Rücken sammelten. Er ging den Korridor hinauf.

»Wir haben eine Übereinstimmung«, sagte die Technikerin. »Die Kugel, die Sie uns gebracht haben, ist eine vom Kaliber .38, die gleiche wie die Kugel, die wir aus der Leiche des Kindes haben. Züge und Felder auf diesen beiden Projektilen sind identisch. Sie besitzen dieselbe Signatur.«

Also hatte Barnard auf den Nachtwächter geschossen. Und den Hund erschossen. Was genau sagte ihm das jetzt? »Danke. Und was ist mit diesem Kondom?«

Die Technikerin zuckte die Achseln. »Der DNA-Test dauert noch etwas.«

»Wie lange?«

»Sagen wir mal, drei Monate.«

»Das ist ein Witz, oder?«

»Nein. Das DNA-Labor hat einen Riesenberg Arbeit, die sind ziemlich im Rückstand.«

»Dann muss ich mich vordrängeln, so wie ich es hier auch getan habe.«

Sie lächelte ihn an. »Bei denen werden Sie aber nicht so viel Glück haben wie bei mir. Die sind erheblich strenger.« Sie flirtete mit ihm, etwas tanzte in ihren mandelförmigen Augen. Sie wartete darauf, dass er den entscheidenden Schritt machte.

Zondi ging.

Auf dem Parkplatz des Labors öffnete er den Kofferraum seines Autos und schnappte sich seinen Laptop. Er rutschte hinter das Steuer, ließ den Motor an und stellte die Klimaanlage auf maximale Leistung. Während der Laptop bootete, wählte er mit seinem Mobiltelefon die Nummer der Tochter der toten Hausangestellten.

Die Unterhaltung war kurz. Er äußerte formelhafte Beileidsbekundungen, dann fragte er Leila Dollie, ob sie Mrs. Hill jemals persönlich begegnet sei. Ja, sie hatte Susan Hill getroffen, mehr als einmal. Zwei Susans? Es gab hier mehr Zufälle als in einem billigen Taschenbuch.

Er wollte wissen, ob sie einen Computer mit Internet in greifbarer Nähe hatte. Hatte sie. Er mailte ihr Susan Fords Polizeifotos. Sie erhielt und öffnete die Mail.

»Das ist Mrs. Hill«, sagte Leila Dollie. Sie klang verwirrt. »Hat das alles irgendetwas mit dem Tod meiner Mutter zu tun?«

Zondi wusste, dass beides miteinander zu tun hatte. Er wusste nur noch nicht, was und wie.

»Nein, wir überprüfen nur gerade die Hills.« Er wollte das Gespräch schon beenden, als ihm noch eine weitere Frage einfiel. »Sie wissen nicht zufällig, wo ich Mrs. Hill finden könnte, oder?«

»Nun, soweit ich weiß, ist sie in der Gardens Clinic.«

»Ist sie krank?«

»Nein, sie bekommt ein Baby.«

Zondi bedankte sich. Er saß im Auto, und in seinem Kopf wimmelte es nur so von losen Enden.

Susan Burn lag im Kreißsaal und wurde für den Kaiserschnitt vorbereitet. Ihr Gynäkologe, ein Mann in den Vierzigern mit strohblondem Haar, der auf gute Manieren am Krankenbett ebenso viel Zeit verwendete wie auf sein Golfspiel, war es ganz offensichtlich gewohnt, mit werdenden Müttern zu tun zu haben, für die das kosmetische Risiko des Kaiserschnitts das Hauptthema war. In einer Stadt der Strände und Fitnessstudios war ein Bauch, der wie aus einem frühen Frankenstein-Film aussah, absolut unerwünscht.

Er begann gerade, sich detailliert darüber auszulassen, dass die untere mediane abdominale Inzision – der Bikini-Schnitt – hervorragend verheilen und lediglich eine feine, später kaum noch erkennbare Narbe hinterlassen würde, die wiederum bei gewissenhafter Nachbehandlung mit Gewebeöl vollständig verschwinden würde.

Das war so ziemlich das Letzte, was Susan beschäftigte, dennoch nickte sie dankbar.

Dann kam der Anästhesist, um die Periduralanästhesie zu legen. Susan hatte darum gebeten, bei dem Eingriff bei Bewusstsein zu bleiben, denn auch wenn sie das Kind nicht hinausdrücken würde, wie es bei Matt der Fall gewesen war, wollte sie doch diesen ersten Moment im Leben ihrer Tochter mitbekommen.

Der Anästhesist wirkte grobschlächtig, hatte Hände wie ein Klempner, doch wie sich herausstellte, war er äußerst behutsam und beruhigend. Er bat sie, sich auf die Seite zu drehen, und hob ihr Hemd an. Er rieb den unteren Teil ihrer Wirbelsäule mit einer anästhesierenden Flüssigkeit ein und führte dann eine sehr dünne Nadel ein. Die ganze Zeit über summte er eine Melodie. Susan erkannte sie schließlich als den alten Beatles-Song »Lucy in the Sky with Diamonds«. Beinahe hätte sie gelacht, beherrschte sich dann aber, aus Angst, die Nadel könnte womöglich in ihrer Wirbelsäule abbrechen.

Als das Anästhetikum begann, ihre Haut zu betäuben, näherte sich der summende Mann mit einer erheblich größeren Nadel. Susan schloss die Augen und erinnerte sich an den Augenblick, als sie ihre Tochter gezeugt hatten.

Es war nach dem Glücksspielärger gewesen, wie sie und Jack das nannten. Nachdem er ausgepackt und alles gebeichtet hatte, hatte sie ihm erlaubt, sie für ein Wochenende in eine Hütte in den Sierras zu entführen. Nur sie beide. Matt blieb bei ihrer Schwester.

Es war ein idyllisches Wochenende gewesen. Während der heißen Tage waren sie gewandert, als später die Nachtkälte in die Hütte kroch, hatten sie vor dem offenen Kamin gelegen und sich geliebt. Es war schmalzig, kitschig, romantisch, und sie hatte jede Minute genossen. Und sie hatte Jack mehr als je zuvor geliebt. Sie hatte ihm wieder ihr Herz geöffnet; das war die Nacht gewesen, in der sie dieses Kind zeugten.

Als sie aus den Bergen zurückkehrten, zurück in das riesige L. A., hatte sie einen erneuerten Optimismus empfunden. Es war etwas Schlimmes passiert, aber sie hatten die Sache geklärt und überstanden. Sie hatten die Krise gemeistert und ihre Ehe gerettet.

Alles war gut.

Natürlich hatte er weitergezockt. Und dann kamen Milwaukee und der Telefonanruf, als er verlangte, dass sie und Matt sich in Florida mit ihm treffen sollten. Es war etwas in seiner Stimme gewesen, das jede Diskussion unmöglich machte. Also hatte sie den Hund zu ihrer Schwester gebracht und war mit ihrem Sohn zum Flughafen gefahren.

Sie kehrten nicht mehr nach Hause zurück.

Das Leben wurde zu einem Provisorium, der Mann, den sie geheiratet hatte, wurde ihr genauso fremd wie die Namen, die in den falschen Papieren standen.

Der Anästhesist ließ das Anästhetikum in ihre Wirbelsäule träufeln. Es gab einen Moment, da berührte der Katheter einen Nerv und bewirkte ein kurzes Kribbeln in einem Bein, dann spürte sie eine nicht unangenehme Taubheit von der Taille abwärts.

Es hatte etwas Beruhigendes, sich einfach hinzugeben, den eigenen Willen vorübergehend abzustellen und anderen die Verantwortung für den weiteren Verlauf der Dinge zu überlassen.

Sie erlaubte sich, diese Ruhe zu genießen. Sie wusste, dass es nicht lange so bleiben würde.

Inzwischen waren sie tief in die Flats vorgedrungen, erreichten Paradise Park. Benny Mongrel griff noch einmal nach hinten und hob die Decke von Barnard. Der atmete flach und mühsam, aber er lebte noch.

Benny Mongrel war ein Kenner des Schmerzes. So wie andere

am Kap einen Wein kosteten und sich dann lang und breit über Herkunft und Raffinesse des Tropfens auslassen konnten, wusste er die Wirkungen des Schmerzes zu goutieren, den er anderen zufügte.

Und er wusste, dass er dem fetten Mann mehr Schmerz bereitet hatte als jedem anderen Opfer zuvor. Selbst wenn die Ergebnisse, zumindest oberflächlich, weniger grässlich waren als bei früheren Übungen. Die Gliedmaßen des fetten Bullen waren immer noch mit seinem Torso verbunden, die Zunge befand sich immer noch in seinem Mund, und seine Organe waren immer noch von Muskeln, Fettgewebe und Haut ummantelt. Aber das Einführen der umwickelten Klinge, das Durchschneiden der Epidermisschichten, die Bewegung durch subkutanes Fett und Fleisch bis auf die Nervenenden und das Bindegewebe hatten im Zusammenspiel eine größere Symphonie des Schmerzes ergeben, als er sie jemals einem Körper zugefügt hatte.

Der fette Mann hatte außergewöhnlich lange standgehalten, und das hatte Benny Mongrel verblüfft. Nachdem er Barnard angesehen hatte, war er zu der schnellen Meinung gelangt, dass er ohne Dienstmarke und Kanone schwach und aufgeschmissen wäre. Er hatte damit gerechnet, dass er reden würde, sobald ihm die Klinge gezeigt wurde. Doch jedes Mal, wenn das Klebeband von seinem Gesicht gerissen wurde, hatte der fette Bulle immer wieder nur die gleichen zwei Worte ausgestoßen, *fickt euch*, als wäre es ein Gebet.

Dann hatte es den Anschein, als sei der fette Mann in eine andere Welt übergetreten. Er schloss die Augen. Er nannte ein, zwei Namen, dann ließ er ein Gebrabbel los, das für Benny Mongrel klang wie die Scheiße, die manche der durchgeknallten Spinner im Knast von sich gegeben hatten, wenn sie mit ihren Göttern sprachen.

Das war der Augenblick, als Benny Mongrel dachte, er hätte ihn verloren, dass für immer verschwunden war, was der fette Kerl über den Verbleib des weißen Jungen wusste. Benny Mongrel war drauf und dran gewesen, den Stoff von der Klinge zu wickeln und die fette Kehle durchzuschneiden. War ihm doch egal, wie der Amerikaner an den Bengel kam. Aber dann hatte sich zittrig ein Auge geöffnet und auf Benny Mongrel gerichtet. Und die Stimme hatte sich keuchend aus der Brust gelöst wie das letzte Ausatmen einer billigen Ziehharmonika.

»Willsu Jungen?« Benny Mongrel benötigte einen Moment, um zu verstehen. Dann nickte er. »Dann sag ich's dir. Nur damit sie endlich die Schnauze halten.«

»Wer?«

»Die toten Arschlöcher.«

Barnard gab ihm eine Adresse in Paradise Park. Benny Mongrel kannte den Ghettoblock, er hatte einmal in einer dieser beengten Wohnungen an der Tulip Street einen Mann getötet. Erinnerte sich gut daran, als Burn den Ford im Schatten einer Mauer abstellte, über die *Gangsterleben* gesprayt war.

Benny Mongrel war sich nicht mal ganz sicher, warum er überhaupt einverstanden gewesen war mitzufahren. Er hätte in der Garage reinen Tisch machen und dann einfach gehen können. Aber nein. Vielleicht sollte alles so enden. Er hatte es begonnen, und jetzt musste er es zu Ende bringen.

Gerade als er aus dem Wagen steigen wollte, gab Burn ihm die .38er. Benny Mongrel schüttelte den Kopf. Er hatte keine Verwendung für Schusswaffen. Doch Burn hielt sie ihm hin. »Nimm sie.«

Benny Mongrel griff zu und schob die Kanone unter den Gürtel seiner Jeans. Dann öffnete er die Hintertür des Fords und verpasste der Gestalt einen Tritt, die wie ein gestrandeter, blutverschmierter Wal auf dem Rücksitz lag.

Die drei Männer stiegen die Treppe hinauf. Der Nachtwächter ging voran, dann Barnard, stolpernd, immer noch in die Decke gehüllt. Burn bildete die Nachhut. Er hielt die Mossberg dicht an seinem Bein, verbarg die Flinte, so gut es eben ging. Barnard murmelte unverständliches Zeug vor sich hin, während sein massiger Leib immer wieder von Schüttelfrost gequält wurde. Seine Stiefel hinterließen blutige Abdrücke auf der Treppe, es stank nach Pisse.

Sie erreichten einen ungeschützten Korridor. In diesem Moment frischte der Wind auf und schleuderte ihnen Sand ins Gesicht. Burn wischte sich die Augen und stolperte von hinten gegen Barnard. Der Gestank, der von diesem Mann ausging, war weit schlimmer als nur übler Körpergeruch. Galle stieg in Burns Kehle auf.

Der Nachtwächter blieb vor einer verzogenen Tür stehen und nickte Burn zu. Burn hob die Mossberg. Der Nachtwächter versuchte, die Tür zu öffnen. Abgeschlossen. Der Nachtwächter trat zurück, so weit es der schmale Korridor erlaubte, hob den Fuß und trat unmittelbar neben dem Schloss gegen die Tür. Die Tür sprang auf, schlug innen hart gegen die Wand. Burn stürmte hinein, die Mossberg im Anschlag. Der schmuddelige Raum war leer.

Der Nachtwächter trat ein, schob Barnard vor sich her und schloss die zersplitterte Tür. Burn ging an der leeren Küche vorbei, steckte seinen Kopf ins Bad, ging dann weiter ins Schlafzimmer.

Ein Mann lag auf dem Bett. Burn hob die Mossberg und näherte sich vorsichtig. Der Mann, alt und faltig wie eine Schildkröte, war bis auf eine schmutzige Unterhose nackt. Er lag in einer Blutlache, an seinem Hinterkopf klaffte eine Wunde. Ihm war der Schädel eingeschlagen worden. Burn stieß ihn mit dem Lauf der Mossberg an. Keine Regung. Der Mann war tot.

Erst da sah Burn das Schlafanzugoberteil, das unter dem toten Mann hervorguckte. Burn riss es heraus und hielt es hoch. Disney-Figuren vor blauem Hintergrund, mit Blut beschmiert.

Burn hatte gesehen, wie Mrs. Dollie zwei Abende zuvor Matt diesen Schlafanzug angezogen hatte. Das letzte Mal, dass er den Jungen gesehen hatte.

Sein Sohn war in dieser Wohnung gewesen.

KAPITEL 29

Burn packte Barnard und riss ihm den Kopf zurück. Mit der freien Hand schlug er ihm ins Gesicht. »Mach die Augen auf, du fettes Arschloch.«

Barnard keuchte, aber seine Augen und, wichtiger noch, sein Mund blieben geschlossen. Burn ließ die Haare los, und das Kinn sackte ihm auf die Brust. Barnard saß auf dem kaputten Sofa, leicht zur Seite geneigt wie ein schmelzender Schneemann.

Burn wischte sich die Hände an der Jeans ab. Er schaute zu dem Nachtwächter hinüber, der neben der Wohnungstür stand und eine Zigarette rauchte. »Ich brauche Sie, um ihn zum Reden zu bringen, verdammt. Er muss mir sagen, wo mein Sohn ist.«

Der Nachtwächter zuckte die Achseln. Die ganze Szene schien ihm eine Art perverses Vergnügen zu bereiten. Burn hob die Mossberg und rammte sie gegen den Kopf des Bullen. Der Kopf plumpste zur Seite.

Die Augen des Cops blieben geschlossen.

Disaster Zondi bemerkte irgendwann, dass er zurück zur Mountain Road fuhr. Okay, sagte er sich, du bist besessen. Er hätte sich auch noch im Labor herumdrücken und mit dieser Kriminaltechnikerin flirten können, deren Mandelaugen Kenntnisse andeuteten, die über Vergleichsmikroskope und die Erkennungsmerkmale von Kugeln hinausgingen.

Stattdessen war er quer durch die Stadt nach Salt River gefahren, zu Sniper Security. Wollte mit dem Nachtwächter sprechen, diesem Benny Niemand. Seit der Nacht der Schießerei hatte jedoch kein Mensch mehr Niemand gesehen, nachdem er aus dem Somerset Hospital gegangen und verschwunden war. Zondi hatte herausgefunden, dass es sich um einen Ex-Sträfling handelte, ein früher hochrangiges Mitglied der Mongrel Gang. Einen 28er.

Warum hatte Barnard auf ihn geschossen? Die Männer in dem roten BMW waren Gangster gewesen, dessen war Zondi sich ziemlich sicher. Und dieser Nachtwächter war ein weiterer Gangster. Ging es hier um ein Drogengeschäft, das aus dem Ruder gelaufen war? Warum hatte es sich vor dem eher unpassenden Hintergrund eines elitären Vororts im weißen Kapstadt zugetragen? Und welche Rolle spielte der Amerikaner in dieser ganzen Sache?

Er bog in die Mountain Road ein und parkte vor dem Haus des Amerikaners. Er wollte ihm eine einfache Frage stellen: Warum hatte er gelogen, als er die Polizeifotos seiner Frau gesehen hatte? Vielleicht würde die Antwort auf diese Frage einige dieser scheinbar unzusammenhängenden Punkte verbinden.

Zondi streifte aus reiner Gewohnheit sein Jackett über, als er in die Gluthitze hinaustrat, die spätnachmittags in Kapstadt herrschte. Er klingelte. Nichts. Er klingelte wieder.

Er trat ein paar Schritte zurück und schaute zu der Terrasse hinauf, wo er diesen Mann, Hill, gesehen hatte. Auf dem Geländer saß ein Falke, durch das Feuer gezwungen, auf der Suche nach Beute sein Revier am Berg zu verlassen. Der Falke schaute zu Zondi herab, breitete die Flügel aus und schwang sich auf, schoss in die Höhe, machte sich die Thermik zunutze. Dann hing er dort oben, in einem trägen Gleitflug.

Zondi kehrte zu der Tür zurück, und obwohl er genau wusste, dass es Zeitverschwendung war, klingelte er noch mal. Nichts. Er drehte sich um und ging wieder zu seinem Auto. Als er an der Garage vorbeikam, bemerkte er einen Reifenabdruck zwischen Straße und Garagentor. Zondi kniete sich hin und rieb mit dem Zeigefinger daran. Dann inspizierte er seine Fingerspitze. Sie war rot verschmiert.

Es war Blut.

Burn ging in das schmutzige Bad pissen, die Mossberg legte er auf den Spülkasten. Wo war sein Sohn? Wenn der alte Mann brutal ermordet worden war, was war dann mit Matt passiert? Das blutige Schlafanzugoberteil auf dem Bett schoss Burn in den Kopf, und dann ging seine Phantasie mit ihm durch, und er musste sich sehr anstrengen, um sich wieder auf den Boden der Tatsachen zurückzuholen.

Der fette Bulle wusste etwas. Burn musste ihn zum Reden bringen. So einfach war das. Er war mit Pinkeln fertig, wusch sich den Schmutz der fettigen Haare des Bullen ab und schnappte sich die Waffe.

Als er aus dem Bad trat, sah er die zersplitterte Wohnungstür aufschwingen und drei Männer hereinkommen. Einer von ihnen, ein kräftiger brauner Mann mit rasiertem Schädel sah ihn verdutzt an, hob dann eine .45er und schoss ein Loch in die Wand neben Burns Kopf.

Burn drückte den Abzug der Mossberg, die Wucht des Schusses riss den Mann von den Füßen und schlug ihn gegen die Wand neben der Tür. Er rutschte zu Boden und hinterließ einen feuchten Schmierfilm auf der Wand.

Als die Tür geöffnet wurde, sah Benny Mongrel Fingers Morkel den Raum betreten, gefolgt von zwei seiner Männer. Eine .45er dröhnte, die Schrotflinte antwortete, und Benny Mongrel sah einen der Männer hochfliegen und gegen die Wand knallen. Der andere Mann machte einen Hechtsprung auf das Sofa zu, außer Reichweite von Burns Schrotflinte. Der Lauf der verchromten .357er war genau auf Benny Mongrel gerichtet.

Benny Mongrel erinnerte sich, dass Burn ihm die .38er gegeben hatte. Er riss sie unter dem Gürtel hervor und schoss dem Mann genau zwischen die Augen. Der Mann glotzte ihn doof an und fiel hinter das Sofa.

Damit blieb noch Fingers, der mit offenem Mund dastand, während seine vernarbten Stümpfe in der Luft ruderten und die Daumen zuckten.

Benny Mongrel spürte das Messer in seiner Handfläche.

Keine Schusswaffe für Fingers.

Rudi Barnard befand sich in Zwiesprache mit den Toten. Er hörte ihre Stimmen, er sah ihre Gesichter. Sie riefen seinen Namen, hießen ihn, sich zu ihnen zu gesellen. Er kämpfte verzweifelter, als er in seinem ganzen Leben gekämpft hatte, kämpfte gegen den Sog, der ihn nach unten zog.

Das Donnern öffnete ihm die Augen, und er sah die Mischlinge vor sich, es explodierte rot aus ihren Schlünden. Sie streckten sich ihm entgegen, versuchten, ihn mitzureißen, damit auch er sich der Legion der Verdammten anschloss.

Barnard fand eine letzte Energiereserve. Er sprang vom Sofa auf und raste Hals über Kopf ans Wohnzimmerfenster, und in einer Explosion aus Blut, Glas und Fett platzte er hinaus in dieses helle, schreckliche Licht.

Stille. Burn begriff, dass die in dem engen Raum abgefeuerten Waffen ihn für einen Augenblick taub gemacht hatten.

Er sah, wie der fette Bulle vom Sofa aufsprang, durch die Scheibe flog und aus dem Blickfeld verschwand. Er sah, wie der Nachtwächter dem letzten Überlebenden des Trios die Beine wegtrat, der um Gnade zu beten schien, ohne dabei jedoch auf Finger zurückgreifen zu können. Er sah, wie die Klinge des Nachtwächters im Rückschwung einen Sonnenstrahl einfing.

»Moment.« Burn konnte seine eigene Stimme kaum hören. Er hielt die Mossberg wie eine Verlängerung seines Armes auf den Nachtwächter gerichtet. Die Klinge blieb in der Luft stehen.

Burn ging zu dem knienden, fingerlosen Mann und legte den Lauf der Mossberg seitlich an seinen Kopf. »Wo ist mein Sohn?«

Der Mann starrte ihn ausdruckslos an. Er schüttelte den Kopf. Burn holte aus und schlug dem Mann ins Gesicht, sah kleine Blutstropfen durch den Raum fliegen, bevor sie dann den schmutzigen Boden erreichten.

Er wollte zu einem weiteren Schlag ansetzen, als er die Hand des Nachtwächters auf seinem Arm spürte. »Er weiß nichts.«

Er sah den Nachtwächter an. »Was macht er dann hier?«

»Er ist gekommen, damit ich ihn töten kann. Alte Geschichten.«

Burn glaubte ihm. Aus irgendeinem Grund schien das eine absolut rationale und befriedigende Erklärung zu sein. Doch die Frage blieb: Wo war sein Sohn? Und der Mann, der die Antwort darauf wusste, hatte sich gerade eben durch ein geschlossenes Fenster katapultiert.

Burn rannte zur Tür.

Benny Mongrel sah Fingers Morkel in die Augen und spürte eine große Müdigkeit. Er konnte kaum noch das Messer halten. Aber er wusste, dass es noch etwas gab, das er tun musste.

Er hob Fingers' Kinn, um den Hals zu entblößen, und ließ dann die Klinge über die Kehle gleiten.

»Benny Mongrel sagt Gute Nacht«, sagte er und ließ Fingers zu Boden sinken.

Dann entspannte er seine Hand und spürte, wie das Messer seinem Griff entglitt. Es landete mit der Klinge im Holzfußboden und federte noch eine Weile, bevor es schließlich zur Ruhe kam.

Aber da hatte Benny Mongrel den Raum bereits verlassen.

KAPITEL 30

Der fette Mann flog durchs Fenster und landete schwer auf dem Sand. Während er da auf dem Rücken lag, die wuchtige nackte Brust sich hob und senkte, segelte die Decke nieder und bedeckte ihn wie ein Leichentuch.

Die Leute auf der Straße und in den angrenzenden Häusern waren durch die Schießerei aufgeschreckt worden und kamen herbeigeeilt. Ein Raunen ging durch die Umstehenden, als die Decke sich bewegte und der Mann sich aufsetzte. Mühsam zog er sich auf die Füße hoch, und die Decke fiel zur Seite.

Jemand erkannte ihn unter all dem Blut, und man raunte sich seinen Namen zu.

»Das ist Gatsby.«

Keuchend, blutend und wutschnaubend begann der fette Bulle die Tulip Street hinunter seine Flucht. Die stämmigen Beine pumpten mechanisch auf und ab.

Das Geschrei wurde lauter. »Es ist Gatsby!«

Ein kleiner Junge, der einen abgefahrenen Reifen rollte, lief hinter Gatsby her, folgte ihm die Straße hinauf, während Frauen mit Lockenwicklern, die sich über Gartenzäune beugten, zu reden aufhörten, als diese bizarre Vision ihr Blickfeld kreuzte.

Ein Stück weiter die Tulip Street hinunter lag Donovan September unter einem Auto, das halb auf dem Bürgersteig parkte. Er reparierte den Auspuff, während zwei Freunde ihn mit Werkzeug und guten Ratschlägen versorgten. Er streckte die Hand nach einem Schraubenzieher aus, aber der kam nicht.

Dann hörte er die Stimme seines Freundes. »Mein Gott, Donovan, das musst du dir ansehen!«

Donovan rutschte unter dem Wagen hervor. Als er aufstand und sich den Schweiß mit dem Handrücken aus den Augen wischte, konnte er kaum glauben, was er da sah. Gatsby, der Bulle, der seinen kleinen Bruder auf dem Gewissen hatte, lief halb nackt und blutend die Straße hoch. Ihm folgten Leute wie Pilotfische einem harpunierten Wal.

Donovan nahm einen Hammer von der Kühlerhaube des Autos und stellte sich Gatsby in den Weg. Der fette Mann sah ihn gar nicht, lief einfach geradeaus weiter. Donovan musste zur Seite ausweichen, andernfalls wäre er niedergewalzt worden. Donovan streckte ein Bein aus, und Gatsby stolperte, schwankte einen Moment und stürzte dann wie ein großes Tier in den Sand.

Donovan stand über ihm, den Hammer in der Hand. Er sah sich zu der sich vergrößernden Menschenmenge um und hörte ihre Stimmen wie eine einzige. »Tu es, Donovan.«

Er hob den Hammer und schlug ihn dem fetten Bullen mit aller Kraft auf den Schädel.

Carmen Fortune ging von dem Taxi zurück zu ihrer Wohnung. Sie fühlte sich immer noch benebelt, obwohl sie wusste, dass die Wirkung des Tik bereits nachließ. Sie wusste auch, dass sie sich mit der Schweinerei in ihrem Schlafzimmer auseinandersetzen musste. Aber sie hatte es gut gemacht. Zumindest dieses eine Mal hatte sie das Richtige getan.

Nachdem sie Onkel Fatty die Heilige Jungfrau auf den Kopf geschlagen hatte, hatte sie sich Matty geschnappt, den Jungen, ihm eins von Sheldons T-Shirts übergezogen und war mit ihm weggerannt. Sie war nicht stehen geblieben, um nachzudenken, bis sie mit dem blonden Jungen auf dem Schoß in einem Minibus-Taxi saß und auf die vorbeiziehenden Straßen von Paradise Park hinausschaute.

Das Kind war immer noch leicht benommen von dem Mogadon, ein Geschenk des Himmels. Sie hoffte nur, dass er sich nicht mehr an das erinnerte, was Onkel Fatty getan hatte. Sie wusste nur zu gut, dass sich solche Erinnerungen in das Bewusstsein einbrannten wie ein heißes Eisen ins Fleisch.

Sie ignorierte die Blicke und das Getuschel der übrigen Fahrgäste. Sie konnte sich denken, wie das aussehen musste, eine verprügelte farbige Tusse mit Blut auf dem T-Shirt und einem weißen Kind im Arm.

Scheiß drauf.

Sie streichelte das Haar des Jungen, und er blickte zu ihr auf und versuchte, sie klar zu erkennen. Dann fielen ihm wieder die Augen zu. Sheldons T-Shirt war ihm zu klein und es war ungewaschen, aber es war allemal besser als das Schlafanzugoberteil mit Onkel Fattys Gehirn drauf.

Sie wusste, dass sie den alten Mann umgebracht hatte, sein Kopf war wie ein Schwamm unter der heiligen Maria gewesen, ganz weich. Geschah dem alten Bastard recht. Während sie auf ihn eindrosch, kamen blitzartig Erinnerungen an ihre eigene Kindheit zurück, und einen Moment lang, wegen des Tik und all ihrer Wut, war sie sich nicht sicher, ob sie da auf Onkel Fatty einhämmerte oder auf ihr widerliches Arschloch von Vater.

Das Taxi hielt abrupt an, und die Fahrgäste drängelten sich nach draußen, während gleichzeitig andere versuchten einzusteigen. Sie schnappte sich den Jungen und kämpfte sich hinaus, vorbei an dem grinsenden Schaffner an der Tür.

»Man kann deutlich sehen, von wem der seine blauen Augen hat«, spottete er über ihre Blutergüsse.

Sie würdigte ihn keines Blickes, schwang sich Matt über die Schulter und ging hinüber zum Gemeindezentrum. Das Kind war alles andere als leicht. Er hatte schwere Knochen, der kleine Scheißer.

Sie bahnte sich ihren Weg durch den jämmerlichen menschlichen Bodensatz, der geduldig auf Krankenschwestern, Sozialarbeiter und staatliche Geldzahlungen wartete, bis sie vor der Tür von Belinda Titus' Büro stand.

Sie klopfte einmal kurz und trat dann ein, ohne eine Antwort abzuwarten. Belinda Titus saß hinter ihrem Schreibtisch, trug Lippenstift auf und bewunderte sich dabei in einem Taschenspiegel. Ihre frisch bemalten Lippen öffneten sich wie die Schenkel einer Nutte, als sie Carmen sah.

»Ich bitte Sie, Sie können hier doch nicht so einfach reinmarschieren!« Empört schraubte die Sozialarbeiterin ihren Lippenstift wieder ein, als würde sie Carmen den Hals umdrehen.

»Bin ich aber gerade«, sagte Carmen und setzte den Jungen auf einen Stuhl.

»Was soll das werden?«, fragte Belinda Titus streng. »Wer ist dieses Kind?«

»Er heißt Matt. Er ist Amerikaner. Ich glaube, er wurde entführt.« Carmen war schon wieder auf dem Weg hinaus. Sie blieb noch einmal stehen, als sie die Tür öffnete. »Und übrigens«, sagte sie und zeigte auf ihren Mund, »Sie haben Lippenstift auf den Zähnen.«

Als sie die Tür hinter sich zugeschlagen hatte, fühlte sie sich so gut wie schon sehr lange nicht mehr. Sie wusste, dass es nicht anhalten würde, aber scheiß doch drauf, sie genoss den Augenblick.

Als sie dann die Tulip Street erreichte, hörte sie die Menge schon, bevor sie sie sah. Ein gedämpftes, aggressives, animalisches Gebrüll. Carmen schob sich durch den Mob und sah eine blutige Gestalt im Dreck liegen. Sie brauchte eine Weile, bis sie Gatsby erkannte. Donovan September schlug mit dem Hammer auf ihn ein und einige andere Männer und Jungen bearbeiteten ihn mit Tritten. Die Menge brüllte begeistert, verlangte nach Rache.

Carmen konnte ihren Blick nicht abwenden. Sie brauchte einen Moment, bis sie begriff, dass das, was sie da sah, die Wirklichkeit war, keine Tik-Halluzination, und sie hörte ihre eigene Stimme, wie sie in den Chor einstimmte und das Blut des fetten Buren forderte.

Burn kam gerade noch rechtzeitig angelaufen, um zu sehen, wie der Mob sich um Barnard zusammenzog. Burn tauchte in die Menge, schob Körper beiseite, seine weiße Haut und der amerikanische Akzent ließen die Leute überrascht zur Seite weichen.

»Halt! Tötet ihn nicht!«

Der Junge mit dem Hammer sah einen Moment auf und hielt inne. Dann machte er sich wieder an die Arbeit und zertrümmerte Barnards Kopf wie einen Kürbis.

Burn versuchte, die Mossberg auf den Jungen zu richten, aber Hände aus der Menge entwendeten ihm die Waffe. Er wurde angerempelt, beschimpft, und er spürte die erste Faust an seinem Unterkiefer. Dann traf ihn ein Stein über dem linken Ohr, und er sank zu Boden. Die Menge wurde zu einem einzigen Organismus, der ihn von den Füßen hob und in den Sand warf.

Berenice September, auf ihrem Heimweg von der Arbeit, kam gerade in dem Moment dazu, als der Mob sich teilte und ein Kind einen Reifen in die Mitte rollte.

Sie sah die unverwechselbare Gestalt von Gatsby im Sand liegen. Und sie sah ihren Sohn, ihren ernsthaften Jungen, den sie so sehr liebte, über den Bullen gebeugt und mit einem blutigen Hammer in der Hand.

»Donovan! Nein, Donovan!«

Ihr Sohn blickte zu ihr auf, und sie sah sein Gesicht, wie sie es noch nie zuvor gesehen hatte.

Dann schloss sich die Menge wieder.

Donovan September griff den Reifen, hob Gatsbys Kopf und stülpte ihn ihm um den fetten Hals wie eine Kette. Dann wurde ein Benzinkanister durch die Menge nach vorne gereicht, und Donovan übergoss den Körper des fetten Mannes.

Gatsby war immer noch am Leben, sein Oberkörper pumpte, seine Hände streckten sich zum Himmel. Der Mob wich ein paar Schritte zurück, Donovan September entzündete einen Lumpen und warf ihn auf den fetten Mann.

Gatsby ging in Flammen auf.

Benny Mongrel stand am Rand der Menge und sah zu, wie sie über den Bullen herfielen. Jeder Schlag, der aus der Menge auf den fetten Mann niederging, verminderte sein Verlangen nach Rache.

Es war richtig, dass das hier passierte.

Es war gut.

Es war, was ihn hergeführt hatte.

Benny Mongrel schaute zu, wie die Flammen den Mann vernichteten, der seinen Hund getötet hatte.

Rudi Barnard schwamm in dem See aus Feuer, den sein Priester prophezeit hatte. Die Flammen brannten durch die Schichten seiner Haut.

Er hob die Arme und hieß sie willkommen, obwohl sie sein Fleisch mit grausamen Schmerzen verzehrten. Das war es, wodurch er die Erlösung empfing, das Geschenk der Stimmen, wenn er dann dem Feuer entstieg, frei von menschlichen Sünden, und seine Belohnung in Empfang nahm.

Er sah sich um in diesem See aus Feuer, und da waren die Sünder, die verlorenen Seelen, dazu verdammt, bis in alle Ewigkeit in dieser Hölle zu schmoren. Er versuchte aufzustehen, einen Schritt vorwärts zu tun, hin zu dem Licht, von dem er wusste, dass es vor ihm lag.

Aber er konnte nicht.

Das brennende Wasser hielt ihn zurück. Die Glieder der Verdammten umfassten ihn und zogen ihn tiefer und tiefer in das Inferno. Er versuchte ein letztes Mal, sich dem Licht zu nähern, das schwächer und schwächer wurde. Dann, als das Licht für immer erlosch, wusste Rudi Barnard schließlich seine Antwort.

Sein Gott war tot.

KAPITEL 31

Susan Burn lag im Operationssaal. Ein steriler Umhang schirmte ihren Unterleib vor ihren Blicken ab.

Sie fühlte sich leer und erschöpft. Anders als bei Matts Geburt hatte sie keine Hand, die sie halten konnte, keinen Vertrauten an ihrer Seite, der ihr während der Schmerzen Kraft geben konnte. Keinen Jack, der ihre Freude teilte. Die Vorhänge machten alles noch schlimmer. Ihr Arzt und sein Team waren beschäftigt, und es erinnerte Susan an ein Puppentheater, das sie als Kind gesehen hatte.

Sie hörte ein summendes Geräusch, wie von einer Küchenmaschine, und der beißende Geruch ihres eigenen verbrannten Fleisches erreichte ihre Nase. Er kauterisiert deine Adern, sagte sie sich und versuchte so zu tun, als sei das die normalste Sache der Welt. Nachdem das Summen aufgehört hatte, hörte sie nur noch das leise Klimpern von Chirurgischen Instrumenten und das Flüstern des Arztes und seiner Krankenschwester.

»Wir haben hier jetzt den Kopf, Susan«, hörte sie den Arzt sagen. »Ich sauge ihr jetzt die Flüssigkeit aus Mund und Nase.«

Gott sei Dank, sie atmet. Die Angst, diese schreckliche abergläubische Vorahnung, hatte sie den ganzen Tag begleitet. Dass ein Preis bezahlt werden müsste, dafür, dass sie und Jack etwas Falsches getan hatten. Und dass der Preis das Leben ihres Babys wäre.

»Gut, jetzt holen wir den Rest von ihr raus, Susan. Ich brauche dazu Ihre Hilfe, okay?«

Sie hörte sich antworten. »Okay. Was soll ich tun?«

»Sie brauchen einfach nur Ihre Hände auf den oberen Teil Ihres Bauches zu pressen und nach unten zu drücken.«

Sie spürte, wie die Krankenschwester ihre Hände zur richtigen Stelle führte, und begann sofort zu drücken. Das war bei weitem nicht so beschwerlich wie Matts Geburt, die sich angefühlt hatte, als ob ein Teil ihres Körpers herausgerissen würde. Sie drückte.

»Okay, wir haben sie«, sagte der Arzt.

Genau wie in einem dieser Puppentheater wurde ihr dann rotgelbes Baby, das Gesicht zerknautscht, über den Vorhang gehalten, damit sie es sehen konnte. Instinktiv streckte sie die Hände nach ihm aus, aber die Schwester schüttelte den Kopf.

»Sie muss ins Warme. Wir geben sie Ihnen in einer Minute.«

Susan lag da, starrte in die Lichter hoch und hörte, wie ein weiterer Sauger seine Arbeit verrichtete. Die Schwester kehrte mit dem Säugling zurück und gab ihn Susan. Sie legte ihre kleine Tochter Lucy an ihre Brust und fühlte, wie die kleinen Lippen direkt anfingen, an ihrer Brustwarze zu nuckeln.

Susan weinte, ließ sich einfach fallen, das erste Mal seit jenem Tag in Florida, als Jack ihr gesagt hatte, was er getan hatte.

Burn schwankte am Rande des Mobs dahin. Er hatte einen trockenen Hals, und er fühlte klebriges Blut hinter dem Ohr, wo der Stein ihn erwischt hatte. Der ekelhafte süßliche Geruch von verbranntem Fleisch drang ihm in die Nase, und durch die wogende Masse sah er Barnards Körper brennen.

Die Menge war seltsam ruhig geworden, als ob die Menschen nun, nachdem es geschehen war, erst einmal begreifen mussten, was da überhaupt passierte. Immer mehr wandten sich ab und schlenderten davon.

Burn bewegte sich voran. Dann stand er vor der verkohlten Gestalt von Barnard, dessen Gesicht zur Unkenntlichkeit verbrannt war, die Zähne als Grimasse sichtbar, die Arme ausgestreckt, schwarze, greifende Krallen. Ob es Barnards letzte Geste oder nur eine zufällige Kontraktion seiner Muskeln war, würde Burn nie erfahren.

Aber er wusste mit absoluter Sicherheit, dass der einzige Mann, der ihn zu seinem Sohn bringen konnte, nun tot war.

Es herrschte Aufbruchsstimmung. Der junge Mann, eigentlich noch ein Jugendlicher, der Barnard erschlagen und ihn angezündet hatte, warf einen letzten Blick auf sein Werk und verschwand in Richtung eines nahe gelegenen Hauses. Eine Frau mittleren Alters wartete dort. Sie sprachen nicht miteinander, als der Junge an ihr vorbei ins Haus ging.

Burn wurde sich bewusst, dass er seit mindestens einer Minute den Lärm von Sirenen hörte, die jetzt schnell näher kamen.

Er wandte sich ab und lief die Straße hinauf zu dem Ford.

Er hatte keine Ahnung, was er als Nächstes tun sollte.

Benny Mongrel ging. Es war vorbei. Hier gab es für ihn nichts mehr zu tun.

An der Ecke, in der Nähe des Taxistands, sah er einen Mann in ungefähr seinem Alter, der sich gegen das Tor eines zugemüllten Hofes lehnte, rauchte und das Geschehen beobachtete. Die Tattoos und der Blick verrieten einen Mann, der wusste, was Ärger bedeutete.

»Sie sagen, das da war Gatsby, den sie fertiggemacht haben«, meinte er zu Benny Mongrel.

»Ja, is so.«

»War ein scheiß Bastard.«

»Der Letzte seiner Art.« Benny Mongrel sah seine Chance und ergriff sie. »Hast du ’ne Kippe für mich, Bruder?«

Der Mann kramte eine zerknautschte Packung Luckies aus der Hosentasche und bot sie ihm an. Benny nahm eine und schob sie sich zwischen die Lippen.

»Weißt du, Gatsby hat mal auf mich geschossen«, sagte der Mann, als er Benny Mongrel Feuer gab.

»Und wie kommt’s, dass du noch hier bist?«

»Er hatte wohl gute Laune.« Der Mann lachte bitter auf, drehte sich um und lief humpelnd davon.

Benny Mongrel entfernte sich in die entgegengesetzte Richtung und paffte hinter vorgehaltener Hand an seiner Zigarette. Der Wind hatte sich gelegt und die Luft hing schwer über den Flats.

Carmen Fortune ging zurück zu ihrem Wohnblock. Sie war erleichtert, dass sie Gatsby nicht mehr im Nacken hatte. Das war zumindest was.

Sie kam an einem Weißen vorbei, der in einen verbeulten Ford stieg. Die meisten weißen Männer, die man hier auf den Cape Flats sah, waren Bullen, aber dieser hier sah nicht so aus. Er blutete am Kopf und schien verwirrt zu sein. Wirkte verloren. Als er anfuhr, krachte das Getriebe.

Sie stieg die Treppe hinauf, und als sie oben auf dem Absatz ankam, sah sie ihren Nachbarn Whitey Brand mit ihrem Fernseher aus ihrer Wohnung kommen, einfach so, als wäre das normal.

»Hey, was zum Teufel!« Carmen stürmte die letzten Stufen hoch.

Whitey sah sie nur an und ging dann ungerührt weiter.

Die Tür zu Carmens Apartment stand offen. Sie war zersplittert, als hätte jemand sie eingetreten. Dann sah sie Whiteys Bruder Shane, der sich über ein paar tote Kerle in ihrem Wohnzimmer beugte – Typen, die sie nicht kannte – und sich ihre Mobiltelefone und das Bargeld einsteckte.

Carmen glaubte, ein besonders übles Tik-Tief zu erleben und ernsthaft den Verstand zu verlieren. Sie schloss die Augen. Als sie sie wieder öffnete, sah sie, wie Shane sich mit vollen Händen an ihr vorbeischob. Die toten Männer waren immer noch da und bluteten auf ihren Teppich. Und die Sirenen dröhnten in ihrem Schädel.

Sie drehte sich um und ging. Hier gab es nichts mehr für sie zu holen.

Disaster Zondi stand da und betrachtete die verkohlten Überreste von Rudi Barnard. Es stank nach verbranntem Menschenfleisch. Die Kleidung hatte sich in die Haut eingebrannt. Das Haar war versengt. Die Schuhe waren an den Füßen festgeschmolzen. Der Reifen war komplett verbrannt, nur der innere Stahlring, der nun das umschloss, was mal Barnards Hals und Brustkorb gewesen waren, war noch übrig.

Es war Jahre her, Jahrzehnte, dass Zondi ein *Necklacing* gesehen hatte. Das erste Mal war Mitte der Achtziger bei der Beerdigung eines jungen Aktivisten in Soweto gewesen. Er war damals sechzehn oder siebzehn. Die Kameraden hatten eine junge Frau aufgegriffen, die man beschuldigte, ein Polizeispitzel zu sein. Zondi erinnerte sich, wie er in den Wahn eingestimmt, Freiheitslieder gesungen und den Toyi-Toyi getanzt hatte, als die Frau verprügelt und gesteinigt wurde. Ein Typ, der jünger war als Zondi, schob der Frau eine zerbrochene Flasche in die Vagina. Dann wurde sie in einen Reifen gesteckt und bei lebendigem Leib verbrannt.

Das Necklacing war ihm überhaupt nicht grausam erschienen, vielmehr war es berauschend, ja erregend gewesen. Es hatte ihm ein unglaubliches Machtgefühl gegeben, ihm und den unzähligen anderen Jugendlichen, die dabei waren, den Feind in die Knie zu zwingen.

Zondi hatte damals, ganz im Sinne der Zeit, das Gebetbuch der Missionsschule gegen das ansprechendere Manifest Leo Trotzkis eingetauscht. Und warum sollte er Schuldgefühle haben, wenn sie ihre Feinde auf diese Weise exekutierten? Immerhin hatte die Mutter der Nation, Winnie Mandela – Nelsons Frau –, vor ihnen gestanden, ihren Taten applaudiert und ihnen gesagt, sie würden das Land mit ihren Reifen und Streichholzschachteln befreien.

Zondi hatte ein paar weitere Necklacings erlebt. Aber er hatte seine Erinnerungen daran schon lange verloren. Jetzt, da er, wie viele andere Menschen, im einundzwanzigsten Jahrhundert gestrandet war, ohne feste Moralvorstellungen, wurde er stärker durch das geprägt, was er nicht mehr glaubte, als durch das, was er glaubte.

Aber die Sache mit Barnard, musste er eingestehen, besaß eine gewisse ausgleichende Gerechtigkeit.

Er hörte, wie sich zwei junge Farbige in Uniform unterhielten, die den Tatort absperrten.

»Beschissene Art zu sterben.«

»Ja. Ich kann sicher eine ganze Woche nicht bei Kentucky essen.«

Sie lachten und begannen, über ein anstehendes Rugby-Länderspiel zu reden.

Zondi warf einen letzten Blick auf Barnard, unterdrückte erfolgreich den Drang, in seinem Roberto-Cavalli-Anzug und seinen Brunori-Slippern Toyi-Toyi zu tanzen, und ging zu zwei Cops hinüber.

»Er ist anscheinend vor irgendwas weggelaufen, oder?«

Die Cops unterzogen ihn der üblichen leicht unverschämten Musterung, bevor der Größere der beiden antwortete: »Ja, er war in einer der Wohnungen da oben. Die Leute sagen, er sei aus dem Fenster gesprungen.«

»Fahren Sie mich bitte dorthin, Constable.«

Zondi setzte sich in den Polizei-Van auf den Beifahrersitz. Der Große wechselte einen Blick mit seinem Kollegen, stieg dann auch ein und ließ den Motor an. Sie holperten eine sandige Straße entlang und hielten vor einem Ghettoblock, der mit einem *Gangsterleben*-Graffiti verziert war.

Zondi stieg aus und sah zu dem zerbrochenen Fenster hoch. Direkt darunter lag eine blutige Decke. Zondi bemerkte, wie sich in der Wohnung darüber eine Spitzengardine bewegte, und er erhaschte noch einen flüchtigen Blick auf ein altes Gesicht.

Zondi folgte dem Constable die Stufen hoch. Er rümpfte die Nase bei dem Gestank von Pisse. Die Tür der Wohnung mit dem zerbrochenen Fenster war nur angelehnt. Zondi gab ihr einen Tritt, und sie schwang auf, bis sie gegen den Körper eines Mannes prallte. Der Constable hatte seine Dienstwaffe in der Hand und folgte Zondi in die Wohnung.

Drei tote Männer. Alle mit dem unverwechselbaren Aussehen von Gangstern. Zwei von ihnen erschossen, einer wahrscheinlich mit einer Schrotflinte. Der dritte, dem an irgendeinem Punkt seiner zweifelhaften Karriere die Finger amputiert worden waren, lag mit durchgeschnittener Kehle da. Zondi konnte die Knochen sehen.

Zondi und der Cop gingen weiter ins Schlafzimmer. Er schaute auf die vierte Leiche hinab, einen ausgemergelten Mann um die sechzig, nur mit einer Unterhose bekleidet. Das Gehirn des Toten klebte an einer Statuette der Jungfrau Maria, die auf dem

Boden neben dem Bett lag. Zondi sah auch das Oberteil eines Kinderpyjamas, voller Blut und Gehirnmasse, das neben dem toten Mann lag. Er bemerkte das amerikanische Etikett: *Big Kmart*.

Zondi drehte sich zu dem Polizisten um. »Constable, in der Wohnung über uns lebt eine alte Frau. So eine, die wahrscheinlich den ganzen Tag damit verbringt, am Fenster zu stehen und rauszugucken. Fragen Sie sie, wer hier wohnt und wen sie hier heute gesehen hat. Und fragen Sie nach einem Kind. Einem Jungen. Einem weißen Jungen. Verstanden?«

Der Bulle nickte. »Ja, Sir.«

Zondi fing an, sich in dem Apartment umzusehen. Er öffnete einen ramponierten Schrank im Schlafzimmer und entdeckte die Habseligkeiten einer Frau. Eine Bürste voller dunkler Haare lag auf einer Kommode unter einem zerbrochenen Spiegel. Das stinkende Badezimmer sagte ihm nicht viel. Ein bisschen billige Kosmetik und eine Schachtel mit Damenbinden.

Zondi ging zurück ins Wohnzimmer. So wie die Leichen lagen, mussten sie direkt ins Feuer gelaufen sein, als sie das Apartment betraten. Und dann war dem Amputierten die Kehle durchgeschnitten worden.

Und mitten in diesem Trubel hatte Barnard sich aus dem Fenster geworfen.

Der Constable kam zurück. »Sie sagt, dass eine Frau hier lebt. Vielleicht so Anfang zwanzig. Carmen soundso, den Nachnamen kennt sie nicht. Der alte Typ ist wohl ihr Onkel. Ein Alki, sagt sie. Sie hat gesehen, wie drei Männer hier reinkamen, mindestens einer von ihnen war weiß. Einige Zeit später drei weitere. Alles Farbige. Gangster, sagt sie.«

Zondi nickte. »Diese drei da.«

»Sie sagt, sie hätte gesehen, wie die Frau, diese Carmen, das

Haus verließ, lange bevor die ersten drei Typen gekommen sind. Als sie ging, hatte sie einen kleinen Jungen bei sich. Er war weiß und hatte blondes Haar.«

Zondi griff nach seinem Telefon und rief das Hauptquartier Bellwood South an. Er sprach mit dem Diensthabenden und wollte eine Fahndung nach diesem Jungen rausgeben.

»Sir«, sagte der Sergeant. »Dieser Junge. Der sitzt hier direkt vor mir.«

Burn fuhr durch das riesige Ghetto ohne jedes Gefühl für die Richtung. Er versuchte einfach nur, so viel Abstand wie möglich zwischen sich und die Leichen zu bekommen. Der Wind war wieder aufgefrischt und legte eine Wolke von Staub über die Cape Flats. Der Dunst verbarg den Tafelberg, die einzige Landmarke, an der er sich orientieren konnte. Er hatte dem Nachtwächter die .38er gegeben, und der Mob hatte ihm die Mossberg entrissen. Er war allein und unbewaffnet, an einem der gefährlichsten Orte dieses Planeten.

Burn hielt an einer Kreuzung. Daneben ein Taxi, die Insassen starrten zu ihm herunter. Er fuhr weiter und kollidierte fast mit einem zerbeulten Pick-up. Der Mann verfluchte ihn. Burn nahm kaum Notiz davon.

Vielleicht war er etwas überstürzt aus dem Ghettoblock geflohen? Vielleicht wäre da jemand gewesen, der ihm hätte sagen können, wo Matt war. Er könnte Geld anbieten. Er hatte immer noch die Million in einheimischer Währung hinten in seinem Kofferraum.

Jesus, sagte er leise zu sich, wenn du dahin zurückkehrst, falls du überhaupt den Weg findest, wirst du entweder verhaftet oder ermordet. Und du bist der einzige Mensch, der zumindest eine vage Vorstellung davon hat, was mit deinem Sohn passiert ist.

Burn fuhr an einer Gruppe Jugendlicher vorbei, die irgendwas brüllten. Einer warf eine Bierdose, die von der Heckscheibe des Fords abprallte. Ohne den Nachtwächter hatte er keine Ahnung, wie zum Teufel er hier wieder rauskommen sollte.

Burn war verloren.

KAPITEL 32

Als Zondi den amerikanischen Akzent des Jungen hörte, zweifelte er keine Sekunde daran, dass dies der Sohn des Mannes war, der sich Hill nannte. Er musste es sein. Es wären sonst einfach zu viele Zufälle.

Das Kind saß auf dem Tresen im Revier, trug ein schmutziges T-Shirt und eine Schlafanzughose. Sie passte zu dem Oberteil, das Zondi in dem Apartment gesehen hatte. Das Haar des Kindes war auf einer Seite mit etwas verfilzt, das aussah wie Blut. Der Junge weinte und sagte, er wolle zu seiner Mami.

Eine Frau mit streng zurückgebundenen Haaren und noch strengeren Gesichtszügen stand neben dem Jungen. Sie schien es kaum erwarten zu können, ihn endlich loszuwerden und das Weite zu suchen. Der Diensthabende nahm ihre Aussage mit quälender Langsamkeit auf.

»Wie ist dieses Kind hierhergekommen?«, fragte Zondi.

Die Frau musterte ihn von oben bis unten, sofort argwöhnisch. Er erlaubte ihr einen kurzen Blick auf seinen Dienstausweis, bevor er seine Frage wiederholte.

»Mein Name ist Belinda Titus. Ich bin Sozialarbeiterin. Eine junge Frau, die ich früher betreut habe, brachte ihn zu mir. Sie weigerte sich allerdings zu sagen, wo sie ihn gefunden hat.«

»Heißt sie zufällig Carmen?«

»Ja. Carmen Fortune.«

Zondi hatte keine Geduld mit Kindern, aber er brachte dennoch ein Lächeln zustande, als er sich an den Jungen wandte. »Wie heißt du denn, mein Sohn?«

»Er sagt, sein Name ist Matt«, sagte die Frau.

Zondis Lächeln gefror, als er sich ihr zuwandte. »Vielen Dank, aber wenn Sie das jetzt bitte mir überlassen würden?«

Zondi nahm den Stift und ein Stück Papier aus den Händen des Diensthabenden und schob beides dem Jungen hin. Diese amerikanischen Kids waren doch alle frühreif, also musste er ihm nur einen Anreiz geben. »Ich wette, du kannst noch nicht deinen Namen schreiben.«

Das Kind fixierte ihn durch seine Tränen und wischte sich mit einer schmuddeligen Hand über die Nase. »Kann ich wohl.«

»Magst du Eiscreme?«

Das Kind nickte.

»Okay, du schreibst mir deinen Namen auf, und ich spendiere dir ein Eis. Abgemacht?«

Der Junge dachte nach, nahm dann den Stift und konzentrierte sich, wobei seine Zungenspitze über die Lippen fuhr, während er sich dem Papier widmete. Er schrieb kaum schlechter als der diensthabende Officer.

Zondi warf einen Blick auf das Blatt. »Matt Burn?«

Das Kind nickte.

Zondi griff in die Jackentasche und zog denselben Ausdruck der Polizeifotos heraus, den er auch dem Amerikaner gezeigt hatte. Er hielt ihn dem Kind hin. »Matt. Wer ist das hier auf dem Foto?«

»Das ist meine Mami«, antwortete der Junge und fing wieder an zu heulen.

Zondi hob ihn vom Tresen. Sein Anzug würde hinterher in die Reinigung müssen.

Das Kind stank und hatte bereits einen Rotzfleck auf Zondis Schulter plaziert.

»Ich übernehme das jetzt«, sagte er der Frau.

»Dieses Kind braucht medizinische Versorgung«, erwiderte sie, offenbar darauf versessen, dass ihre Gastrolle in diesem kleinen Drama nicht ohne einen ordentlichen Höhepunkt endete.

»Ich bringe ihn schon noch ins Krankenhaus, keine Sorge.«

Zondi ging mit dem Jungen nach draußen zu seinem Auto, setzte ihn auf den Rücksitz und schnallte ihn an. Er holte seinen Laptop aus dem Kofferraum und ging online. Er brauchte weniger als zwei Minuten, um herauszufinden, dass Jack und Susan Burn auf der Flucht vor der Justiz waren.

Er hatte keine Ahnung, wo Jack war, aber war sich ziemlich sicher, wo er Susan finden könnte. Aber als Erstes brauchte er ein Eis.

Susan Burn lag auf der Wachstation und stillte ihr Baby. Ein Schmerzmittel tropfte über einen Katheter in ihre Wirbelsäule. Sie nahm Lucy von ihrer Brust und wiegte sie in der Armbeuge. Susan fühlte sich leer. Völlig willenlos. Sie wartete einfach darauf, dass etwas passierte.

Sie hörte, wie draußen vor der Wachstation gesprochen wurde. Die Stimme der Krankenschwester, nachdrücklich, erregt, und dann eine Männerstimme, eindringlich. Die Tür ging auf, und die Schwester kam herein.

»Susan, es tut mir leid, aber hier ist ein Polizist, der darauf besteht, Sie zu sprechen.«

Susan setzte sich auf. Das Warten war vorüber. »Okay, bringen Sie ihn bitte rein.«

Ein großer schwarzer Mann in einem dunklen Anzug kam

herein. Er hatte Matt auf dem Arm. Ihr Sohn war schmutzig, und sein blondes Haar blutverkrustet. Als Matt seine Mutter sah, streckte er die Arme nach ihr aus und fing an zu weinen. Susan war überhaupt nicht überrascht.

Der Mann setzte Matt vorsichtig neben Susan aufs Bett. Sie umarmte ihren Sohn und starrte den Mann über Matts Schulter hinweg an. Der Mann wandte sich an die Schwester. »Wenn Sie uns bitte einen Moment allein lassen würden.«

»Sie wurde gerade operiert.«

»Ich bleibe nicht lange.«

Widerwillig ging die Schwester.

Der Mann zeigte Susan seinen Dienstausweis. »Ich bin Sonderermittler Zondi. Ministerium für Sicherheit.« Sie nickte. »Sind Sie Susan Burn?«

Sie fühlte sich erleichtert. Es war vorbei. Endlich. »Ja. Sind Sie gekommen, um mich festzunehmen?«

»Nein, das liegt außerhalb meiner Kompetenz. Ich habe mehr oder weniger zufällig Ihren Sohn gefunden und wollte ihn Ihnen zurückbringen. Damit Sie ihn identifizieren.«

»Was ist mit ihm passiert?«

Der Mann stand. »Ich muss jetzt gehen. Ich werde die Schwester bitten, sich um Ihren Sohn zu kümmern.«

»Wo ist mein Mann?«

»Ich habe keine Ahnung, Mrs. Burn.«

Susan starrte ihn an. »Das war alles? Sie gehen jetzt wieder, einfach so?«

Er nickte. »Ja.«

»Warten Sie. Bitte erzählen Sie mir, was passiert ist. Wo haben Sie Matt gefunden?«

Er sah sie an. »Was genau passiert ist, weiß ich nicht. Ich kann da auch falschliegen, aber ich glaube, dass Ihr Sohn entführt worden ist. Und Ihr Mann hat versucht, ihn zurückzubekommen; der Junge wurde draußen auf den Cape Flats freigelassen.«

Susan verarbeitete das alles durch den Nebel hindurch, den das Schmerzmittel in ihrem Kopf hinterließ. »Matt wurde entführt?«

»Ja, das nehme ich an.«

»Und Jack, mein Mann, hat versucht, das alles alleine zu regeln?«

»So sieht es aus, ja.«

»Mein Sohn hätte dabei umkommen können?«

Er nickte. »Ja. Es war eine gefährliche Situation.«

Susan spürte, dass Matt weinte, sein kleiner Körper bebte unter den Schluchzern. Dann fühlte sie einen riesigen Zorn, der wie ein Feuer in ihr aufflammte. »Entschuldigung, ich habe Ihren Namen nicht verstanden.«

»Zondi.«

»Mr. Zondi, ich möchte, dass Sie mir helfen. Helfen Sie mir, alldem hier ein Ende zu bereiten.«

Zondi starrte sie an. Dann nickte er.

Durch den Rauch hatte Burn den weit entfernten Tafelberg ausmachen können, der ihn auf die Autobahn führte. Er war auf dem Rückweg nach Kapstadt. Er hatte einen Entschluss gefasst; er würde zum Polizeirevier Sea Point fahren und dort die Entführung seines Sohnes melden. Er wusste, dass dann mit an Sicherheit grenzender Wahrscheinlichkeit herauskommen würde, wer er wirklich war, aber das war ihm egal. Er musste Matt finden. Wenn es nicht schon zu spät war.

Als er die Hospital Bend erreichte, Stadt und Hafen ausgebreitet vor ihm lagen, klingelte sein Telefon. Als er auf dem Display sah, dass es Susan war, wollte er erst nicht rangehen. Wie sollte er jetzt mit seiner Frau reden? Aber er nahm ab.

»Susan. Wie geht es dir?«

»Jack, mir geht es gut. Uns geht es gut.«

»Also ist es geschafft?«

»Ja.«

»Und? Mit ihr ist alles okay? Mit unserem Baby?«

»Alles ist perfekt.«

»Das freut mich, Susan.«

Sie unterbrach ihn. »Jack, Matt ist hier.«

Er dachte, er würde halluzinieren. »Was hast du da gerade gesagt?«

»Ich sagte, Matt ist hier bei mir. Ein Polizist hat ihn draußen auf den Cape Flats gefunden.«

»Mein Gott, Susan. Es tut mir so leid …«

»Schhhhh, Jack. Sag nichts weiter. Komm einfach nur her. Komm jetzt her.«

»Okay.« Er fühlte sich unendlich erleichtert. Seine neugeborene Tochter lebte. Seine Frau wollte ihn an ihrer Seite haben.

»Jack, kommst du her? Zu uns?«

»Ja.«

»Versprichst du es?«

»Versprochen.«

KAPITEL 33

Carmen Fortune saß eine ganze Weile an dem Taxistand, sah die Minibusse hin und her rasen und hörte die typischen *Caaape-Taaaaauuuuunnn*-Rufe, während die Schaffner sie drängten einzusteigen. Carmen beachtete sie nicht weiter.

Es war immer noch hell, gerade erst sieben, und die Sonne ballerte auf die Cape Flats.

Sie erhob sich und ging einen Block weit, bis sie die Straße erreichte, in der sie aufgewachsen war. Protea Street. Sie zögerte, wollte schon umkehren, nahm dann aber allen Mut zusammen und näherte sich dem Haus ihrer albtraumhaften Kindheit. Ein kleiner, verwahrloster Ort, umgeben von einem durchhängenden Stacheldrahtzaun, wie Hunderte andere ringsum.

Carmen hatte das Haus nicht mehr betreten und nicht mit ihren Eltern gesprochen, seit ihre Mutter sie vor sechs Jahren rausgeworfen hatte. Carmen öffnete das Eingangstor und klopfte an die Tür.

Die Tür öffnete sich einen Spalt und sie sah das Gesicht ihrer Mutter. Sie unterdrückte das Verlangen wegzulaufen.

Ihre Mutter funkelte sie böse an. »Was willst du hier?«

»Ich möchte ihn sehen.«

»Wir wollen dich hier nicht. Geh zurück auf die Straße, da gehörst du hin.«

Ihre Mutter wollte die Tür schließen, doch Carmen hielt dagegen und zwang sie zurückzuweichen. Dann ging sie den Korridor entlang zum Elternschlafzimmer, ihre Mutter versuchte, sie aufzuhalten.

Carmen drehte sich um und sah sie an. »Stimmt es, dass er im Sterben liegt?«

Ihre Mutter sackte zusammen. »Ja. Er hat nicht mehr lange.«

»Dann habe ich das Recht, mich zu verabschieden.«

Ihre Mutter sagte nichts, blieb einfach nur mit hängenden Schultern stehen. Carmen betrat das Schlafzimmer, ohne anzuklopfen.

Ein Skelett mit grauer Haut und eingefallenen Augen lag da im Bett. Sie brauchte einen Moment, um dieses ausgemergelte Ding mit dem schwitzenden, stöhnenden Leib in Verbindung zu bringen, der sich Nacht für Nacht über ihren kleinen Körper gewälzt hatte.

Es war die Stimme, die die Erinnerungen zurückbrachte.

»Carmen. Du bist gekommen.« Die Stimme war zwar schwächer, aber es war immer noch dieselbe Stimme, die ihr widerwärtige Dinge ins Ohr geflüstert hatte, während er sie vergewaltigte. Das hier war ihr Vater, ja.

Sie trat näher, ragte neben ihm auf und starrte auf ihn hinab.

Er versuchte zu lächeln, mit dem nackten Zahnfleisch sah sein Mund aus wie ein Abfluss. »Carmie, der liebe Gott hat mein Beten erhört.«

»Ja? Hat er das?«

»Ich habe gebetet, du würdest kommen, um dich von mir zu verabschieden, bevor ich gehen muss.« Die Augen ihres Vaters waren voller Selbstmitleid und Angst.

Er streckte seine Hand nach ihr aus. Sie schlug sie weg und beugte sich ganz dicht über ihn. »Lass diesen Scheiß mit Gott, du Arschloch. Glaubst du wirklich, dass Gott dir jemals vergeben wird, dass du deine Tochter jahrelang vergewaltigt, sie zweimal geschwängert und sie dann rausgeschmissen hast?«

Sie sah die Furcht in seinen Augen, während sein eingefallener, zahnloser Mund nach Worten suchte. Ihre Mutter stand im Halbdunkel an der Schlafzimmertür. Carmen hörte sie scharf Luft holen.

»Wir beide wissen, dass du für das, was du mir angetan hast, in der Hölle verrotten wirst.« Carmen lachte ihm ins Gesicht und schob sich an ihrer Mutter vorbei durch die Tür. »Und du wirst auch noch deinen Teil abbekommen, du Schlampe.«

Auf der Straße holte sie tief Luft und beruhigte sich.

Als sie fortging, erschien ihr der Himmel blauer.

Disaster Zondi fuhr auf der Autobahn Richtung Flughafen. In der zunehmenden Dunkelheit erstreckten sich zu beiden Seiten die Hütten und schäbigen Häuser der Cape Flats.

Wie fühlte er sich jetzt, da alles vorbei war?

Ihm kam ein Wort aus dem Fernsehen in den Sinn: Sendeschluss. Fühlte sich das so an? Er musste zugeben, dass er erleichtert war, zugleich aber auch eigenartig niedergeschlagen.

Was hatte er erwartet?

Letztlich war es eine Frage des Schicksals. Auf Aktion folgt Reaktion. Jack Burn hatte sich ausgerechnet Kapstadt ausgesucht. Welchen anderen Verlauf hätte alles genommen, wenn er sich mit seiner Familie ins ruhigere Sydney abgesetzt hätte?

Rudolphus Arnoldus Barnard war zum großen Barbecue in den Himmel geschickt worden. Das schien ihm eine unschlagbare Pointe.

Zondi lachte.

Er ertappte sich beim Pfeifen, als er im Abflugterminal stand. Er durchlebte ein unerwartetes Gefühl, eine Empfindung, die ihm unbekannt war. Zondi brauchte eine Minute intensiver Besinnung, bevor er zu dem Entschluss gelangte, dass es sich höchstwahrscheinlich um Glück handelte.

Im Morgengrauen folgte Benny Mongrel einem Pfad hinauf zu den unteren Hängen des Tafelberges.

Nachdem er den verkohlten Horror hinter sich gelassen hatte, der einmal der fette Bulle gewesen war, empfand er keinerlei Bedürfnis mehr, in seine beengte Hütte in Lavender Hill zurückzukehren. Er hatte viel zu viel Zeit in engen Räumen verbracht, in denen sich der Gestank und das Stöhnen anderer Männer mit der fauligen Luft mischten, die er atmete.

Also war er zum Berg gegangen.

Er hatte einen überhängenden Felsen gefunden, der ihm Schutz bot, nicht weit von einem Fluss, der trotz der Hitze nicht ausgetrocknet war. Er war ein Stück einen schmalen Weg hinuntergegangen, der zu Häusern führte, die sich an die Hänge schmiegten, die Gärten dem Berg abgerungen. Trotz hoher Zäune und Stacheldraht hatte er ein Paar Jeans und ein T-Shirt von einer Wäscheleine ergattern können. Mehr brauchte er nicht.

Als er den Pfad hochwanderte, bemerkte er eine Bewegung im Gebüsch und verlangsamte seinen Schritt. Er hob einen Stein auf und schlich sich an, in der Hoffnung, dass er ein Gebirgskaninchen erlegen und frühstücken könnte.

Der Busch teilte sich, und ein Welpe mit dickem goldenem Fell tollte heraus. Er war zu jung, um sich vor Menschen zu fürchten, wedelte mit dem Schwanz und pinkelte vor Freude, als er Benny Mongrel sah.

Er kniete nieder und nahm den Welpen auf den Arm. Das Tier leckte ihn ab und wedelte mit dem Schwanz, schlug mit der Pfote nach ihm und versuchte, sein Gesicht abzulecken. Die Pfoten waren riesig und Benny Mongrel wusste, dass dieser Welpe zu einem großen Hund heranwachsen würde. So groß wie Bessie.

Er streichelte ihn, das weiche Fell. Und er spürte noch etwas, das ihn nervös machte: ein warmes Gefühl ums Herz.

Vorsichtig setzte er den Hund ab. Er stand auf, nahm seine gestohlene Kleidung und ging den Berg hinauf. Er sah kein einziges Mal zurück, als der Hund versuchte, ihm zu folgen, dann anhielt und sich hinsetzte, um sich am Ohr zu kratzen.

Benny Mongrel war frei.

Susan lag in ihrem Klinikbett und stillte das Baby. Matt lag schlafend neben ihr, sauber und in einem frisch gestärkten Krankenhaus-Pyjama. Als die Schwester am frühen Morgen Lucy gebracht hatte, hatte Susan gesehen, dass der uniformierte Polizist noch immer draußen vor ihrer Tür saß.

Susan wusste, dass bald schwierige Zeiten anbrechen würden. Ein Mann vom amerikanischen Konsulat war am Vorabend bei ihr gewesen, ein schleimiger Lackaffe, der aussah, als hätte man ihn direkt vom Tennisplatz weggeholt. Er sagte, sie werde zurück in die Staaten begleitet, sobald sie wieder reisefähig sei. Wenn sie Glück hatte, würde sie mit einer Bewährungsstrafe davonkommen. Dazu gab es eine Reihe praktischer Fragen zu klären. Zum Beispiel die Geldfrage.

Das Haus in Los Angeles und die Konten waren beschlagnahmt worden. Susan war blank. Sie hatte seit der Hochzeit nicht mehr gearbeitet und wusste, dass ihr zukünftiges Leben als alleinerziehende Mutter schwer werden würde. Aber das war in Ordnung, denn ihre Kinder waren am Leben und bei ihr. Selbst wenn sie ihren Mann verloren hatte.

Matt wachte auf und sah zu ihr auf. »Möchtest du etwas trinken, Matty?«

Er schüttelte den Kopf und klammerte sich an sie. Er nuckelte am Daumen seiner freien Hand. Vorsichtig zog sie den Daumen aus seinem Mund. Er hatte nicht mehr gesprochen, seit Zondi ihn am Abend zuvor zu ihr gebracht hatte. Irgendetwas Schlimmes musste ihm in diesen zwei Tagen draußen auf den Cape Flats zugestoßen sein. Er war im Krankenhaus untersucht worden und außer einer Beule am Kopf gab es keine Anzeichen für Verletzungen. Er schien ein bisschen benommen zu sein und ein Bluttest bestätigte, dass man ihm Beruhigungsmittel verabreicht hatte, aber nicht in lebensbedrohlicher Dosis.

Susan wusste, dass ihr Sohn auf eine tiefergehende Art verletzt worden war. Dieses sonst fröhliche, extrovertierte Kind war nur noch ein ängstlicher Schatten seiner selbst.

Ich verfluche dich, Jack, hörte sie sich sagen. Verflucht sollst du sein, wo auch immer du jetzt bist.

Der Reifen platzte irgendwo nördlich eines heruntergekommenen Wüstenkaffs, das Burn so schnell passierte, dass er noch nicht einmal das Ortsschild lesen konnte.

Er war seit dem Vorabend auf der Flucht. Seit Susans Anruf. Als er sie dieses letzte Mal anlog, als er wusste, dass die Bullen in der Klinik auf ihn warteten. Er hatte einen Moment Erleichterung darüber empfunden, dass Matt in Sicherheit und dass seine Tochter auf der Welt war, hatte dann Barnards zerbeulten Ford Richtung Norden gesteuert und war durch die Nacht gefahren.

Am Morgen fand er sich irgendwo in der Kalahari wieder. Endlos dehnte sich der rote Sand aus, uralte Bäume griffen wie Hände aus den Dünen nach dem wolkenlosen Himmel. Seit dem Persischen Golf hatte er keine so trockene Hitze mehr erlebt. Jeder Atemzug brannte in seiner Lunge.

Er war erschöpft, aber er konnte nicht anhalten. Er floh nicht nur vor den Bullen, sondern auch vor der Erinnerung. Vor Bildern von Susan und Matt und Gedanken an seine neugeborene Tochter. Je weiter weg er von ihnen war, desto besser war es für sie. Davon war er absolut überzeugt. Ein Schwertransporter schwamm aus dem Dunst auf ihn zu, der Gegenwind erfasste den Ford und rüttelte Burn wieder aus seinen Gedanken.

Er trank Wasser aus einer Plastikflasche und spritzte sich etwas davon ins Gesicht. Er hatte keinen Plan, keinen genauen zumindest. Er wusste nur, dass er aus Südafrika rausmusste, die Grenze ins Nachbarland Botswana überqueren, um dann ins nächste Flugzeug zu steigen. Egal wohin. Möglichst weit weg. Er hatte das Geld und den Pass von William Morton, und er wusste, dass die Grenze zwischen den beiden Ländern durch eine unkontrollierbare Wüste verlief. Er würde wahrscheinlich auf keine Grenzbeamten treffen.

Er musste nur den Fuß auf dem Gas halten. Immer weiter.

Er hörte eine unmelodische Version von »Good Vibrations« und realisierte, dass er laut sang. Als er bemerkte, wie er darauf wartete, dass Matt in den Chor einstimmte, verstummte er.

Gerade noch rechtzeitig, um den Knall zu hören, bevor der Ford weit nach links ausscherte. Er hielt gegen und versuchte, den Wagen auf der Straße zu halten. Aber die Räder rutschten auf dem Schotter des Randstreifens weg und der Wagen drehte sich und überschlug sich in einem Wirbel aus zerberstendem Metall, Glas und blutrotem Sand.

Das Letzte, was Jack Burn sah, war die Sonne in seinen Augen.

Dann nichts mehr.

Ich danke meiner Verlegerin Sara Knight und meiner Agentin Alice Fried Martell.

Roger Smith, 1960 geboren, ist Drehbuchautor, Regisseur und Produzent. Während der südafrikanischen Apartheidjahre gründete er ein international beachtetes politisches Künstlerkollektiv. Smith lebt in Kapstadt. »Kap der Finsternis« ist sein erster Roman.

www.klett-cotta.de/tropen

Hallgrímur Helgason
Zehn Tipps, das Morden zu beenden und mit dem Abwasch zu beginnen
Roman
Aus dem Isländischen von
Kristof Magnusson
271 Seiten, gebunden mit
Schutzumschlag
ISBN 978-3-608-50108-7

»Der isländische Sommer ist wie ein Kühlschrank, den man sechs Wochen offen lässt. Das Licht ist die ganze Zeit an und das Gefrierfach taut, aber richtig warm wird es nie.«

Eigentlich ist er Kroate, eigentlich lebt er in New York und eigentlich ist er kein Priester, sondern ein Auftragskiller mit 66 erfolgreich ausgeführten Morden. Doch einmal in Island angekommen, bleibt Toxic nichts anderes übrig, als die Rolle eines Predigers zu spielen. Mehr schlecht als recht absolviert er einen Auftritt in einer TV-Show und verliebt sich auch noch in die Tochter seiner Gastgeber. Bald schon droht er aufzufliegen ...

Tropen

www.klett-cotta.de/tropen

Massimo Carlotto
Die dunkle
Unermesslichkeit des Todes
Roman
Aus dem Italienischen von
Hinrich Schmidt-Henkel
188 Seiten, gebunden mit
Schutzumschlag
ISBN 978-3-608-50200-8

»... dramaturgisch grandios installiert, psychologisch packend, von beklemmender Intensität« *Hendrik Werner, Die Welt*

»Die dunkle Unermesslichkeit des Todes« erzählt von zwei Männern und einem brutalen Verbrechen, das die beiden untrennbar miteinander verbindet. Zwei Lebensgeschichten werden raffiniert verwoben zu einer wütenden Anklage gegen eine Gesellschaft, in der es keine Wiedergutmachung und keinen Trost geben kann. Eine große Geschichte über Rache und Vergebung.

Tropen